PASSEGGIATE ITA[illegible]

livello avanzato

Camilla Bettoni e Giosi Vicentini

PASSEGGIATE ITALIANE

lezioni di italiano livello avanzato

2ª edizione

Introduzione

Questo libro raccoglie 15 lezioni di italiano per studenti che abbiano già una discreta conoscenza della lingua italiana, prefiggendosi di immergerli nella lingua viva dell'Italia di oggi. A questo scopo offre una vasta gamma di attività divertenti e istruttive che li stimolino ad acquisire insieme maggiore scioltezza e maggiore accuratezza, sia nel parlare sia nel leggere e scrivere. Per la ricchezza del materiale e la sistematicità della sua presentazione il libro si propone come testo completo per un corso annuale di lingua avanzata.

Le lezioni sono unità indipendenti le une dalle altre, e possono quindi essere usate in sequenze libere. Tuttavia, ciascuna ha una sua specificità, che è determinata tanto dall'argomento culturale-lessicale, quanto dalle strutture grammaticali trattate.

Ogni lezione inizia con un brano di lettura su argomenti diversi, scelti con il duplice scopo di catturare l'interesse degli studenti per il mondo e la vita italiana contemporanea, e di coinvolgerli in una partecipazione attiva agli esercizi che seguono. I testi, anche se tagliati per ragioni di spazio o rimpaginati per una più chiara lettura rispetto a una riproduzione perfettamente fedele all'originale, sono tutti autentici. Mentre abbiamo evitato scelte che presupponessero da parte di studenti (e insegnanti) stranieri familiarità con un mondo troppo localizzato nello spazio e nel tempo, abbiamo di proposito resistito alla tentazione di tagliare o glossare i pochi riferimenti alla cronaca quotidiana che non possono non apparire in testi diretti al lettore contemporaneo in Italia. Questo, nella convinzione che non è sempre necessario capire ogni dettaglio per godere il tutto, e che a livello avanzato l'abilità di cernere nel materiale autentico il superfluo dall'importante sia parte integrante del processo di apprendimento linguistico e culturale.

Alle letture seguono alcune attività congeniate in modo che, da una parte, verifichino la comprensione del testo, sia nel suo aspetto culturale sia in quello più strettamente linguistico, e dall'altra, incoraggino gli studenti ad utilizzare subito attivamente parole e costrutti appena letti.

Sono sempre riferiti all'argomento delle letture gli esercizi successivi, miranti alcuni ad ampliare il vocabolario, altri a fare riflettere su punti grammaticali specifici, altri ancora a provocare reazioni personali. In questo modo le attività proposte sono sempre immerse in un contesto facilmente individuabile.

Per la loro fondamentale importanza soprattutto a livello avanzato, lessico e fraseologia ricevono grande attenzione, con una tipologia di esercizi molto ampia che copre percorsi molto vari che vanno dalla sinonimia all'antinomia, dalla collocazione alla metafora, dalla polisemia alla derivazione, e così via.

Gli argomenti grammaticali includono aspetti morfologici, sintattici e pragmatici. Tuttavia, mentre per la morfologia e la sintassi della frase semplice gli esercizi insistono solo su quei punti che normalmente risultano ancora insidiosi anche per studenti avanzati, il trattamento della subordinazione è sistematico, nel senso che a ciascun tipo di proposizione subordinata è dedicata una lezione. Riceve poi notevole attenzione anche la grammatica testuale e pragmatica, sebbene in questo caso il suo carattere necessariamente più 'aperto' ne precluda un trattamento completo.

L'approccio grammaticale è deduttivo e implicito, nel senso che le regole vanno ricavate dai testi, dagli esempi o dagli esercizi senza che vengano formalmente esplicitate. Di conseguenza l'uso della terminologia tecnica è molto limitato, se non nell'indice analitico alla fine del libro, dove può tornare utile avere un chiaro elenco degli argomenti grammaticali specificamente trattati. Infatti, il nostro approccio, partendo dai concetti di "*focus on form*" e "*consciousness raising*" rispettivamente di Michael Long e William Rutherford, poi non nega affatto la possibilità né che l'insegnante presenti e discuta le regole in classe, né che gli studenti ne verifichino la formalizzazione sulle grammatiche di consultazione.

A conclusione di ogni lezione proponiamo abbondanti spunti alla conversazione e discussione o al componimento scritto, invitando ancora una volta gli studenti a far uso di parole e strutture delle letture e degli esercizi, ma questa volta in maniera più libera e originale.

In fondo al libro offriamo le chiavi per gli esercizi. Con un *caveat* ben preciso: anche là dove le soluzioni possono essere molteplici – e spesso lo sono in un volume dedicato al livello avanzato dove le scelte sono ormai necessariamente più libere – noi ne offriamo una sola, e (per essere utilmente succinte) lo dobbiamo fare senza neppure accennare alle sfumature interpretative della nostra particolare scelta. Qui possiamo comunque spiegare che nel caso ci fosse disponibile la precisa scelta dell'autore di un testo autentico (come, per esempio, accade negli esercizi di *cloze*) abbiamo senz'altro usato quella; altrimenti la nostra tendenza è stata di privilegiare uno stile medio curato, né eccessivamente dimesso né eccessivamente elaborato. D'altra parte, abbiamo spesso proposto una soluzione nostra anche a domande alquanto libere, in modo che il libro risulti utile anche allo studente autodidatta che lavora senza l'insegnante.

Rispetto al volume a livello intermedio che porta lo stesso titolo, questo a livello avanzato è insieme autonomo e complementare. L'autonomia è dovuta senz'altro all'abbondanza e alla varietà del materiale culturale, lessicale e grammaticale offerto, ma anche alla divisione non categorica degli elementi grammaticali. La complementarietà invece regge, da una parte, sui due livelli di competenza chiaramente identificabili in tutto il materiale; dall'altra, sulla più sistematica cura dedicata nel volume intermedio alla grammatica della parola e della frase semplice e alle scelte linguistiche più obbligate rispetto a questo volume avanzato, dove invece sono privilegiate la grammatica della frase complessa e del testo e le scelte pragmatiche e stilistiche più libere.

CAMILLA BETTONI E GIOSI VICENTINI

1

L'alba del viaggio

Il Touring compie 100 anni

Mezzo milione di iscritti e migliaia di pubblicazioni

L'avvenimento potrebbe rientrare nell'agenda delle celebrazioni di rito. Specie in un mondo di «vacanze intelligenti» per il quale viaggiare è diventato non solo un piacere, ma un dovere. Sì, il Touring compie cent'anni. Ma le riviste, i club, le guide pronte a classificare e promuovere ristoranti alberghi itinerari alternativi e mete minori non sono, ormai, decine e decine? Cosa ci sarà di tanto eccezionale nella ricorrenza della fondazione di un'associazione che, è vero, conta mezzo milione di iscritti, ma in fondo non sembra molto diversa da altre organizzazioni che si occupano di turismo?

Qualcosa di molto particolare, in questa ricorrenza, però esiste. Perché un secolo del Touring significa un secolo di vita della moderna strada Italia. E la nascita di quel club – battezzato con un termine inglese che significa «viaggiare per studio e diporto» – santifica l'approccio degli italiani con la dimensione della geografia. Per la quasi totalità della popolazione del nostro paese, alla fine dell'Ottocento, l'orizzonte del mondo esplorato si ferma ai paesi e alle frazioni del circondario. Con il sorgere del nuovo secolo la gente, soprattutto al nord, inizia invece a muoversi. Il viaggio passa dalla fase aristocratica a quella borghese, preludio a un'ulteriore espansione del turismo che, a partire dagli anni Trenta, con l'istituzionalizzazione delle ferie e il progresso dei mezzi di comunicazione, diverrà patrimonio di sempre più vaste classi sociali.

Il Touring è il primo interprete di questa tendenza. Anzi se ne fa a suo modo promotore. A volte in forme un po' velleitarie, come quando, a un anno dalla sua fondazione, nel 1895, colloca lungo molti itinerari una serie di cassette con l'attrezzatura che i soci più volenterosi possono utilizzare per dare una mano alla manutenzione del fondo stradale. Altre volte, con iniziative davvero pionieristiche. Basti citare quella che, nel 1897, porterà all'installazione sulle principali vie di comunicazione (all'epoca marcate dalle sole pietre miliari) dei primi cartelli indicatori.

La vera rivoluzione portata dal Touring, quella che guiderà gli italiani alla scoperta e alla conquista della strada, rimane tuttavia la pubblicazione, a partire dal 1905, della carta geografica d'Italia in scala al 250 mila. Fino ad allora a rappresentare il nostro paese ci sono state solo le carte militari, poco attente alle esigenze del viaggiatore civile, e per di più disponibili solo in versioni o troppo particolareggiate, in scala da uno a 50 mila, o troppo generiche, in scala da uno a 500 mila. Per di più molte località sono indicate con appellativi inesatti o liberamente inventati, in nome di una concezione centralistica postunitaria, senza alcun rispetto della toponomastica locale. Basti citare, tra i tanti, il caso del Monte Somega, nato dalla sbrigativa risposta data da un contadino lombardo alla domanda di un cartografo toscano: «Come si chiama quel monte?». «So mega»: «non so». Per arrivare alla redazione della sua carta il Touring mobilita 14 mila soci, scoprendo circa 7 mila toponimi non corretti.

Precisione a parte, la carta del Touring, come dimostreranno le centinaia di migliaia di copie vendute nell'arco di decenni e decenni, risulterà comunque rivoluzionaria anche per la facilità di lettura, basata sull'uso della policromia e dei segni convenzionali. E per un'impostazione che si tradurrà – alla vigilia della prima guerra mondiale, proprio mentre l'associazione, fondata da ciclisti, scopre l'automobile – nella pubblicazione della Guida d'Italia, il primo Baedeker nostrano. Una «guida» rossa che, adottando un criterio di inventario apparentemente arido, fomenterà un'altra rivoluzione turistica, quella della scoperta di un'Italia «minore» snobbata dai viaggiatori che, notava Rilke, fino ad allora passavano «con gli occhi chiusi davanti alle mille modeste bellezze», per precipitarsi «verso le attrazioni ufficiali», santificate dal solenne, pedantesco giudizio dei professori di storia dell'arte».

Mattia Tavolin

La Repubblica, 7 novembre 1994

A. Completate la scheda con le informazioni relative ai seguenti punti.

Fine Ottocento . . . .

Inizio Novecento . . . .

Anni Trenta . . . .

1895 . . . .

1897 . . . .

1905 . . . .

Iniziative pionieristiche . . . .

Iniziative velleitarie . . . .

Iniziative rivoluzionarie . . . .

Pregi della carta del Touring . . . .

B. Date il sostantivo dell'aggettivo e l'aggettivo del sostantivo.

1. ricorrente . . . .
2. borghese . . . .
3. velleitario . . . .
4. patrimoniale . . . .
5. policromo . . . .
6. indicazione . . . .
7. viaggio . . . .
8. genericità . . . .
9. cartografia . . . .
10. associazione . . . .

C. Abbinate le didascalie che seguono alle rispettive figure nella pubblicità del TCI che trovate qui sotto.

(i) Nel suo Pacco Soci, gentile lettore e gentile lettrice, potrà trovare racchiuse in un'unica guida tutte le informazioni utili per sfruttare al meglio i vantaggi che offre il TCI:

- La tessera ACI 116-TCI al prezzo speciale di 43.000 lire.
- Alle stazioni di servizio ESSO speciali bollini da spendere presso il Touring.
- Sconti presso gli autonoleggi HERTZ.
- Polizze assicurative esclusive per i soci TCI.
- Servizio di informazioni turistiche.
- Visite guidate gratuite e ingresso scontato in numerosi musei.
- Sconti speciali in oltre 1.500 alberghi e in migliaia di negozi.

... e molte altre occasioni di risparmio.

(ii) È la nuova aggiornata edizione della collana più conosciuta del Touring. Dedicata a quattro delle più belle regioni italiane, ne illustra il patrimonio artistico-monumentale ed i valori paesaggistici, ambientali e storici. Comprende fra l'altro Roma e le località di vacanza più celebri delle coste sarde.

(iii) È calendario, rubrica telefonica, agenda, atlante geografico ed è ricca di informazioni utili per chi viaggia. Formato: cm 9×16.

(iv) È la nuova opera cartografica realizzata dal TCI per fornire ai Soci tutte le informazioni turistiche e pratiche per viaggiare in ben 23 paesi europei, dalla Lettonia e Lituania alla Gran Bretagna, dall'Islanda alla Moldavia. È corredata da notizie relative a strade, ferrovie, linee aeree e marittime.

D. Abbinate i verbi dati all'espressione di spazio adatta.

1. andare	a. per Roma
2. emigrare	b. le vie di Roma
3. girare	c. a Roma
4. gironzolare	d. verso Roma
5. pellegrinare	e. Roma
6. percorrere	f. da Roma
7. vagare	
8. visitare	

– Desideriamo andare in un luogo dove c'è maggiormente bisogno di noi.

E. Eliminate da ogni serie di parole quella che per significato è più diversa dalle altre.

1. forestiero, peregrino, ramingo, vagabondo
2. baule, borsa, valigia, viatico, zaino
3. lasciapassare, nullaosta, passaporto, patente, visto
4. descrizione (di viaggio), diario, progetto, racconto, resoconto
5. (viaggio) in comitiva, in crociera, individuale, in gruppo, organizzato
6. (il biglietto) annullarlo, eliminarlo, obliterarlo, vidimarlo
7. carta, guida, mappa, piano, pianta
8. albergo, campeggio, hotel, locanda, ostello, pensione, vagone letto
9. giro, itinerario, percorso, spedizione, tragitto
10. far fagotto, fare le valige, far sosta, imbarcarsi, mettersi in viaggio, partire

F. Mettete la preposizione *di* dove necessario.

1. È difficile . . . sfuggire ai consigli del TCI per viaggiare in Italia e in Europa.
2. Conviene . . . associarsi: i vantaggi sono molti e inoltre si riceve gratis una rivista mensile.
3. Basta . . . spedire la richiesta di associazione all'indirizzo indicato.
4. Per viaggiare bene importa . . . essere flessibili alle circostanze e pronti a ogni evenienza.
5. È ora . . . avere nuovi orizzonti oltre quelli televisivi, e vedere il mondo con i propri occhi.
6. A volte, anche nel proprio ambiente, sembra . . . stare in un altro mondo.
7. Un tempo il Touring pubblicava anche una rivista mensile intitolata «Le vie d'Italia»: è ancora un piacere enorme . . . leggerne i vecchi numeri.
8. A tutti piace . . . allontanarsi dagli itinerari obbligati per scoprire la normalità della vita quotidiana di paesi nuovi.
9. Capita raramente . . . avere molto tempo a disposizione, per cui bisogna . . . organizzare bene ogni tappa dell'itinerario.
10. Se non fosse già stato fatto, sarebbe opportuno . . . tradurre le belle «Guide del Touring» nelle principali lingue straniere.

G. Cambiate il soggetto della proposizione subordinata come indicato tra parentesi.

Esempio: Spero di andare presto a Lisbona. (anche il professore)
Spero che anche il professore vada presto a Lisbona.

1. Mi auguro di raggiungere la Francia al più presto. (anche lo zio)

   . . . .

2. Pensiamo di viaggiare in cuccetta. (anche i ragazzi)

   . . . .

3. Promettiamo di essere prudenti. (ognuno di noi)

   . . . .

4. Ammetterete di esservi sbagliati. (tutti voi)

   . . . .

5. Vi giuro di non viaggiare più con quella agenzia. (io stesso)

   . . . .

6. Molti scrittori tedeschi dichiarano di amare l'Italia. (la gente del loro paese)

   . . . .

7. Mio fratello afferma di non voler viaggiare in treno. (anche sua moglie)

   . . . .

8. Con il gran caldo, abbiamo scoperto di stare meglio in montagna che al mare. (non solo noi, ma anche i nostri genitori)

   . . . .

H. Rispondete alle domande in base ai vostri gusti e motivando la scelta, come suggerito dagli esempi.

Esempi: Ti va di fare il giro della Sardegna in bicicletta?
Sì, mi piace molto andare in bicicletta. / No, non mi piace andare in bicicletta.

Ti va di preparare personalmente l'itinerario? (le agenzie di viaggio)
Sì, non mi piace che me lo preparino le agenzie. / No, mi piace che me lo preparino.

1. Ti va di prendere il traghetto?

. . . .

2. Ti va di svegliarti di buon mattino? (lo squillo della sveglia)

. . . .

3. Che ne dici di passare una settimana in un casale d'agriturismo?

. . . .

4. Ti va di andare all'ostello della gioventù?

. . . .

5. Ti va di preparare i pasti tutti i giorni? (un cuoco)

. . . .

6. Ti va di guidare per località sconosciute? (l'autista di un autobus)

. . . .

7. Che ne dici di prendere a nolo una macchina in vacanza?

. . . .

8. Che cosa ne pensi di chiedere un passaggio? (gli autostoppisti)

. . . .

9. Ti va di scrivere gli appunti di viaggio? (gli altri)

. . . .

I. Trasformate le frasi seguendo l'esempio.

Esempio: Al giorno d'oggi, vivere nelle grandi città – si sa – è snervante.
Si sa che al giorno d'oggi vivere nelle grandi città è snervante.

1. Viaggiare – si sa – è diventato anche un dovere oltre a un piacere.

. . . .

2. Una volta – si legge – pellegrinaggi, cultura e salute erano le "scuse" più frequenti per viaggiare.

. . . .

3. Anche i mercanti – è noto – viaggiavano molto alla ricerca di nuovi traffici.

. . . .

4. Strade, ferrovie, linee aeree e marittime – anche i bambini lo sanno – sono superaffollate nei periodi di ferie.

. . . .

5. Le ferie e vacanze scolastiche – si sa – complicano la vita a chi deve viaggiare per lavoro.

. . . .

6. Una buona guida – è cosa risaputa – deve dare utili informazioni e suggerimenti ai viaggiatori.

. . . .

7. Le riviste di turismo ricche di fotografie e di articoli informati – capita spesso – fanno appassionare anche i viaggiatori più sedentari.

. . . .

8. Il Touring – è risaputo – è un'associazione di vecchie tradizioni.

. . . .

9. Nel 1994 – lo abbiamo appena letto – il Touring ha compiuto 100 anni.

. . . .

L. Esprimete con un verbo il concetto espresso in corsivo, e fate le necessarie trasformazioni, come nell'esempio.

Esempio: Si sperava in una rapida *decisione* della regina di Spagna.
Si sperava che la regina di Spagna si decidesse prontamente.

Prima del grande viaggio

1. La *caparbietà* di Cristoforo Colombo è nota a tutti.

. . . .

2. Molti non volevano la *partenza* dell'avventuriero, ma lui è riuscito a convincerli.

. . . .

3. L'*impegno* personale del navigatore per preparare il viaggio è risaputo.

. . . .

4. Isabella di Spagna confermò il suo *interesse* all'impresa di Colombo.

. . . .

5. Centinaia di marinai dichiararono piena *disponibilità* ad accompagnarlo.

. . . .

6. Colombo era certo dell'*appoggio* dei saggi di Salamanca.

. . . .

7. Era necessario un *investimento* ingente da parte dei sovrani spagnoli per pagare le spese dell'impresa.

. . . .

8. Occorreva assolutamente la *firma* di tutti i soci sul contratto.

. . . .

9. Si temeva la *scomparsa* dei navigatori sui mari inesplorati.

. . . .

M. Sistemate i verbi.

(Frasi contemporanee alla principale)

Tranquillità o compagnia?

1. È fuor di dubbio che la gente che abita in montagna, sulle Alpi o sugli Appennini, (condurre) . . . . una vita solitaria, soprattutto nella stagione fredda.
2. In inverno capita che i valichi alpini (essere) . . . . intransitabili.
3. Suppongo che uno non (potere) . . . . fare altro che starsene tranquillo davanti al caminetto, alla stufa o al termosifone.
4. D'altra parte è certo che i montanari (godersi) . . . . silenzio, aria pulita, e pace totale.
5. Era evidente che, con i ritmi intensi di lavoro degli ultimi mesi, tutti (avere) . . . . bisogno di tranquillità.
6. Avevo capito che le grige nebbie cittadine vi (deprimere) . . . .

Un signore di pianura va in vacanza sulle Dolomiti. La proprietaria della pensione dove alloggia gli chiede come si trova e se gli piace il posto.
«Sto bene, grazie – risponde quello – ma è un vero peccato che tutte queste montagne (nascondere) . . . . il panorama».

7. Era ora che noi (decidersi) . . . . di andare in montagna in cerca di pace.
8. Comunque era difficile che animi cittadini come i vostri (convertirsi) . . . . definitivamente alle attrattive delle vette montane.

N. Sistemate i verbi.

(Frasi anteriori alla principale)

La mia collega Giulia

1. Mi meraviglio che la mia collega non (tornare) . . . . ancora in ufficio.
2. Mi dicevano ieri che prima delle ferie (chiedere) . . . . un congedo straordinario, per poter andare a trovare dei vecchi zii in Portogallo.
3. Poi si è saputo che (rimanere) . . . . bloccata in Italia per un incidente.
4. Temo che (farsi) . . . . molto male alla schiena.
5. Ero veramente contenta che Giulia (prendere) . . . . la decisione di andare in Portogallo.
6. Mi sembra che anche l'estate scorsa non (fare) . . . . niente di eccezionale.
7. I suoi zii si erano lamentati che nessuno della famiglia (andare) . . . . a trovarli negli ultimi anni.
8. Non pensate che ormai (noi/parlare) . . . . abbastanza di questa storia?

O. Sistemate i verbi.

(Frasi posteriori alla principale)

Che amici!

1. Avevamo deciso che (passare) . . . . il Natale con voi in un paese freddo.
2. Mi avevate promesso che (aspettare) . . . . , ma poi avete comprato i biglietti senza interpellarci.
3. Ce lo potevamo immaginare che voi non (mantenere) . . . . la promessa.
4. Giuro che da oggi in poi non (io/credere) . . . . più alle vostre parole.
5. Ma lo sapevate già che (voi/partire) . . . . senza di noi quando ci siamo visti l'ultima volta in pizzeria?
6. Pazienza. Così abbiamo deciso che le prossime feste natalizie ci (portare) . . . . in Australia al caldo.
7. Lo sapete che il volo da Roma a Sydney (durare) . . . . almeno ventisei ore?

P. Sistemate i verbi.

1. È certo che i viaggi (richiedere) . . . . organizzazione.
2. È bene che uno (informarsi) . . . . con un buon anticipo sulla disponibilità degli alberghi e dei trasporti.
3. Mi auguro che lei (trovare) . . . . posto sul treno-letto.
4. Pare che ieri i nonni non (trovare) . . . . posti in aereo.
5. È stupido che voi non (prenotare) . . . . in tempo.
6. È vero che voi (decidere) . . . . sempre di partire all'ultimo minuto.
7. Mi dispiace che i nostri amici quest'anno non (riuscire) . . . . a andare dove vogliono.
8. Mi hanno detto che presto tu (visitare) . . . . il Vietnam.
9. Mi sembra che il tuo lavoro (comportare) . . . . molti trasferimenti.
10. Ho sentito che l'anno prossimo la tua famiglia (abitare) . . . . a Berlino.

Q. Prima leggete, poi commentate le osservazioni accanto alle due riproduzioni.

Il turismo di massa non ha cancellato il gusto della scoperta e dell'imprevisto
Perché è fuori luogo rimpiangere i «tour» aristocratici di un tempo

Uomini in viaggio: l'avventura continua

Mistero e seduzione si celano in ogni odissea. Anche in un charter

[...] Orazio ammonisce che è vano viaggiare per fuggire i dolori e gli affanni, perché, come dice un suo verso, la nera angoscia siede, in groppa al cavallo, dietro il cavaliere che spera di farle perdere le sue tracce. Ma talora è come se l'io restasse a casa e a viaggiare fosse un suo sembiante, un simulacro, simile a quello di Elena che, secondo una tradizione del mito, aveva seguito Paride a Troia, mentre la vera Elena sarebbe rimasta, per tutti i lunghi anni della guerra, altrove, in Egitto. Per questo il ritorno non è solo un ritorno alle persone e ai luoghi cari, ma anche e soprattutto a se stessi. [...]

Approdando a Itaca
Ulisse ritorna alla
propria identità, anzi
ritrova se stesso
nell'antico talamo
di legno d'ulivo

[Penelope riconosce Ulisse perché egli dimostra di sapere come è fatto il letto nuziale, ritagliato da un unico albero d'ulivo e indivisibile.]

[...] Il viaggiatore, che ha lasciato a casa molte delle sue particolarità, si scopre spesso anonimo e impersonale, o sovrappersonale, un Ognuno simile al Nessuno che Ulisse, durante le sue peripezie, dichiara di essere.

Nel viaggio l'io è un contenitore,
la bottiglia riempita
casualmente da ciò che si
rovescia su di lei,
come diceva Goethe viaggiando
per l'Italia

Claudio Magris, *Corriere della Sera*, 19 marzo 1996

R. Ricostruite l'ordine cronologico del seguente racconto discutendone con i compagni di classe.

Il viaggiatore torinese

1. C'era nella città di Torino un uomo benestante con tre figli maschi. Il maggiore si chiamava Giuseppe, un giovane ingegnoso che sempre mulinava in capo l'idea di fare un viaggio: voleva vedere la città di Costantinopoli. Il padre che voleva dargli moglie per farlo erede e avere da lui una discendenza, non voleva lasciarlo partire, ma Giuseppe non aveva mente ad altro che ai viaggi. Finalmente il figlio mezzano prese moglie, e il padre pensò a lui come a quello che gli sarebbe succeduto nei suoi negozi e avrebbe continuato il suo nome; così si risolse a lasciar partire Giuseppe, che s'imbarcò con un baule pieno di robe e di arnesi e di quattrini, verso la città di Costantinopoli.

2. Giuseppe passò molti anni in quel regno ed ebbe tre figli maschi. Ma, benché non mancasse di nulla, e fosse diventato primo ministro, aveva sempre il desiderio di tornarsene a Torino, sua città natale. Si costruì una barca, con la scusa di servirsene per suo passatempo, e con essa s'inoltrava nel mare con la moglie per poi tornare alla spiaggia la sera, così che il Re non avesse sospetti. Ma in una notte serena, s'imbarcò con la moglie e i figli e il baule e tutte le ricchezze e remò fino a perdere di vista l'isola. E quando al chiaror della luna gli parve di scorgere un bastimento lontano, soffiò sulla tromba marina a chiamare soccorso. Era una nave che andava a Costantinopoli. Così Giuseppe vide coronato il sogno della sua giovinezza, andò a Costantinopoli, e con le ricchezze della caverna dei morti aperse una bottega d'orefice e gioielliere; e tornò a Torino ricco e felice dal vecchio padre che sempre l'aspettava.

3. Giuseppe, col suo lume, volle esplorare bene la caverna. Era piena di morti, alcuni recenti, altri ormai scheletri, e con i morti c'erano tesori d'oro, d'argento e di pietre

preziose. E lui pensava a quanto poco tutte quelle ricchezze valessero per lui, condannato a finire lì i suoi giorni per quell'usanza selvatica. Così sedette stanco e disperato sul suo baule e ogni tanto tirava fuori di tasca l'orologio e guardava l'ora e si preparava all'idea della morte. Dopo mezzanotte, udì come un calpestìo, volse gli occhi intorno e vide che nella caverna veniva avanti un animale, qualcosa come un grosso bove. L'animale si avvicinò a un cadavere, lo prese per i capelli con i denti, gli dette uno strattone in aria fino a farselo girare sulle spalle, e col cadavere in groppa se n'andò via e sparì nel buio. La notte dopo alla stessa ora, l'animale tornò, e portò via un altro cadavere. Giuseppe questa volta gli tenne dietro; la caverna finiva in un corridoio in discesa, e dal ribollìo dell'acqua laggiù in fondo capì che finiva in mare. La scoperta lo riempì d'allegria, ormai si sentiva sicuro d'uscir vivo dalla caverna, ma non voleva fuggire a mani vuote, con tutte le ricchezze che aveva a portata di mano. Perciò rimandò la fuga all'indomani, dato che ormai era quasi giorno e non voleva farsi scoprire dagli isolani.

4. In alto mare venne una burrasca, il bastimento trabalzava e i marinai non l'avevano più in mano. Perse la rotta, sbattè contro uno scoglio. Tutta la gente sparì sotto le onde ed affogò. Giuseppe saltato via dalla nave che affondava si mise a cavalcioni del suo baule, che non aveva mai voluto abbandonare, e così restò tutta una notte sballottato nella tempesta, finché il vento non lo trascinò sulle spiagge d'un'isola, mentre il sole spuntava su dal mare che s'andava acquietando. L'isola pareva deserta, benché ricca di alberi e di frutti.

5. La donna, superato il primo spavento e il timore che Giuseppe non fosse già un fantasma, disse: «Nessuno è mai uscito vivo di qui. Come puoi sperare ancora?» Giuseppe le spiegò la sua scoperta, e insieme mangiarono le nuove provviste portate dalla donna, e aspettarono la venuta del bove.

6. Ma mentre Giuseppe esplorava intorno, ecco che sbuca fuori un branco di selvaggi vestiti di pelli di animali. Giuseppe andò loro incontro, chiese ospitalità e se volevano trasportargli il baule: ma non c'era verso di farsi capire. Giuseppe tirò fuori una moneta d'oro e la porse ai selvaggi: quelli la guardarono come non sapessero che farsene. Mostrò l'orologio, ed era lo stesso che se avesse mostrato il tacco d'una scarpa, mostrò un coltello, e con esso tagliò il ramo d'un albero: i selvaggi si misero a guardarlo interessati, e molti tesero la mano per avere il coltello. Giuseppe fece cenno che non voleva darlo a nessuno di loro ma a qualcuno superiore a loro, ed essi gli presero il baule in spalla e lo condussero alla grotta dove abitava il loro Re. Tra il re e Giuseppe si formò presto una vera amicizia. Il Torinese stava nella grotta reale e imparò la loro lingua. Insegnò ai selvaggi molte cose ch'essi non sapevano, per esempio trovò che nell'isola c'era tanta pietra da calcina e terra giglia, e insegnò a cuocere i mattoni e a far le case. Il Re lo nominò Viceré e infine gli offerse sua figlia in sposa. Quest'ultimo onore non garbò al forestiero: sia perché aveva già una bella selvaggia di cui era innamorato, sia perché la figlia del Re era la più brutta ragazza che viaggiatore potesse mai incontrare. Ma era solo, in mezzo a quel popolo incivile, su un'isola da cui non si poteva scappare: guai se perdeva l'amicizia con il Re. Dovette acconsentire alle nozze; con la sua innamorata si separarono piangendo, ma sempre d'amore e d'accordo. Giuseppe sposò la figlia del re, mentre la sua bella, per non dare sospetti, si sposava anche lei, con un vecchio pescatore. Il Torinese, se si guarda agli interessi, non poteva star meglio: non era Re ma poco ci mancava; ma solo una cosa non aveva, ed era il pane della contentezza, e si sentiva rinchiuso lì come uno schiavo. E si pentiva di non aver dato retta a suo padre.

7. Passò la giornata a preparare la roba che avrebbe portato con sé, quand'ecco, intese il solito canto che accompagnava i funerali, e vide spalancarsi la porta della caverna.

Calarono giù il cadavere d'un uomo, e dietro veniva una donna viva, con un lume ed un cesto di cibi. Giuseppe, nascosto dietro un macigno, aspettava che la caverna fosse richiusa per palesarsi a quella compagna di sventura. Essa, visto nel fondo della caverna il baule di Giuseppe, vi s'accostò e piangendo disse: «Povero il mio Giuseppe! A quest'ora lui sarà bell'e morto e a me tocca la stessa barbara sorte». Allora Giuseppe riconobbe nella donna la sua antica innamorata, che s'era sposata a un vecchio pescatore, ora morto. E uscì fuori e l'abbracciò e le disse: «No che non sono ancora morto, né lo sarò, ma fuggirò con te da questo sepolcro».

8. Quando il bove venne e s'ebbe portato via un cadavere, Giuseppe lo seguì pian piano, fino a che vide in fondo alla caverna il luccichìo della luna sul mare, e il bove che nuotava via col morto in groppa. Anche Giuseppe si gettò a nuoto, fece il giro dell'isola, s'arrampicò nel buio fino alla bocca della caverna, e riuscì dopo grandi sforzi a smuovere il pietrone. Calò una fune che aveva portato attorcigliata alla vita, e la sua donna che stava ad aspettarlo piena d'ansia laggiù in fondo legava la roba che lui issava fino a sé. Erano pelli d'animali tolte ai morti e riempite d'oro, argento e pietre preziose; poi per ultimo il baule di Giuseppe, e alla fine la donna.

9. Quando furono entrambi fuori della caverna con la roba, si diressero al confine d'un altro Regno ch'era nell'isola, e riuscirono a passarlo prima che fosse giorno. Presentatisi al Sovrano, raccontarono la loro storia, e furono accolti con generosità nella stessa abitazione del Re.

10. Tutt'a un tratto la figlia del Re s'ammalò e venne a morte. Ci fu un gran lutto in tutto il Regno, e il re poi non sapeva consolarsi di quella perdita, e non smetteva di piangere e lamentarsi. Per consolarlo, Giuseppe gli disse: «Ma senta, Maestà, bisogna in qualche modo rassegnarsi. Lei non ha più la sua figliola, ma resto pur sempre io a tenerle compagnia». «Eh – disse il Re – se piango, non è solo per la perdita di mia figlia, ma anche per la tua». «La mia perdita? – esclamò Giuseppe – Che intende dire, Maestà!» «Non conosci le leggi di questi paesi? – disse il re – Se muore uno dei coniugi bisogna che l'altro sia seppellito insieme. Le leggi e gli usi lo comandano. Bisogna ubbidire».

11. Vane furono le proteste ed i pianti di Giuseppe. Cominciò la processione del mortorio. I portantini reggevano la bara della sposa vestita da Regina, e dietro veniva Giuseppe mezzo allocchito dalla paura, e poi il popolo faceva corteo con pianti ed uggiolìi. La tomba era una gran caverna sotterranea serrata da un pietrone: là, spostato il pietrone, venivano calati tutti i morti, con le loro ricchezze. Giuseppe volle che con sé fosse calato il suo baule carico di ogni cosa preziosa; e gli diedero anche roba da mangiare per cinque giorni e un lume. Finita la cerimonia richiusero la bocca della caverna col pietrone e lo lasciarono là, solo col cadavere.

Italo Calvino, *Fiabe Italiane*

Einaudi, Torino 1956

(Foto di Jean Pigozzi)

Turisti a Firenze

Corriere della Sera, 19 marzo 1996

S. Riempite gli spazi vuoti con aggettivi adatti. Se avete difficoltà scegliete dall'elenco suggerito in fondo.

In carrozza per l'inferno

Un libro riporta tutte le disavventure di turisti più o meno noti

Un grido prorompe dal petto di viaggiatori . . . . . . , risuona in areoporti e stazioni, rimbomba nelle quattro mura . . . . . . dove si approda affranti e . . . . . . dopo il tour organizzato o la vacanza . . . . . . : «Mai più!». E dopo la . . . . . . promessa fatta a se stessi, magari ripetuta due o tre volte con rabbia si pregusta la gioia di passare finalmente il prossimo weekend rigorosamente a casa, seduti in poltrona con un . . . . . . libro in mano. Questo è quello che potrebbe succedere se si desse retta a Hans Magnus Enzensberger e al libro . . . . . . da lui ideato e curato come antidoto alla sempre più . . . . . . frenesia del viaggiare, come una sorta di guida all'incontrario che intende contrapporsi alla . . . . . . propaganda turistica. *Mai più* si chiama appunto l' . . . . . . volume ora uscito in Germania (Nie wieder, Eichborn, pagg. 348), nella collana che lo scrittore dirige da anni per l'editore Vito von Eichborn di Francoforte. Si tratta di una collana . . . . . . nel suo genere, intitolata «L'altra biblioteca», i cui libri stampati alla . . . . . . maniera, come ai tempi di Gutenberg, e dunque senza la possibilità di una seconda edizione, su carta speciale libera da acidi e con una grafica . . . . , si potrebbero definire d'alta moda rispetto alla produzione . . . .

Ultimo uscito di questa . . . . . . collana, *Mai più* è dunque una carrellata dei « . . . . viaggi del mondo» raccontati da scrittori . . . . . . come Alfred Döblin, Joseph Roth, George Orwell, ma anche da autori meno noti, in prevalenza anglosassoni – perché particolarmente . . . . . . di humour – e da giornalisti in cerca di avventura. Sono in tutto trentacinque resoconti di viaggio, divisi per continente e tutti . . . . Una vera e propria galleria degli orrori confezionata per scoraggiare anche i viaggiatori più . . . . . . e . . . . , che mette polemicamente in evidenza il rovescio della medaglia – tutti gli strapazzi, contrattempi, l' . . . . . . noia di chi ha la ventura di girare il mondo.

C'è chi si perde a Tokyo, chi impazzisce a Saigon, chi partecipa a un . . . . . . safari nella terra di Bocassa, chi pensa di passare una . . . . . . serata a Huehuetenango, e invece si ritrova in mezzo ai desperados e al terremoto, e c'è chi, durante un volo aereo da incubo in mezzo alla tempesta, già vede il . . . . . . nome sui giornali nella lista dei morti del disastro.

Persino Roma appare . . . . . . , addirittura . . . . . . agli occhi di un tedesco, Rolf Dieter Brinkman – un poeta abbastanza . . . . . . negli anni Settanta, ospite della . . . . . . Villa Massimo – che non esita a definire la città . . . . . . «anticamera dell'inferno».

Paola Sorge

La Repubblica, 13 aprile 1995

affranto buono celebre corrente desolato dilagante disastroso domestico
dotato drammatico esasperato esausto esotico eterno impavido
infinito lugubre martellante noto ostinato peggiore prestigioso
proprio provocatorio raffinatissimo solenne splendido
tranquillo ultimo unico vecchio

T. Discutete.

- Vacanze tranquille, lunghe e a buon mercato o vacanze intense, corte e care?
- Viaggiare in treno o in automobile? A piedi o in bicicletta?
- Vacanze estive al fresco in montagna o al caldo al mare?
- Dormire in tenda o all'ostello della gioventù?
- Portarsi dietro tutto il necessario per ogni evenienza o viaggiare leggeri e poi semmai arrangiarsi?
- Seguire gli itinerari ovvi e vedere tutti i monumenti classici o scoprire la normalità degli altri?
- Dichiararsi immediatamente turisti o cercare di mimetizzarsi?
- Vacanze in patria o all'estero?
- Vacanze di studio/lavoro o assolutamente oziose?
- Vacanze nello stesso posto con i soliti amici o in cerca di avventure?
- Ferie = vacanze?

© *La Settimana Enigmistica*, 17/8/96

– Non possiamo lamentarci, signor direttore: quest'anno, al rientro dalle ferie, tutti si sono presentati alle nove in punto!

U. Per festeggiare il suo centenario, la *Gazzetta dello Sport* vi invita a segnalare uno straordinario evento sportivo a cui avete partecipato o assistito recentemente.

Cari lettori

Tra un mese, il 3 aprile, questo giornale compirà 100 anni. Abbiamo già cominciato a festeggiare questa ricorrenza nel mondo dello sport, cioè nella nostra famiglia. Lo slalom del Sestrière, la grande serata televisiva del calcio mondiale, la Sei Giorni di Milano. Sabato prossimo presenteremo il mondiale di boxe Paris-Fuentes, poi ci sarà il Giro d'Italia a Atene per celebrare il gemellaggio della Gazzetta con le Olimpiadi (nate il 6 aprile 1896). Questi e altri eventi ci attendono.
Ma preparando il numero speciale del Centenario ci sono venuti in mente i grandi vecchi d'Italia, le persone nate insieme con la Gazzetta, che hanno la fortuna di vivere. Sarebbe bello ricordarli, insieme con i fedelissimi che di queste pagine rosa hanno fatto, da molti decenni, una affettuosa abitudine quotidiana. Leggete qui a fianco. Noi aspettiamo le vostre segnalazioni.

La Gazzetta dello Sport, 3 marzo 1996

V. Completate l'articolo apparso sul *Corriere della Sera* il 4/8/96, magari pensando alle vostre montagne piuttosto che a quelle della Valtellina.

Due immagini suggestive della Valtellina e, nella vignetta, la montagna soffocata da vetture e smog

La Valtellina spaccata su come difendere le oasi

VALMASINO (Sondrio) – Montagna a pagamento o a numero chiuso? Il dibattito si è acceso in questi giorni nella Valtellina invasa da migliaia di vacanzieri...

Cronaca di Milano

(Foto Perrucci/Corsera)

La massa dei giovani presentatisi da Burghy in centro
per l'assunzione di trenta stagionali

IL FATTO

Ecco, minuto per minuto, la cronaca di una giornata di ordinaria disoccupazione giovanile. Che comincia alle 8 con una lunga fila in corso Vittorio Emanuele

«È un lavoro delicato, che richiede impegno e dedizione. Ma le possibilità di carriera sono decisamente buone».

La voce dell'esaminatore è solenne: mentre parla, annuisce gravemente. Il colloquio di assunzione è al punto cruciale. Si tratta di un impiego come analista di Borsa? Assistente di un cardiochirurgo? Agente della Cia?

No: è uno dei 30 posti part time di cuoco-cassiere-addetto alle pulizie segnalati da *Corriere Lavoro* e disponibili da Burghy, santuario del panino alla polpetta con contorno di patate fritte. Un lavoro che qualche anno fa avrebbero voluto in pochi. Ma ieri mattina alle 9, alle selezioni si son presentati ben 600 ragazzi, dai 18 ai 24 anni.

Bloccando corso Vittorio Emanuele con una coda interminabile, un serpentone lungo decine di metri. Tra di loro, però, ieri c'era un infiltrato. Per raccontare dal di dentro un giorno di ordinaria disoccupazione. Ecco che cosa è successo, tra i dannati dell'hamburger. Minuto per minuto.

Ore 8. Manca più di un'ora all'appuntamento.

. . . .

. . . .

. . . .

Ore 9,30. Dovrebbero iniziare i colloqui.

. . . .

. . . .

. . . .

Ore 11. La ressa ormai è incontenibile. A due ore e mezza dalla nascita della coda arriva la Celere.

. . . .

. . . .

. . . .

Ore 12. Primi sintomi di fame.

. . . .

. . . .

. . . .

Ore 14. Finalmente, eccoci in cima alla scala. Ma stiamo sempre all'aperto.

. . . .

. . . .

. . . .

Ore 17. Tocca a noi. Entriamo.

. . . .

. . . .

. . . .

Matteo Persivale

Corriere della Sera, 17 marzo 1995

A. Scegliete il titolo che vi sembra più appropriato per l'articolo e spiegate il perché della vostra scelta. (Uno di questi è effettivamente comparso sul giornale.)

1. Opportunità per i giovani
2. Giornata di ordinaria disoccupazione giovanile
3. Il posto
4. Tra i seicento in coda per un posto da Burghy
5. Ore di coda per un posto da Burghy

B. Con un minimo di fantasia, mettetevi nei panni del giornalista infiltrato nella coda e completate l'articolo. Tra le chiavi degli esercizi trovate l'effettiva versione dell'autore dell'articolo.

C. Abbinate alle parole numerate gli opportuni sinonimi o spiegazioni dati. (N.B. Alcune di queste parole vi possono servire per l'esercizio B qui sopra.)

1.	dedizione	a.	impiegare, prendere alle proprie dipendenze
2.	annuire	b.	polizia cittadina
3.	assumere	c.	corteo, lunga fila di persone o macchine
4.	serpentone	d.	fortemente desiderato
5.	snodarsi	e.	intervista
6.	infiltrare	f.	dire di sì, fare cenno di assenso
7.	agognato	g.	disporsi in diverse volute
8.	Celere	h.	introdursi per smascherare
9.	colloquio	i.	sacrificio
10.	ressa	l.	folla che preme

D. Dividete le parole date in quattro gruppi che per significato risultino il più omogenei possibile.

aspettativa – attività – compenso – congedo – curriculum vitae – esperienza ferie – impiego – malattia – occupazione – paga – permesso – posto professione – qualifica – remunerazione – referenza salario – stipendio – titolo di studio

. . . .

. . . .

. . . .

. . . .

. . . .

. . . .

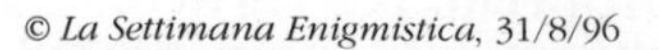

– Forse, cara, se smettessimo di lavorare così duramente per divertirci, potremmo goderci un po' più la vita!

E. Abbinate opportunamente.

1.	Questa tovaglia è vecchia e preziosa, è tutta lavorata	a.	a giornata
2.	La colf nigeriana non ha posto fisso, lavora solo	b.	a tempo perso
3.	Per il giardiniere polacco invece è già meglio, lavora	c.	a macchina
4.	Quella ragazza attacca soltanto i bottoni e lavora	d.	a forfait
5.	La sarta invece fa l'intero vestito, lavora	e.	a ore
6.	Io ormai lavoro poco, solamente quando voglio	f.	a maglia
7.	Ormai è tutto meccanizzato, le scarpe si fanno tutte	g.	a cottimo
8.	Questo golf è lavorato con i ferri,	h.	a mano

F. Cambiate le frasi secondo l'esempio.

Esempio: Non mi spingete sennò urlo.
Se mi spingete urlo.

Largo!

1. Fatemi respirare, altrimenti soffoco.

. . . .

2. Accidenti! Qui comincia a piovere. Fateci entrare, diversamente ci bagniamo come pulcini.

. . . .

3. Fatemi spazio, altrimenti finisco schiacciata come una sardina.

. . . .

4. Piantatela di dire cretinate, sennò mi arrabbio.

. . . .

5. Fate un passo avanti, diversamente qualche altro aspirante s'infiltra.

. . . .

6. Ragazzi, muovetevi, altrimenti nessuno può passare.

. . . .

7. Senta Lei, non mi tocchi, sennò chiamo il vigile!

. . . .

G. Sistemate i verbi.

1. Se il giornale locale del mio paese (pubblicare) . . . . un annuncio, (presentarsi) . . . . moltissimi candidati.
2. Io non compro mai il giornale nazionale; ma se qualcuno me lo (comprare) . . . . (io/leggere) . . . . meticolosamente tutti gli annunci economici.
3. Se ne (io/trovare) . . . . uno che mi interessa, (telefonare) . . . . per chiedere informazioni.
4. Se (esserci) . . . . un posto di centralinista, non mi (presentare) . . . . all'intervista: non mi piace parlare al telefono.
5. Marco invece ha paura di andare in aereo, quindi anche se gli (offrire) . . . . di fare il pilota o lo steward, non (potere) . . . . nemmeno prendere l'idea in considerazione.
6. Se Stefano (tagliarsi) . . . . barba e capelli, (trovare) . . . . sicuramente un posto.
7. Se al colloquio di dopodomani mi (prendere) . . . . , (io/pagare) . . . . da bere a tutti.
8. Se il vino (costare) . . . . 800.000 lire, lo stipendio mensile (finire) . . . . in un sol colpo.

H. Rispondete alle seguenti domande.

Bizzarrie per ingannare l'attesa

1. Cosa avrebbe fatto un cinese se fosse entrato nel mar Rosso una notte di luna piena?
2. Che cosa vi sarebbe successo se l'estate scorsa aveste ospitato un eschimese?
3. Chi ci avrebbe messo ore e ore per fare quattro passi?
4. Perché nelle feste di Carnevale vi sareste fatti male se ci fossero state troppe battute di spirito?
5. Perché alla stazione di Torino, molte persone si sarebbero messe a piangere?
6. Perché sareste dimagriti moltissimo se aveste osservato Gandhi fare lo sciopero della fame?

I. Riformulate le seguenti frasi come nell'esempio.

Esempio: Se ben truccata, quella ragazzina sembrerebbe carina.
Se fosse ben truccata, quella ragazzina sembrerebbe carina.

Commenti & chiacchiere

1. Andando avanti di questo passo, domattina saremo ancora qui.

. . . .

2. Qui fa un freddo cane. Ad averlo previsto, stamattina mi sarei messo il cappotto più pesante.

. . . .

3. Se sbarbato, quel tipo non è la copia esatta di Alberto Tomba?

. . . .

4. Ma che cosa dici! A vederlo da vicino, non diresti proprio che è lui.

. . . .

5. Spostandovi, me lo fareste vedere anche a me.

. . . .

6. Visti tutti questi concorrenti, stamattina avrei fatto dietro front; ma adesso che sono qui ci resto.

. . . .

7. Volendo vederci un'altra volta, mi daresti il tuo indirizzo?

. . . .

8. A sapere il vostro numero di telefono, vi avrei avvertito che facevo io la fila per voi.

. . . .

9. Senza occhiali, quella biondina che ci sta dietro potrebbe aspirare a fare la modella invece che la cameriera, non trovi?

. . . .

10. Esagerato! Ad essere sinceri, penso che gli occhiali dovresti metterli tu.

. . . .

L. Riscrivete le seguenti frasi usando opportunamente e variatamente le espressioni date.

a patto che – qualora – caso mai – nel caso – purché – sempre che

1. Ragazzi, è l'una passata! Vado io a comprare un panino per tutti, se poi mi date i soldi.

. . . .

2. Se qualcuno vuol prendere il mio posto, mandatelo a quel paese.

. . . .

3. Lasciatelo passare solo se è un tipo bello, simpatico e eccezionale.

. . . .

4. Se arriva il mio turno, dite che sto arrivando.

. . . .

5. Se ci intervistano prima di notte, vi andrebbe di andare a mangiare insieme?

. . . .

6. Verremmo volentieri, se non mangiamo polpette e patatine.

. . . .

7. Io invece vengo solo se mi garantisci che, dopo cena, mi porti a casa sana e salva.

. . . .

8. Da che parti abiti? Ti accompagno solo se non mi porti in capo al mondo.

. . . .

9. Non sto proprio qui vicino, ma se mi dai un passaggio in macchina dividiamo i soldi della benzina.

. . . .

10. Macchina? Avrei fatto bene a chiederla ai miei, se avessi previsto di averne bisogno, ma sono in bicicletta.

. . . .

M. Formate tutte le possibili frasi corrette scegliendo opportunamente tra le diverse alternative.

		troviate	
Se		abbiate trovato	
Qualora	non mi	trovate	in ufficio, lasciate un messaggio.
Nel caso che		avrete trovato	
		trovaste	

N. Volgete al discorso diretto.

1. Una delle aspiranti al posto di Burghy aveva avvertito la mamma che sarebbe arrivata a casa alle 11-11,30 al massimo.

. . . .

2. L'oroscopo le aveva predetto che avrebbe avuto successo in campo professionale.

. . . .

3. Era quindi ottimista, anche se qualcuno l'aveva avvisata di arrivare presto perché ci sarebbero stati un sacco di ragazzi a fare la coda.

. . . .

4. Arrivata alle 9,30 e vista la coda, incrociando le dita, toccando ferro e facendo altri non menzionabili scongiuri, si augurava di essere assunta.

. . . .

5. Un tipo in coda che già fa il cuoco, ma fuori Milano, diceva che lì nella sua pizzeria cercavano un addetto alle pulizie.

. . . .

6. A questo punto la ragazza si è chiesta se non le convenisse presentarsi alla pizzeria.

. . . .

7. Un tipo barbuto è uscito dal colloquio indignato raccontando come il selezionatore gli avesse intimato che si tagliasse la barba e si vestisse meglio.

. . . .

8. La ragazza se ne rallegrò, al pensiero di essersi messa il tailleurino nuovo con la camicetta azzurra fresca di bucato.

. . . .

9. Finalmente alla sera ha telefonato a casa urlando nell'apparecchio di essere stata assunta.

. . . .

10. Ha risposto il padre per niente soddisfatto che la giovanissima figlia lavorando anche di sera facesse regolarmente le ore piccole.

. . . .

O. Date una breve descrizione di chi può aver detto quanto segue. Poi riscrivetelo in discorso indiretto.

1. «Se mi assumono mi farà impressione stare in mezzo ai panini alle polpette! Che schifo, la carne non la mangio mai. Però lo stipendio, anche se è un contratto part-time e di formazione lavoro, mi fa comodo. Neanche 800 mila lire al mese. Meglio di niente però, no?»

2. «La colpa è del *Corriere Lavoro* che ha pubblicato l'annuncio; altrimenti saremmo qui in quattro gatti. Io i giornalisti non li posso vedere. E tu?»

3. «Le faremo sapere».

4. «È un lavoro delicato, che richiede impegno e dedizione. Ma le possibiltà di carriera sono decisamente buone».

5. «Saremo già più di trecento».

6. «Largo, ragazzi!!! Qui la gente deve aprire i negozi. Lasciate passare i clienti».

7. «Il documento d'identità, prego! Non tolleriamo questi schiamazzi in pieno centro. Non siamo in discoteca».

8. «Non l'avrei mai detto che il posto se lo beccasse quella ragazzetta mogia tutta per bene. Mi pareva più ovvio che scegliessero qualcuno più spigliato, più 'in'. Come me, per esempio».

9\.

– Lei è assunto!

P. Riportate in discorso indiretto le dichiarazioni contenute nel seguente articolo.

New York, corsi per camerieri della terza età

Gli anziani? Ideali per i fast food

NEW YORK – Basta ragazzini e ragazzine, nel simbolo per eccellenza delle nuove generazioni, i fast food, stanno per irrompere gli anziani. Sì, i fast food americani puntano su di loro e si preparano a una clamorosa svolta. Il primo corso per formare camerieri di fast food riservato ai sessantenni è stato organizzato a New York dal locale assessorato per la terza età. «Per ora si tratta di un progetto pilota – ha dichiarato la responsabile del corso, Karen Shaffer – ma visto il successo, altre città americane stanno pensando di organizzare iniziative analoghe».

Professionali, rassicuranti e iperattivi, nonostante l'età, i sessantenni potrebbero già tra qualche mese iniziare a sostituire i teenagers dietro i banconi dei fast food della Grande Mela. «Gli anziani sono molto più affidabili dei ragazzi – sottolinea Karen Shaffer – molti giovani cercano un impiego provvisorio per pagarsi gli studi e mollano il lavoro senza preavviso quando trovano un'occasione migliore».

Al corso, i futuri camerieri imparano a districarsi tra registratori di cassa computerizzati, friggitrici automatiche, distributori di bevande e gelaterie automatiche. «Per abituarli al frenetico ambiente di lavoro – conclude Karen Shaffer – abbiamo dovuto ricostruire l'interno di un tipico fast food. L'unico problema per i nostri allievi è stato l'impatto con i registratori di cassa computerizzati: erano ancora abituati a fare le addizioni a mente. Ma per quel che riguarda voglia di lavorare e affiatamento è andato tutto a meraviglia. L'entusiasmo era alle stelle. Certo, per i servizi ai tavoli esterni non li costringeremo a 'volare' sui pattini a rotelle anche se qualcuno si è dichiarato disposto a farlo. Tutti d'accordo invece per quel che riguarda l'abbigliamento: colori vivaci e cappellini resisteranno, tanto per dare un aspetto più giovanile».

La Stampa, 12 ottobre 1995

Q. Mettere o non mettere il pronome soggetto? Cancellate quelli superflui.

Da Alfredo

(Io) lavoravo al ristorante cinque giorni alla settimana. (Io) andavo a prendere l'autobus a due isolati da casa; (io) facevo dieci minuti di strada e poi (io) scendevo ad aspettare la coincidenza per Westwood in Van Nuys Boulevard. Passava un autobus ogni mezz'ora, così (io) stavo attento a prendere quello giusto. (Io) riuscivo a distinguerlo quando (esso) era ancora lontanissimo; quando l'altra gente aspettava ancora ignara sulla panchina gialla. (Io) vedevo il frontale dell'autobus più alto dei musi delle automobili: schiacciato in prospettiva, filtrato dalle nuvole dei gas di scarico.

Al ristorante Enrique mi stava dietro come un falco; (lui) cercava di scoprire dove (io) sbagliavo. (Lui) mi inseguiva nei corridoi tra i tavoli con rimproveri e correzioni a mezza voce. (Lui) doveva aver capito subito che (io) non avevo mai fatto il cameriere in vita mia: prima ancora di vedermi lavorare. (Lui) era certo andato da Michelucci a consigliargli di cacciarmi via. Ma Michelucci aveva bisogno di almeno un cameriere italiano, nel suo ristorante italiano pieno di messicani.

(Io) pescavo dagli altri camerieri atteggiamenti e modi di fare. (Io) cercavo di assimilare tecniche e di portare i piatti, girare attorno ai tavoli senza farmi notare, stare in piedi fermo con aspetto di cameriere in piedi fermo. Dopo qualche giorno mi sembrava di essere più credibile. [...]

Il terzo giorno Enrique mi ha assegnato una postazione di quattro tavoli. Ma (lui) sapeva che (io) non ero ancora abbastanza svelto: (lui) mi portava solo gente da pizza. La gente da pizza era una categoria distinta dalla clientela normale. Per una pizza alla napoletana piccola e una birra (essa) se la poteva cavare con un conto di meno di cinque dollari. La mancia del dieci per cento in questo caso era cinquanta cents. I camerieri di *Alfredo's* odiavano la gente da pizza. (Loro) la perseguitavano, (loro) la guardavano male; (loro) la mettevano in difficoltà ogni volta che era possibile.

Enrique in qualche modo riusciva a non sbagliarsi mai. (Lui) conduceva a uno dei miei tavoli tre o quattro persone, (lui) le faceva sedere senza perdere troppo tempo a essere gentile. (Questi) frugavano per venti minuti il menu alla ricerca dei piatti più economici; alla fine (questi) scoprivano che la pizza costava meno di tutto e (questi) ne ordinavano una. (Questi) mangiavano piano; (questi) cercavano di soffermarsi nel ristorante il più a lungo possibile. (Questi) pretendevano anche di far domande, essere intrattenuti. A volte (questi) cercavano di ottenere una guarnizione più ricca del normale; (questi) dicevano «Per piacere, con molte acciughe», o «Mi piace con un sacco di formaggio». (Questi) insistevano per farsi anticipare a parole e gesti lo spessore e la consistenza della pasta. Peggio della gente da pizza c'era solo la gente da insalata; ma non era ammessa da *Alfredo's*, per fortuna.

Dopo una settimana (io) ho cominciato ad avere clienti migliori. (Io) guadagnavo abbastanza bene.

C'erano reazioni pronte ogni volta che qualcuno ordinava uno dei cinque o sei piatti al di sopra dei dieci dollari. I cuochi commentavano appena (loro) leggevano il foglietto sulla ruota; (loro) diffondevano la voce nella cucina. I ragazzi porta-bicchieri andavano in giro per la sala a fare commenti come «Guzante ha tre Gamberi Buona Luisa», o «Tolmeco ha beccato due aragoste al tavolo 7». Se il cameriere in questione faceva finta di niente, gli altri nel retrosala gli gridavano «Buona mancia», o «Buon tavolo»: con ammirazione e rabbia mescolate.

I camerieri quarantenni erano meno esposti di quelli giovani alle tensioni, alle isterie subitanee. Forse (essi) erano impermeabili in partenza agli stimoli che creano sbilanciamenti. (Essi) erano larghi, ottusi; atticciati nelle loro giacche. (Io) li guardavo passare alla svelta lungo i corridoi tra i tavoli: con un vassoio in alto sopra la testa, tre o quattro piatti caldi distribuiti in equilibrio lungo l'avambraccio, dalla punta delle dita all'incavo del gomito. [...]

Tutti lavoravano più che potevano: in ansia continua di avere sempre più clienti ricchi e affamati seduti ai tavoli. C'era una relazione diretta tra fatica e soldi, e (questa) creava vortici di attività per tutto il ristorante. I camerieri guatavano vicino ai tavoli con occhi lucidi, pronti a correre verso la cucina con i blocchetti gonfi di ordinazioni costose. Quando il ritmo saliva fino a essere quasi insostenibile, (essi) erano stravolti ma appagati. Nelle serate lente (loro) si immalinconivano; (loro) ciondolavano intorno, (loro) scuotevano la testa.

Era strano guadagnare in questo modo: infilarsi via un biglietto da un dollaro dietro l'altro finché le tasche della giacca e quelle dei calzoni erano piene. Prima di uscire (io) distendevo le banconote accartocciate, (io) le sovrapponevo in mazzette che (io) distribuivo in tasche diverse. (Io) mi sentivo una specie di accattone ad alto livello, sulla strada di diventar ricco. Quasi ogni pomeriggio mentre (io) correvo con il vassoio in mano nel caldo e nel rumore (io) giuravo che il giorno dopo (io) non sarei tornato; di sera tardi (io) contavo i soldi e (io) pensavo che in fondo ne era valsa la pena.

Andrea de Carlo, *Treno di panna*

Einaudi, Torino 1981

R. Discutete.

«**Camerieri.** Ce ne sono moltissimi scortesi, villani e disonesti. Ma il cameriere di ristorante, in Italia, è ancora un professionista del cibo, non la studentessa squattrinata o un ingegnere licenziato in cerca di qualche mancia, che non sanno nulla di quel che servono a tavola, come in America. Non a caso i grandi camerieri e i grandi Maître d'Hôtel nel mondo sono spessissimo italiani. Un bravo cameriere può salvarti da un'indigestione, da una gastroenterite o da una pessima cena. O semplicemente dalla fame... »

Guglielmo e Vittorio Zucconi, *La scommessa*

Rizzoli, Milano 1993

S. Preparate la vostra presentazione per uno dei seguenti annunci di lavoro. Poi, nel ruolo del datore di lavoro, date una risposta scritta alla presentazione di uno dei vostri compagni di classe.

OPPORTUNITÀ PER GIOVANI

AGENZIA moda seleziona giovani aspiranti indossatrici/tori fotomodelle/i inserimento moda pubblicità. Telefonare 02-29.93.17.53.

AUTOMOBILI lucidatura Lifting Car Teflon, novità USA, elevata redditività, Lifting Italia concede esclusiva vostra città. Telefonare 02-42.16.578.

CERCHI un secondo lavoro? Corsi accelerati sulle tecniche per massaggio terapeutico. Sportivo, estetico. Telefonare 02-49.05.27.31.

IMPORTANTE S.p.a. seleziona ambosessi 18/30 per inserimento nell'organico agenzie viaggi. Telefonare 02-46.98.75.

PENSI di essere dotato per aspirare ad entrare nel mondo dello spettacolo come annunciatore, intrattenitore, presentatore? Telefonare 02-66.00.29.

T. Scrivete un articolo di cronaca adatto al seguente titolo. Vi aiuteranno i punti e le espressioni segnalati più sotto.

In 13 mila per cento posti

Il Forum di Assago assalito ieri dagli aspiranti vigili urbani

LA PRESELEZIONE DEI CANDIDATI

L'assedio al palazzetto è cominciato all'alba. I test in programma serviranno per portare il numero dei candidati a quota 1.500. Poi inizieranno le selezioni vere e proprie con prove scritte e orali che verteranno su diritto costituzionale e procedura penale

Corriere della Sera, 24 giugno 1996

- *Problemi organizzativi, logistici e di trasporto*
  - Un assalto in piena regola
  - Inizio all'alba
  - Candidati da tutta Italia
  - Lunghe ore di coda sulle strade di accesso
  - Navette speciali in partenza alla fermata del Metrò
  - Il vicesindaco: «La situazione è stata tenuta pienamente sotto controllo»
  - 42 punti di accesso al Forum per smaltire la coda all'ingresso

- *La selezione e i test*
  - Eccesso di domande regolari (15 mila) pervenute entro la scadenza
  - Il testo in busta chiusa
  - Scongiurare brogli
  - Riduzione a 1.500 candidati
  - Discipline, argomenti e possibili domande dei test

Il cellulare? Che fastidio

(Foto Massimo Siragusa)
Moda, marzo 1996

Cardinali e cellulari

Usi e abusi

Una singolare indagine mette a nudo nuove tensioni e maleducazioni

MILANO – «Scusi, posso fare una telefonata?», si era soliti chiedere una volta, cortesemente, entrando in un bar.

Erano altri tempi, epoca di Meucci o giù di lì, se si pensa al progresso tecnologico compiuto negli ultimi anni dalla telefonia che, creando l'utente senza fili, ha svincolato la comunicazione dai rigidi limiti spaziali e temporali. Ma non dalla buona creanza: almeno secondo la maggioranza del nostro popolo (telefonico e non).

Il 54 per cento degli italiani infatti dichiara che chi ha in mano un cellulare dovrebbe, prima di chiamare, verificare che non dia fastidio a chi sta intorno; il 36 per cento vorrebbe vietarne l'uso in tutti i luoghi dove l'apparecchio può provocare seccatura e «solo» il 10 per cento è convinto che sia giusto servirsene «ovunque e indipendentemente dal luogo in cui si trovi».

Senza filo, senza legge e senza pudore, insomma. Fortunatamente quasi otto persone su dieci condividono la decisione che il presidente della Camera, Irene Pivetti, prese alcuni mesi fa, di vietare l'uso del telefonino durante le sedute parlamentari.

Sono i dati resi noti dall'Osservatorio sulla microconflittualità e intolleranza quotidiana, realizzato dall'Ispo, del professor Renato Mannheimer (per conto del Centro documentazione e informazione sul tabacco), che periodicamente analizza un campione di 2.358 italiani.

Certo può apparire ridicolo compiere una ricerca sull'uso del cellulare mentre la lira precipita, la disoccupazione dilaga, la situazione politica è precaria e proprio sui telefonini si scontrano Telecom e Antitrust ...

Invece uno studio del genere sta a dimostrare che il superfluo, su cui siamo imbattibili, sembra diventare indispensabile, ma soprattutto suscitatore di tensioni, perché come si dice in latino, agli utilizzatori del cellulare spesso manca il «modus in rebus».

Ovvero, c'è, o ci dovrebbe essere, un limite in tutte le cose. Ad esempio nei cinema o nei teatri, i luoghi dove l'uso del cellulare dà più fastidio (secondo il 60 per cento degli interpellati), nei bar-ristoranti (21 per cento), nei mezzi pubblici urbani (19), auto (16), treno (10).

C'è anche un nove per cento che dichiara di provare fastidio ovunque senta lo squillo (altrui) ed è evidentemente composto da coloro che ... non hanno l'apparecchio, mentre un 22 per cento dichiara di non provare mai senso di fastidio o noia.

Si tratta di persone guarda caso che hanno «minori probabilità di usare o assistere a telefonate»: ad esempio chi non è in condizione professionale elevata o dispone, purtroppo per lui, di un reddito basso.

La ricerca del professor Mannheimer non si limita, infatti, a fotografare i disagi di questo agio, ma anche a tracciare il quadro della popolazione con e senza cellulare. Utilizza il telefonino mobile l'otto per cento degli italiani formato da individui «con alta formazione culturale e posizioni professionali qualificate»: la maggior parte degli uomini senza filo è relativamente giovane (trentanove anni), con istruzione superiore, lavoro autonomo e di concetto, residente nel centro Italia.

Gli sprovvisti (o non utenti) di apparecchio sono invece essenzialmente ultracinquantenni (operai e pensionati), studenti, residenti nell'Italia nord-orientale.

Il dato più interessante resta però quello citato all'inizio e che rivela il rapporto microconflittuale fra chi ce l'ha e chi non ce l'ha il telefonino.

Il 54 per cento vorrebbe cortesia e sembra una percentuale elevata. Errore: cinque anni fa – ricorda Florence Castiglioni, direttore del Centro tabacco – gli italiani contrari al divieto del fumo nei luoghi pubblici e favorevoli a risolvere gli eventuali contrasti con cortesia e tolleranza erano una larga maggioranza. Al giorno d'oggi non è così. E lo stesso sta accadendo negli atteggiamenti verso chi usa (e abusa, aggiungiamo noi) il cellulare.

Si arriverà anche questa volta, a una legge che ne regolamenti l'uso?

Non ci sarebbe da stupirsi. Se ne sono rese conto anche le aziende produttrici: la Telecom ha pubblicato il manualetto «Il parlator cortese», che ricorda la sottile virtù della discrezione, la Ericsson su *Newsweek* ha pubblicizzato i suoi prodotti ricordando che «la nostra regola d'oro in tutti i meeting è spegnere i telefonini»; in un ospedale di Chicago sono stati banditi, alla Camera pure ...

È proprio il caso di ricordarselo sempre: «Est modus in rebus»...

C. Mus.

La Repubblica, 27 marzo 1995

Due ragazze impegnate con il telefonino
(Foto Corsera)

D. Non c'è solo il *colpo di telefono* (1), più o meno opportuno se fatto in pubblico con il cellulare: di 'colpi' ce ne sono tanti. Abbinate opportunamente.

A proposito di Tangentopoli

Colpo su colpo

Ma il *colpo di spugna* (2) che ogni tanto viene minacciato o invocato allo scopo di sistemare i danni causati dai ripetuti e riprovevoli *colpi di mano* (3), dai dissennati e rovinosi *colpi di vita* (4), dagli improvvisi e inspiegabili *colpi di fortuna* (5), oltre che di prevenire indesiderati *colpi di coda* (6), non rischierà di dimostrarsi per taluni versi un *colpo di forza* (7) e in un certo senso un *colpo di grazia* (8)?

Augusta Forconi

Italiano & Oltre, novembre-dicembre 1993

a. episodio clamoroso con cui rompere la monotona routine quotidiana

b. mutamento brusco deciso nella fase finale di una situazione

c. avvenimento inatteso e fortunato

d. rapida chiamata al telefono

e. colpo mortale, avvenimento che determina il crollo di una situazione già compromessa

f. improvvisa manifestazione di forza

g. voler dimenticare qualcosa di spiacevole

h. improvvisa azione strategica che coglie di sorpresa

E. Distribuite le seguenti parole in tre gruppi diversi per l'intensità della reazione che provocano in chi deve sopportare l'abuso del telefonino altrui.

angoscia – collera – cruccio – disagio – dispetto – disturbo – esasperazione fastidio – furore – ira – irritazione – noia – rabbia – sdegno – seccatura

Minore intensità *Maggiore intensità*

. . . .	. . . .	. . . .
. . . .	. . . .	. . . .
. . . .	. . . .	. . . .
. . . .	. . . .	. . . .
. . . .	. . . .	. . . .

F. Vediamo qual è la situazione fuori d'Italia. Allo stesso tempo, riempite opportunamente gli spazi lasciati dai verbi.

Così va all'estero

Francia, mezzo milione di abbonati La moda non è ancora scoppiata

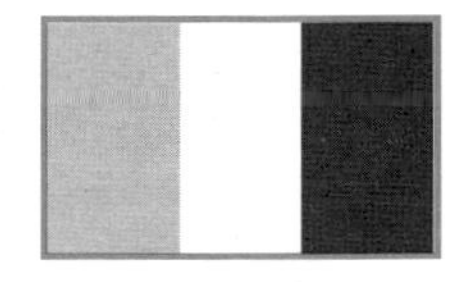

PARIGI – In Francia i telefonini sono arrivati da poco. La società dei telefoni pubblici, France Telecom, ... il progetto Itineris solo alla fine del '92.
Contemporaneamente, la società privata Sfr . . . . in campo con un telefonino concorrente. Le previsioni sono di raggiungere un milione di abbonati tra Itineris e Sfr alla fine dell'anno. Per ora, France Telecom ne ha 516.000 e Sfr 160.000. Il minuto di telefonata . . . . tre volte più caro che da una cabina. I clienti del telefono mobile sono soprattutto uomini d'affari e professionisti. Il telefonino non è ancora diventato un'abitudine per i francesi, abituati ad una presenza capillare di cabine telefoniche (dove si . . . . con la telecarta o direttamente con la carta di credito).

Nel Giappone tecnologico metà dei bambini lo porta a scuola

TOKYO – Il Giappone . . . . uno dei paesi con il maggior numero di telefoni, 60 milioni di apparecchi per 125 milioni di abitanti.
E i telefonini sono talmente diffusi che ormai metà dei bambini di elementari e medie . . . . a scuola con il telefonino in tasca. Dopo la liberalizzazione del sistema telefonico, la concorrenza alla Shin Denden, la nuova NTT privatizzata, è stata portata senza esclusione di colpi da KDD, ITJ, IDC. Per il consumatore questa battaglia . . . . dire prezzi stracciati per l'acquisto dei "portatili" (poche migliaia di lire) e basse tariffe. Ma ci sono anche inconvenienti: troppe reti . . . . interferenze, soprattutto negli uffici con i computer.

In Germania per il contratto si può scegliere tra quattro reti diverse

BERLINO – In Germania gli utenti dei cellulari . . . . tre milioni. Ogni mese, centomila abbonamenti stipulati con una delle quattro reti del paese: la C, della Telekom (ex azienda pubblica, ora privatizzata); la D1 (sempre Telekom) e la D2 (Mannesmann); e la E plus (del gruppo Thyssen e Veba).
Il funzionamento delle reti è soddisfacente, ma i tormenti non . . . . : cadute di linea, collegamenti con l'apparecchio sbagliato, squilli simultanei. Il vero punto dolente è il costo: 1,20 marchi al minuto nell'ora di punta (circa 1240 lire). Un apparecchio . . . . in media mille marchi (un milione e centomila lire). Il rischio sono gli intermediari: . . . . telefonini a prezzi stracciati, ma le tariffe possono essere anche il doppio di quelle delle grandi reti.

Il Messaggero, 25 agosto 1995

G. Contraddite quanto espresso nelle seguenti frasi, come nell'esempio.

Esempio: Il cellulare? Che fastidio!
Scherzi?! Per me è un arnese proprio indispensabile.

1. Parlare al telefono? Che tormento.

. . . .

2. La musica a volume troppo alto? Che irritazione!

. . . .

3. Ascoltare le confessioni altrui. Uno strazio infinito.

. . . .

4. Che depressione vedere tutti quelli che telefonano mentre passeggiano.

. . . .

5. La poca creanza della gente? Una vera esasperazione!

. . . .

6. Sentire lo squillo del telefono in macchina è emozionante.

. . . .

7. Stare ore al telefono? Che noia mortale.

. . . .

8. Parlare con la segreteria telefonica è uno strazio.

. . . .

H. Riformulate le frasi usando un costrutto esplicito, come nell'esempio.

Esempio: Nel condominio è vietato mettere giornali e bottiglie nei bidoni della spazzatura.
È vietato che i signori condomini mettano giornali e bottiglie nei bidoni.

1. Nessuno impedisce alla gente di esprimersi liberamente.

. . . .

2. Ci sono casi che impongono alle persone di rispettare alcune regole.

. . . .

3. In chiesa è vietato indossare abiti succinti.

. . . .

4. Nelle scuole francesi non è permesso alle ragazze islamiche di mettere lo *shador*.

. . . .

5. Durante un funerale si suggerisce ai fedeli di abbassare la voce.

. . . .

6. Nei treni locali italiani è vietato fumare sigarette, sigari e pipe.

. . . .

7. Negli ospedali non è permesso ai parenti dei ricoverati di restare nelle corsie oltre l'orario di visita.

. . . .

8. Nei musei non è permesso scattare fotografie.

. . . .

9. Sugli autobus è vietato ai passeggeri di parlare al conducente.

. . . .

10. Si dovrebbe suggerire alle case produttrici di fare una campagna per il giusto uso del telefonino.

. . . .

I. Leggete il racconto scegliendo la posizione adatta degli aggettivi in corsivo, poi ri-raccontatelo a voce con parole vostre.

Ebbene, vi voglio raccontare un aneddoto. Qualche giorno fa mi trovavo su un treno che fa il percorso tra Firenze e Roma. Ero seduto in *prima* classe *prima* e avevo accuratamente scelto un vagone fumatori, perché io fumo, purtroppo. Accanto a me si è seduto un giovanotto. Portava una *bleu* giacca *bleu* con *doppi* bottoni *doppi*, una cravatta a strisce e teneva una valigetta ventiquattrore in mano. Era, così a *prima* vista *prima*, il simbolo del *perfetto* rampantino *perfetto* cresciuto in quest'Italia di oggi. Non mi ha degnato di uno sguardo, si è guardato bene dal darmi la buonasera e si è collocato su un sedile stendendo tranquillamente i piedi sul sedile di fronte. Io stavo leggendo. A un *certo* punto *certo* ho acceso una sigaretta. Il giovanotto, guardandomi biecamente, mi ha detto: «Il fumo mi disturba». Senza fargli osservare che eravamo in un vagone fumatori e che dunque era *mio* diritto *mio* fumare, sono andato a finire la sigaretta nel corridoio rischiando una multa, perché nei corridoi è vietato fumare. Sono tornato al *mio* posto *mio* e ho cominciato a leggere. A quel punto il giovanotto ha tratto dalla tasca della giacca il *suo* cellulare *suo* e ha fatto un numero. «Liuba, sei tu?», ha chiesto (...). La tale Liuba, dall'altra parte, deve aver detto qualcosa che io ovviamente non ho sentito, e il giovanotto ha replicato senza *mezzi* termini *mezzi*: «Senti, bella, io ti ho tolto dalla strada, ti ho piazzato in questo localino che ti dà da mangiare, ti faccio godere tutti i sabati e tu ti permetti di fare la stronza? Ma lo sai che se io voglio, vado in questura e ti faccio rimpatriare con il foglio di via, rientri in quella tua *merdosa* Cracovia *merdosa*, e lì fai la fame?...». Non ho ascoltato oltre la conversazione del giovanotto. Sono uscito dallo scompartimento e ho cercato il capotreno. Per fortuna stava arrivando il controllore. L'ho convocato urgentemente al mio scompartimento e davanti al giovanotto, che stava ancora telefonando alla *sua* Liuba *sua*, gli ho detto: «Questo signore mi turba con le *sue* telefonate *sue*, non posso sopportare la *sua* volgarità *sua*; o lei gli intima di smettere, oppure io farò un esposto alle Ferrovie dello Stato e scriverò un articolo sul giornale».

Il giovanotto ha spento il cellulare e mi ha di nuovo guardato biecamente. Ha raccolto la sua ventiquattrore ed è uscito dallo scompartimento, certo per umiliare qualcun altro mentre lui parlava d'affari e di "affaires du coeur" con la sua *povera* polacca *povera*.

Bene, mi domando, da dove arriva *tanta* volgarità *tanta*? Questo è un *semplice* episodio *semplice*, ma di episodi così in Italia credo che ce ne siano tanti. Da dove arriva *tanta* volgarità *tanta*, *tanta* aggressività *tanta*, *tanta* isteria *tanta* e *tanta* arroganza *tanta*?

Antonio Tabucchi

L'Espresso, 9 giugno 1995

L. La punteggiatura serve per facilitare la lettura, come riscontrerete nell'esercizio M dove manca. Intanto abbinate opportunamente i segni al loro nome.

1.	.
2.	,
3.	;
4.	:
5.	?
6.	!
7.	...
8.	*
9.	-
10.	–
11.	/

virgola	**a.**
punto di domanda	**b.**
asterisco	**c.**
puntini di sospensione	**d.**
punto	**e.**
sbarretta	**f.**
lineetta	**g.**
punto esclamativo	**h.**
trattino	**i.**
punto e virgola	**l.**
due punti	**m.**

M. Se necessario, inserite la punteggiatura nei punti indicati, aggiustando eventualmente le maiuscole dopo il punto fermo.

Nel maggio del 1994_ si svolsero a Roma_ come ogni anno_ i Campionati Internazionali di tennis_ al Foro Italico_ gli Internazionali di tennis sono certamente un avvenimento sportivo importante_ ma non quanto il calcio_ non quanto il ciclismo_ raramente arrivano ad interessare le prime pagine dei giornali_ in quella primavera del 1994 ci riuscirono.

Perché ci fu qualche arbitraggio clamorosamente sbagliato_ qualche alterco fra gli atleti_ qualche zuffa sugli spalti? No_ queste sono cose che nel mondo del tennis_ sport ancora aristocratico_ malgrado la sua crescente popolarità_ normalmente non accadono_ il pubblico del tennis sa per esempio di dover osservare il silenzio_ durante gli scambi_ rispetta la regola_ continua a rispettarla_ in tutto il mondo_ anche dopo l'invenzione del telefonino portatile_ detto anche "cellulare" (oggetto la cui utilità nessuno vuol disconoscere).

Si può ricostruire l'accaduto_ con l'aiuto della cronaca divertita del giornalista sportivo_ Gian Paolo Ormezzano_ apparsa su *La Stampa*_ prima pagina_ di domenica_ 15 maggio 1994.

«Il telefonino ha colpito ancora»_ narra il cronista_ cos'era accaduto al Foro Italico? Era accaduto che il tennista americano Jim Courier_ disturbato dal cinguettare dei numerosi cellulari_ tutti attivi_ degli spettatori_ proprio mentre stava per fulminare con un *ace* il suo avversario_ il tennista ceko Slava Dosedel_ si era fermato per protestare.

Visto che le sue rimostranze non bastavano_ si era messo in posa_ aveva deciso di scimmiottare quel delirio esibizionistico-presenzialistico che spinge i nostri connazionali (taluni_ talvolta) a tirare fuori il telefonino nei momenti più

inopportuni_ nei luoghi più impensati_ si era messo in posa_ aveva finto di cavare dalla tasca anche lui un "cellulare"_ e di abbandonarsi al piacere di una lunga_ intima telefonata_all'aria aperta anche lui_ assumendo_ dice il cronista_ «quella posa classica_ in equilibrio su una gamba_ che un tempo era delle prostitute nei film francesi e_ prima ancora_ delle gru».

Qualcosa di simile_ ricordava il giornalista sportivo_ Gian Paolo Ormezzano_ era già accaduto_ al Lingotto di Torino_ mentre dirigeva il maestro Abbado_ qualcosa di simile era già accaduto al Giro d'Italia_ quando da una irresistibile voglia di comunicare con i parenti più stretti («È pronta la pasta? Badate che avrò fame_ quando arrivo_») era stato preso_ lì_ in piena corsa_ il ciclista Cipollini_ disturbando la concentrazione degli altri ciclisti_ qualcosa di similmente sconveniente accadrà più tardi alla Scala_ durante un concerto di Muti.

[...] Più tardi_ (23 luglio)_ commentando questi e simili episodi di incontinenza telefonica_ il settimanale_ *Panorama*_ avrebbe intitolato «Italiani_ razza cafona» (esagerava?).

[...] P.S. Forse abbiamo esagerato_ ad insistere sul telefonino portatile_ elevandolo ad emblema della nostra vanità esibizionistica_ caratterial-nazionale. Forse_ però il quotidiano romano *Il Messaggero* di sabato_ 13 maggio 1995_ recava in prima pagina («Il telefonino val bene una messa») la notizia di un sacerdote di Genova_ il quale aveva sospeso la funzione_ che stava officiando_ per rispondere al suo personale cellulare_ che squillava sull'altare_ forse abbiamo esagerato_ forse no.

Beniamino Placido, *Eppur si muove*

Rizzoli, Milano 1995

N. Mettete al passato.

Tollerare o non tollerare...

1. Il giovane viaggiatore che gli siede accanto non permette che Tabucchi fumi nonostante siano nel vagone riservato ai fumatori.

. . . .

2. Tabucchi non tollera che un giovanotto sul treno offenda i suoi sentimenti.

. . . .

3. Lo scrittore fatica a tollerare che il viaggiatore dica delle cose volgari, anche se non sono rivolte a lui.

. . . .

4. Il controllore vieta che il giovanotto metta le scarpe sul sedile.

. . . .

5. La legge impedisce che i passeggeri fumino nei corridoi.

. . . .

6. La stessa legge permette che i viaggiatori fumino negli scompartimenti riservati.

. . . .

7. Nessuna legge impone che gli utenti del telefonino osservino un galateo.

. . . .

8. Numerose scritte avvertono che non si gettino oggetti dal finestrino.

. . . .

9. Un signore esige che un ragazzo seduto accanto a lui spenga il suo walkman.

. . . .

10. Gli altri passeggeri invece permettono che il ragazzo ascolti la sua musica.

. . . .

O. Sistemate i verbi.

I pensieri del campione di tennis

Prima del servizio

1. Desidererei che nessuno (fiatare) . . . .
2. Pretenderei che il pubblico non mi (fare) . . . . perdere la concentrazione.

3. Sarebbe conveniente che i soliti fanatici (disattivare) . . . . tutti i telefonini e i flash.
4. In caso di disturbo, vorrei che l'arbitro (interrompere) . . . . la partita.
5. Ora vorrei proprio che il mio servizio (fulminare) . . . . il mio avversario.
6. Nella partita di ieri avrei voluto che l'arbitro (impedire) . . . . gli schiamazzi dei tifosi quando servivo io.
7. Ma avrei voluto che i miei tifosi (interferire) . . . . quando toccava all'avversario.

Dopo il servizio

8. Avrei proprio voluto che quel dannato telefonino non (squillare) . . . . esattamente nel momento in cui alzavo la racchetta.
9. Avrei desiderato che la palla non (colpire) . . . . la rete facendomi fare doppio fallo.
10. Ora pretenderei che la federazione sportiva (espellere) . . . . lo spettatore colpevole dal campo.

P. Cambiate il costrutto seguendo l'esempio.

Esempio: Ordino che Carlo venga.
Ordino a Carlo di venire.

Al casello dell'autostrada

1. Un tale piuttosto intraprendente si è messo davanti a un casello autostradale completamente intasato e ha concesso che gli automobilisti in coda usassero il suo telefonino per avvisare parenti e amici del ritardo.

. . . .

2. Ovviamente ha dovuto imporre che gli 'utenti' gli rimborsassero la chiamata a tariffa piena.

. . . .

3. Però ha dovuto anche raccomandare subito che gli automobilisti osservassero delle elementari norme di buon senso.

. . . .

4. Ha consentito che chiunque ne avesse bisogno usasse il suo apparecchio.

. . . .

5. «Non permetto che la gente resti all'apparecchio tanto per passare il tempo».

. . . .

6. E ha imposto al massimo una telefonata di un minuto.

. . . .

7. «È consentito che ognuno faccia al massimo due chiamate».

. . . .

8. In caso di linea occupata, era vietato che la gente rifacesse continuamente il numero.

. . . .

9. Qualcuno indignato (e poco riconoscente) ha intimato che il signore andasse all'inferno.

. . . .

Q. Volgete al passato.

«Attenti ai telefonini, scaldano troppo il cervello»

1. Nel 1995 il presidente della Camera dei Deputati, Irene Pivetti, vieta che a partire dalla prossima riunione i parlamentari facciano uso dei telefonini durante le sedute.

. . . .

2. L'onorevole Pivetti richiede che accurati studi indichino al più presto i pericoli degli apparecchi cellulari.

. . . .

3. Anche i parlamentari sollecitano che, nell'interesse generale, precise indagini scientifiche esaminino il problema degli eventuali rischi.

. . . .

4. I risultati delle ricerche, pur non fornendo una prova certa di nocività, consigliano che gli utenti di telefonini in futuro usino qualche precauzione quando si servono dei cellulari.

. . . .

5. Gli esperti raccomandano che gli utenti tengano il cellulare a lieve distanza dall'orecchio, che alternino l'orecchio d'ascolto e soprattutto che facciano telefonate brevi.

. . . .

6. Le case produttrici avvertono che i clienti osservino prudentemente le istruzioni.

. . . .

7. Infatti vogliono che i loro articoli assicurino prestazioni ottimali, corrette e innocue.

. . . .

8. I tecnici chiedono che regolari controlli di qualità dei vari modelli garantiscano il benessere del crescente numero di utenti.

. . . .

R. Completate opportunamente.

Apparecchiature a rischio

Telefonini, pericolo ospedali

Sono state rilevate alterazioni ai sistemi di controllo della risonanza magnetica e agli apparati di anestesia e rianimazione

Corriere della Sera, 29 settembre 1996

Il primario di radiologia:

1. Voglio che Lei, Direttore, da domani (proibire) . . . . l'uso dei telefonini in tutta l'area dell'ospedale.
2. Non vorrei che qualche mio paziente (soffrire) . . . . a causa dell'inquinamento elettromagnetico.

Il direttore dell'ospedale:

3. C'è proprio la necessità che l'ospedale (prendere) . . . . una decisione così drastica?

4. Mi scusi, professore, non permetto che (uscire) . . . . avvisi che vietano gratuitamente l'uso di apparecchi tanto utili sia al personale dell'ospedale sia ai degenti.
5. Tempo fa ordinai che nessuno (fumare) . . . . in tutto l'ospedale.
6. Poi il buon senso impose che il mese dopo io (limitare) . . . . il divieto alle sale operatorie e alle corsie. Tanto chi voleva fumava lo stesso dappertutto.
7. D'altra parte è giusto che gli interessi degli ammalati (essere) . . . . tutelati al massimo.

Il primario:

8. Vorrei che Lei (capire) . . . . il pericolo costituito, per esempio, dal telefonino, anche spento, nella tasca di un medico che presta la propria opera clinica a contatto di un cardiopatico portatore di pacemaker.
9. Come medico, il *mio* buon senso vieta che l'esigenza di chiacchierare con l'esterno da parte dei degenti che hanno ancora fiato da perdere (prevalere) . . . . sulla sicurezza di quelli che invece il fiato lo devono impiegare tutto per rimanere in vita.

S. Sistemate i verbi.

Tradito dal portatile

1. Una telefonata al cellulare in orario di lavoro è costata cara ad un operaio di un'azienda tessile italiana: gli hanno ordinato che il giorno successivo lui si (astenere) . . . ., senza paga, dal servizio per 24 ore.
2. L'interessato ha chiesto che il direttore (revocare) . . . . subito il provvedimento disciplinare: durante la telefonata avrebbe continuato a controllare il macchinario e non avrebbe provocato alcun danno materiale.
3. Infatti, se è effettivamente vietato che uno (interrompere) . . . . senza motivo il processo di produzione, lui era stato sorpreso a telefonare alla moglie senza che questo avvenisse.
4. «Forse siamo un po' rigorosi, ma non permettiamo che un operaio (abbandonare) . . . . la macchina per girare di notte col telefonino chiamando qua e là».
5. «Che telefoni pure a chi vuole fuori dell'orario di lavoro, ma noi vogliamo che nella nostra azienda i dipendenti non (usare) . . . . quel maledetto apparecchio».
6. L'azienda ha deciso di cautelarsi per il futuro. Nei locali è stato appeso un cartello in cui si vieta espressamente che tutti i dipendenti (ricevere) . . . . telefonate personali durante l'orario di lavoro.
7. Ma il sindacato ha chiesto che la direzione (correggere) . . . . la propria decisione perché a livello nazionale non era ancora stato formulato nessun divieto specifico.
8. Non vorremmo che ne (nascere) . . . . un increscioso episodio.

9. Già un'altra volta il comportamento aziendale obbligò che la fabbrica (interrompere) . . . . la produzione per alcuni giorni.
10. Tutti vorrebbero invece che l'attività (continuare) . . . . in un'atmosfera serena.
11. Cosa vorreste che si (fare) . . . . in caso di sciopero?

T. Adesso tocca a voi. Raccontate prima un episodio da voi osservato (o a voi capitato) di abuso del telefonino, poi raccontatene uno in cui invece il telefonino è stato (o avrebbe potuto essere, se l'aveste avuto) utilissimo per evitare un guaio, un pericolo o un incidente.

U. Lavorando a coppie, inventate un dialogo telefonico tra un utente del cellulare e il centralinista di uno dei seguenti numeri di emergenza.

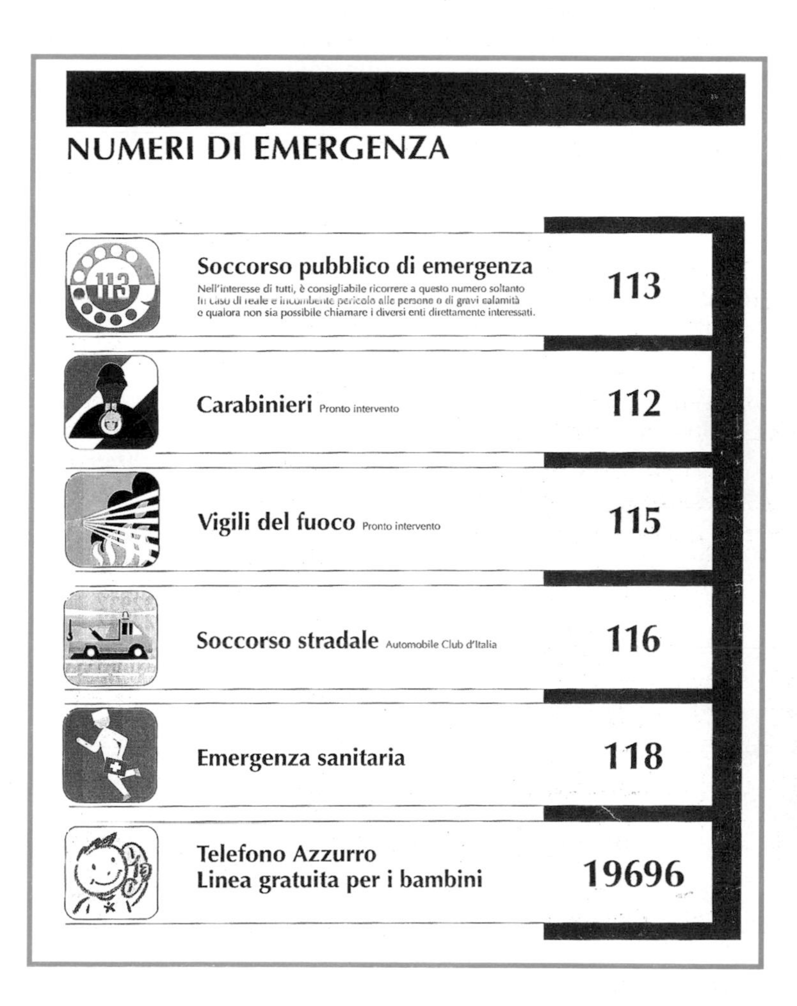

V. Rispondete alla seguente lettera.

CONSIGLIO ALLE FERROVIE

Vagone riservato ai telefonini

Odiavo il treno. Per forza (e per amore) da quattro anni lo prendo ogni fine settimana, ed ho cominciato ad apprezzare quelle due ore e mezzo che mi permettono di leggere e rilassarmi.
Ma dopo aver sopportato per un po', ora ho bisogno di sfogarmi. Non ne posso più dei telefoni cellulari! Ragazzine viziate urlano a squarciagola «Pronto, sì sono a Pontremoli. Verso le 9 sarò a Pisa... pronto, pronto non ti sento più!». Lo credo! Lo sanno tutti che la Cisa è piena di gallerie.
E che dire degli pseudo-imprenditori e degli uomini dell'alta finanza (in seconda classe?) che non riescono a vivere senza telefonino? «Avvocato, come stai? Tutto bene? Niente, volevo solo salutarti!»
Reclamo il diritto a poter leggere in santa pace senza essere continuamente disturbata da conversazioni inutili e ad alto, anzi, altissimo volume. Forse le Ferrovie dello Stato potrebbero aggiungere un vagone apposito per questi signori, come quelli già esistenti per i fumatori?

Alessia Bandini
Varano Melegari (PR)

Corriere della Sera, 20 ottobre 1996

Z. Discutete.

- Conoscete alcune situazioni in cui il galateo del vostro paese si discosta sensibilmente da quello italiano o di qualche altro paese?

Quel «per favore» che allevia il male di vivere

Il valore della cortesia sta nell'intelligenza di capire lo stato d'animo altrui

All'epoca dei cavalieri
la cortesia era un valore

Giornale di Brescia, 6 novembre 1996

- ## *Chi ci ruba la privacy*

Mentre diventa sempre più facile nel "villaggio globale" comunicare da un capo all'altro del mondo, diventa sempre più difficile tutelare il diritto alla privacy, cioè la sfera della riservatezza personale

La Repubblica, 25 ottobre 1996

Il paese dei bivacchi

(Foto Vicentini)

4 IL PAESE DEI BIVACCHI

Quando stavo a Parigi, nel 1984, m'imbattei in una piccola coda davanti a una gioielleria di Les Halles. Chiesi e venni informato che era per via di un orologino di plastica esposto in vetrina. Lo guardai, e per la prima volta in vita mia vidi uno Swatch: attraverso la cassa trasparente si vedevano tutti gli ingranaggi, aveva le lancette rosse e blu e costava solo 200 franchi. Mi parve così improvvisamente bello che mi misi in coda anch'io, ma mi sentii un poveraccio a non avere una fidanzata a cui regalarlo.

Lo comprai lo stesso, costava così poco, e al mio ritorno in Italia lo regalai a mio fratello, ma lui sul polso aveva i peli, e non era molto estetico vederseli tutti spiaccicati sotto il cinturino trasparente, per cui l'orologino fu girato a mia madre, la quale lo portò per qualche giorno, giusto per non offendere nessuno, poi lo mise via perché non riusciva a leggerci l'ora e da quel momento dello Swatch trasparente in casa mia si sono perse le tracce.

Ora c'è un ragazzo, davanti a me, di nome Marco, appena conosciuto, che mi sta dicendo che quell'orologio è un'autentica rarità e vale un sacco di soldi. Lo guardo meglio: ha gli occhi azzurri, dei capelli ispidi e ritti, un viso gradevole, dolce. Possibile che stasera si sia messo in testa di pigliare in giro proprio me? Tutto può essere, per carità, ma a me non sembra, visto lo scrupolo con cui s'ingegna a controllare che non sia io a pigliare in giro lui, e mi interroga sui dettagli ormai dimenticati di quell'orologio («La lancetta dei secondi era gialla?», «E sul perimetro del quadrante c'era una fascia azzurrina?»). Soprattutto a inorecchirlo sono stati la data e il luogo del mio acquisto «1984 quando?», insiste. «Novembre». «A Parigi, sei sicuro?» «T'ho detto di sì». A ogni indizio che raccoglie lo sguardo gli si illumina e alla fine mi fissa con un misto di invidia e di disprezzo: «Sei un pazzo, quello era un *Original Jelly Fish*» dice, scuotendo il capo «ora vale 15-20 milioni», e pare serio, tanto che io sto già pensando fermi tutti, mia madre non è una che butta via la roba, si tratterà di fiondarsi domattina a casa sua e perquisirla da cima a fondo, non ho forse ritrovato per caso, una volta, gli occhiali da sole rotti che mi ero comprato a una settimana bianca del liceo? E ci sono ancora tutte le macchinine con cui giocavo da bambino, il Meccano, il Lego, il Plastic City...

Prima però c'è da trascorrere questa notte all'addiaccio, qui a Viareggio, a un passo dal mercato, di fronte al "Punto Swatch" della gioielleria Pasquali. Oggi ne parlava perfino il giornale, alla cronaca della Versilia, in tarda serata qui sono stati consegnati gli ultimi cento esemplari disponibili dei modelli *Scuba* e *Crono*, e domattina saranno messi in vendita. A quanto pare sono i Gronchi rosa del momento, in fatto di orologini di plastica: per loro due giorni fa, a Riccione, fuori da un negozio preso d'assalto sono volate botte da orbi, non discorsi. E anche qui, ci vuole poco a prevederlo, saranno in parecchi a bivaccare in attesa dell'apertura di domattina: è l'una e mezza e c'è già una ventina di persone, più me e un giornalista locale che fa delle gran domande a tutti. Marco, organizzatissimo, ha tirato fuori dallo zainetto i numeri per disciplinare l'ingresso (lui ha l'uno, io il tre, per forza, siamo arrivati per primi): appena arriva gente nuova viene automaticamente indirizzata a lui, che tira fuori il blocchetto e ci scrive sopra l'ultimo numero con la Bic. Non so chi dia questa autorità, fatto sta che è indiscussa. Gli torno vicino e gli mostro lo Swatch che ho al polso, col cinturino in simil metallo e i numeri romani: «E questo?» gli chiedo «Quanto vale questo?» Lui ridacchia. «Eeh: questo non vale nulla. Ce l'hanno tutti». «Ma è bello, a me piace» insisto. Marco scuote il capo di nuovo, mi lancia l'occhiata obliqua che si meritano i dilettanti, e mi spiega per bene come funziona la cosa: di per sé questi orologini non valgono nemmeno le cinquantamila lire che costano, quelli che contano sono i modelli rari. Ogni tanto la ditta ne fabbrica qualcuno in serie limitata, e allora scatta il plusvalore del collezionismo.

[...] E comunque, per avere valore collezionistico, gli Swatch devono essere intatti dentro la loro scatola, mica portati al polso, dunque... «Ti ringrazio – gli dico alla fine – mi hai aperto gli occhi». Tanto l'orologio continua a piacermi lo stesso, e per me ha anche un certo valore, perché è un regalo e perché è il primo oggetto che mio figlio è riuscito ad afferrare con la mano, a tre mesi di vita.

[...] Non ho forse visto abbastanza? Eppure no, questo non è abbastanza, tutti questi ragazzi italiani stanno seduti per terra, parlano, fumano, sentono musica, si appoggiano gli uni agli altri e resteranno qui fino a domattina senza che nessuno se ne vergogni: per loro evidentemente è una cosa giusta da farsi, e allora va vista fino in fondo. Lo stanno facendo per un orologio, ma potrebbero farlo per i biglietti di un concerto, oppure per iscriversi a un esame d'università particolarmente affollato, e magari, chissà, se bene istigati anche per qualche nobile causa, contro la guerra, o la droga, o la mafia...

Sandro Veronesi, *Cronache italiane*
Mondadori, Milano 1992

A. Completate.

L'autore passa una notte all' . . . . davanti a una gioielleria di Viareggio in attesa che arrivino gli ultimi . . . . di alcuni modelli d'orologi che saranno messi in . . . . il giorno dopo.

Con lui, all'una di notte, c'è una ventina di . . . . , ma si prevede che saranno in parecchi a . . . . in attesa dell'apertura del negozio.

Per disciplinare l' . . . . nel locale, un ragazzo, Marco, organizzatissimo . . . . l'ordine di arrivo delle persone staccando un . . . . da un blocchetto.

È stato Marco a . . . . all'autore una strana notizia: è in . . . . di un tesoro e non lo sapeva. È un . . . . da pochi soldi, con la . . .

. . . . trasparente di plastica e lancette rosse e blu, che una volta, ... da un viaggio all'estero, ha . . . . a suo fratello. Lui non l'usò per motivi . . . . e lo passò a sua madre che non . . . . a leggere l'ora sul quadrante, lo . . . . in un cassetto. Da quel momento se ne sono perse le . . . .

Marco spiega il valore . . . . del modello: deve far parte di una . . . . limitata e essere tenuto dentro la . . . . originale.

La curiosità dell'autore è . . . . dalla resistenza che i giovani dimostrano . . . . difficoltà e disagi per quella che loro . . . . una causa giusta.

Lui ammira la . . . . capacità d'impegno: oggi si mobilitano per un semplice . . . . , ma potrebbero farlo . . . . i biglietti di un concerto, oppure per . . . . a un esame o perfino, chissà, per una nobile . . . .

B. Se necessario, correggete l'ordine delle espressioni in corsivo in modo che esprimano un'intensità crescente.

Esempio: Il mio orologio è *splendido,* anzi *bello.*
Il mio orologio è bello, anzi splendido.

1. Resto *di sasso*, *stupito* anzi, perché non l'avrei mai sospettato.

   . . . .

2. Forse a dirmi così Marco sta facendo un errore *madornale*, *enorme* anzi.

   . . . .

3. Può darsi invece che io abbia avuto una fortuna *sfacciata*, anzi *notevole*.

   . . . .

4. Comunque domani *mi fionderò* a casa di mia madre, anzi *correrò*, per rovistare nei cassetti, alla ricerca del tesoro.

   . . . .

5. *Adoro*, *mi piace* anzi, frugare tra le vecchie cose.

   . . . .

6. I cassetti di mia madre poi sono *zeppi*, anzi *pieni*, di cianfrusaglie.

   . . . .

7. Mi conviene *cercare*, *perquisire* anzi, da cima a fondo.

   . . . .

8. Marco dice che tra l'orologio che porto e quello nascosto c'è *un abisso, una grande differenza.*

   . . . .

9. I prezzi degli orologini di plastica da collezione sono *altissimi, esorbitanti* anzi.

   . . . .

10. Alcuni modelli mi sembrano *brutti*, o meglio *orrendi*.

   . . . .

C. Completate.

1. Bellissimi modelli di swatch sono stati disegnati da artisti famosi usando tantissime tinte ross..., giall... o verd... che si mescolano su sfondi azzurr..., ner... o bianc... .

La collezione «Attenzione, vernice fresca»

Epoca, 21 gennaio 1996

2. È un turbinio di colori vivaci: quadranti verd... prato, lancette ross... fuoco, cinturini giall... girasole.
3. Anche la scatola è allegra: strisce e pallini ner... .
4. Pesciolini verd... nuotano felici in acque azzurr... mare e fanno tante bollicine bianc... schiuma.
5. La lancetta dei secondi era giall... , giall... ocra; e sul perimetro del quadrante c'era una fascetta azzurr... .
6. C'è il viso di un marinaio francese con la camicia bianc... e blu e il cappello dalla nappa ross... vermiglio.

7. Ci sono anche Giulietta e Romeo su un esemplare per gli innamorati, decorato con cuoricini ros... e celest... , con un cinturino su cui si vedono scritte e arabeschi ner... .

8. Io non riesco a leggere l'ora se non su un quadrante bianc... latte con i numeri ner... ben evidenti.

D. Eliminate l'intruso da ogni lista. Notate poi che con una leggera modifica anche questo potrebbe rimanerci.

1. capelli, occhio, peli, polso, testo, viso . . . .
2. cassa, cinturino, ingranaggio, lancette, quadrato . . . .
3. insegna, magazzino, negozio, saracinesca, vetrata . . . .
4. aumento, costo, prezzo, saldatura, sconto, valore . . . .
5. avvenimento, avventura, cronico, evento, fatto . . . .
6. calca, compagnia, coda, filo, folla, ressa . . . .
7. campionato, modello, modulo, originale, prototipo . . . .
8. caos, chiasso, confusione, disordine, casinò, rumore . . . .

E. Abbinate ogni espressione in corsivo nella prima colonna ad una di valore corrispondente nella seconda.

1. Ho rivenduto la macchina *per un sacco di soldi.*	a. tutto
2. Questo modello non vale *una cicca.*	b. a caro prezzo
3. Alcuni esemplari valgono *una miseria.*	c. moltissimo
4. Per i modelli rari si può chiedere *un occhio della testa.*	d. proprio niente
5. Questa giacca l'ho pagata *una cifra.*	e. quattro soldi
6. Del prezzo di mercato, non me ne importa *un fico secco.*	f. fior di quattrini
7. È una questione *da niente.*	g. nulla
8. È un bell'oggetto, ma costa *un'esagerazione.*	h. troppo
9. Collezionando, c'è chi ha perduto *anche la camicia.*	i. insignificante

F. Confrontate le differenti quotazioni presentate nel riquadro. Non usate le cifre esatte ma espressioni del tipo *la metà, il doppio*.

Esempio: Un Breakdance vale adesso 1 milione e mezzo; una volta valeva 4 volte di più.

BRUTTE NOTIZIE PER CHI HA TENTATO SPECULAZIONI

Orologio	Quotazione 1991	Quotazione 1996
KIKI PICASSO	**57.970.000**	**20-25 milioni**
MIMMO PALADINO	**35.700.000**	**15-18 milioni**
DON'T BE TOO LATE	**5.500.000**	**1.200.000**
BREAKDANCE	**6.000.000**	**1.500.000**
DESERT PUFF	**19.000.000**	**15-20 milioni**
VELVET U.	**9.000.000**	**1.500.000**
WHITE OL.	**4.500.000**	**1.500.000**
NICHOLSON	**2.500.000**	**700.000**
BLACK OUT	**4.500.000**	**500.000**
B. STRUESSLI	**6.000.000**	**1.300.000**
BLANC/NOIR	**4.800.000**	**800.000**
JELLY FISH	**20.000.000**	**8.000.000**
ADAMI	**5.000.000**	**2.500.000**

Il modello Jelly Fish. **Il modello Velvet Underground.**

Epoca, 21 gennaio 1996

1. Un Mimmo Paladino prima costava quasi trentasei milioni, adesso vale . . . .
2. Un Jelly Fish adesso costa 8 milioni di lire, una volta costava . . . .
3. Un Blanc/Noir costava 4 milioni e 800 mila lire, adesso costa . . . .
4. Un Black Out vale 500 mila lire, una volta valeva . . . .
5. Un Kiki Picasso valeva quasi 58 milioni, adesso vale . . . .

G. Completate opportunamente con gli elementi dati.

come – perché – quanto – siccome

Altre speculazioni

Un commerciante aveva comprato una partita di sardine in scatola andate a male. Che fossero andate a male, al commerciante non gliene importava un fico secco . . . . tanto non le avrebbe mangiate lui. Così le vendette a un altro commerciante che, a sua volta, fece . . . . aveva fatto il primo, guadagnandoci un bel po' di soldi.

Con quella vendita il secondo commerciante aveva guadagnato . . . . aveva guadagnato il primo se non di più.

. . . . ben si prevedeva, il terzo commerciante le vendette a un quarto commerciante e questo a un altro ancora.

Intanto, ... tutti i commercianti dovevano guadagnarci su, le sardine aumentavano sempre di prezzo. E nessuno le vendeva al pubblico . . . . erano tutti commercianti molto onesti che non volevano avvelenare la gente. E poi le sardine erano diventate immangiabili anche . . . . costavano troppo care.

Ma un certo punto, un commerciante che aveva comprato la partita di sardine a prezzo altissimo, ... non riusciva più a venderle dovette fare fallimento. Le cose non erano andate . . . . lui aveva sperato: le sardine in scatola vennero vendute all'asta . . . . se si trattasse di orologi antichi, ma a un prezzo piuttosto basso.

Così, ricominciarono ad essere vendute e comprate e a passare da un commerciante all'altro, a viaggiare da una città all'altra senza che nessuno pensasse mai di mangiarle . . . . erano andate a male.

H. Sostituite le espressioni in corsivo con altre di significato equivalente. Eventualmente aiutatevi con le espressioni suggerite.

avere un prolungamento – essere sconclusionato – guardare furtivamente
mettersi in fila – sentirsi in difetto – tutto avvilito

A proposito di coda

1. Si parla delle lentezze della burocrazia e non si può mai parlare serenamente con i dipendenti statali: *hanno tutti la coda di paglia.*

   . . . .

2. Per avere dei certificati a volte la gente deve *fare lunghe code* davanti agli sportelli.

   . . . .

3. Ieri, in Questura, ho aspettato a lungo il mio turno. E con estrema calma, anche se *con la coda dell'occhio*, ho ben visto che un signore tutto elegante tentava di superarmi.

   . . . .

4. Mi sono arrabbiato e ne è nata una discussione che *ha avuto una lunga coda.*

. . . .

5. L'altro faceva finta di niente, anzi diceva che le mie parole *non avevano né capo né coda.*

. . . .

6. Finalmente, proprio quando toccava a me, mi hanno chiuso lo sportello in faccia, e sono tornato a casa *con la coda tra le gambe.*

. . . .

I. Scegliete la parola giusta tra le due proposte.

1. Per entrare a teatro abbiamo dovuto fare *il filo / la fila* di ore e ore.
2. Raccontami quello che ti è successo per *filo/fila* e per segno.
3. Faceva un caldo terribile! Non tirava *un filo / una fila* d'aria.
4. E c'era anche un'umidità insopportabile, dopo che aveva piovuto per una settimana di *filo/fila.*
5. In quale *filo/fila* di poltrone hai trovato i biglietti?
6. Finalmente ho trovato posto in platea: erano anni che ci facevo *il filo / la fila.*
7. Ho perso *il filo / la fila* del discorso: parlava troppo e mi sono distratta.
8. Ormai non mi resta che *un filo / una fila* di speranza.

L. Completate usando le espressioni date.

(così) come – (tale e) quale – (tanto) quanto – come quando

Una fila di comparse

1. Sono gli ultimissimi giorni di lavorazione: venerdì 27 ottobre il regista Marco Ferreri ha finito di girare all'interno e all'esterno del Supercinema di Rimini il film "Nitrato d'argento", impresa non facile . . . . il regista aveva previsto.

2. Era una tranquilla giornata di autunno; la mattina, il sole brillava tiepido . . . . spesso fa alla fine di ottobre.

3. Fin dalle prime ore, Piazza Tre Martiri a Rimini era euforica e formicolante . . . . la folla circola nella piazza nei giorni di mercato all'ora di punta.

4. I giovani che bivaccavano sulle scalinate della piazza piena di sole in attesa del "si gira" erano numerosi: . . . . gli organizzatori non avrebbero mai osato sperare.

5. In coda davanti a una vecchia cassiera, scalpitavano ragazzi in pantaloni a zampa di elefante e ragazze in minigonne vivaci . . . . sarebbero stati negli anni Settanta.

6. Durante la pausa delle riprese, si fanno domande e si danno risposte:

- *Vai spesso al cinema?*

Io veramente non ci vado . . . . spesso . . . . vorrei.

- *È facile fare la comparsa?*

  Basta seguire i consigli: è facile se fai . . . . ti viene suggerito.

- *Si guadagna bene?*

  Non si prendono cifre favolose . . . . uno può credere. Ma, in una giornata sola ho fatto . . . . soldi . . . . di solito ne guadagno in una settimana a fare la babysitter.

- *Vai volentieri a vedere i film di Ferreri?*

  Veramente di lui non avevo visto . . . . film . . . . ne ho visti di altri, di Fellini, per esempio.

- *Come persona che effetto vi ha fatto Ferreri?*

  All'inizio abbiamo visto un signore con i capelli grigi e un aspetto strano; però poi non è . . . . strano . . . . è sembrato di primo acchito.

M. Rispondete alle seguenti domande come nell'esempio.

Esempio: Ragazzi, perché non facciamo un giro in piazza? (restare in fila)
Io preferisco restare in fila piuttosto che fare un giro in piazza.
Più che fare un giro in piazza, vorrei restare in fila.

1. Per fare le comparse in questo film, dovete tagliarvi i capelli a zero? (rinunciare alla cosa)

   . . . .

2. È vero che domani vi metterete dei pantaloni a righe? (girare in mutande)

   . . . .

3. Ragazze, voi due dovete tingervi i capelli color carota fiammeggiante? (portare una parrucca)

   . . . .

4. Tu devi tagliarti il codino? (mettere un berretto)

   . . . .

5. Volete fare due chiacchiere con il regista? (vedere come si gira un film)

   . . . .

6. Sarete pagati con un abbonamento gratuito annuale a questa sala? (ricevere regolare compenso)

   . . . .

7. Per pranzo volete un panino al formaggio e cetriolo? (stare a digiuno)

   . . . .

8. Ripetiamo la scena? (andarsene a casa)

   . . . .

N. Sistemate i verbi.

1. Descrivimi ancora l'accaduto nei suoi dettagli, proprio come (succedere) . . . . la settimana scorsa in Versilia.
2. Beh, la gente ha preso d'assalto un negozio come due giorni prima altri (fare) . . . . a Riccione.
3. Veramente lì, non c'è stata tanta confusione come (scrivere) . . . . i giornali.
4. Comunque, sono volate botte quasi la gente (essere) . . . . su un ring di pugilato.
5. Ma la maggior parte delle persone parlava e fumava tranquillamente come se passare tutta la notte all'addiaccio (essere) . . . . la cosa più normale del mondo.
6. Un ragazzo aveva distribuito numeri per regolamentare l'ordine, come di solito si (fare) . . . . davanti al botteghino del teatro, o nei grossi negozi di alimentari.
7. Io mi muovevo come se mi (animare) . . . . una gran curiosità.
8. Un giornalista faceva gran domande a tutti come se si (trattare) . . . . dell'avvenimento del secolo.
9. Un tipo mi ha dato un'occhiata come se mi (considerare) . . . . un dilettante.
10. Poi mi ha fatto tante domande, ma io me ne sono andato come se niente (essere) . . . .

O. Unite le seguenti frasi usando *quasi* oppure *come se* seguiti dalla forma appropriata del verbo.

Esempio: Largo! Insomma! Non state in mezzo alla strada. È vostra?
Non state in mezzo alla strada come se fosse vostra.

1. Spesso i ragazzi fumano in continuazione. Vivono un momento stressante?

   . . . .

2. Ieri ascoltavano la loro musica preferita. Niente li preoccupava, mi pare.

   . . . .

3. Perché parlate a voce bassa? State complottando?

   . . . .

4. Tu non gridare! Non ci sentiamo, pensi?

   . . . .

5. Due tipi mi guardavano divertiti. Volevano pigliarmi in giro?

   . . . .

6. Si comportavano stranamente. Mi conoscono, ho pensato.

   . . . .

7. Poi sono svaniti improvvisamente. Erano fantasmi?

. . . .

8. Non mi guardate in quel modo. Pensate che io abbia bevuto?

. . . .

P. Scegliete la forma corretta tra quelle suggerite.

C'è anche la mania sportiva

1. Le schiere di collezionisti avidi, o anche soltanto curiosi, di oggetti sono meno fitte *di/che* quanto possa sembrare.
2. Risulta, infatti, che piscine, palestre, piste ciclabili, campi di atletica, di tennis e di golf richiamano più appassionati di quanti ne *attirino/attirassero* negozi, bancarelle, mercati, ecc.
3. La sana pratica sportiva è un esercizio *più/piuttosto* diffuso di quanto la gente non immagini, non solo tra i giovani.
4. Lo sport fa ritrovare insieme la gente più spesso di *quanto/quanta* non si creda.
5. Gli sportivi di oggi hanno più opportunità di coltivare le proprie passioni di quante non ne *avessero/abbiano* gli sportivi di ieri. Nelle città, ci sono più circoli e palestre di *quanti/quanto* non faccia credere il pessimismo.
6. È vero che troppo spesso le strutture sportive sono più carenti *di quanto / che quante* non richieda la domanda del pubblico, ma è anche vero che sono molti quelli che si accontenterebbero di correre nei giardini e parchi.
7. Una corsa nel parco costa meno di quanto non *costa/costi* un'ora di palestra e non bisogna prenotare. È che purtroppo di parchi e giardini ce ne sono proprio pochi. E allora si corre per la strada.

(foto Fabio M. Costa)

Momenti di attività sportiva nel verde di Villa Pamphili a Roma

8. Certo, l'aria inquinata procura malesseri, ma *più/meno* di quanto non ne provochi l'incoscienza della gente. Infatti, spesso gli sportivi usano meno precauzioni di *quante/quelle che* dovrebbero.
9. Come per esempio, il corridore della domenica che in ospedale confessa che forse ha faticato più di quello che gli *permetteva/permettesse* il cuore: «Questa volta il cuore mi fa più male *che come / di quanto* non mi abbia fatto prima dell'ultimo infarto!»

Q. Commentate.

Sette, Corriere della Sera, 24 ottobre 1996

R. Inserite nel testo gli avverbi dati.

adesso – anche – ancora – appena – avidamente – decisamente
di grosso – già – mai – ormai – per bene – perfino
probabilmente – puntualmente – solo – subito

Come le figurine

Avete . . . . gettato via una scheda telefonica esaurita? Tornate . . . . sui vostri passi: forse siete . . . . in tempo per recuperarla; . . . . , qualcun altro è . . . . arrivato prima di voi, l'ha raccolta, pulita . . . . , e . . . . si appresta a inserirla in un ordinatissimo raccoglitore. Vi sembra un'idea balzana? Vi sbagliate . . . .

Se non avete . . . . sentito parlare del collezionismo di carte Telecom o se pensate che sia . . . . un gioco da bambini, siete . . . . persone distratte: sono . . . . centomila gli italiani che raccolgono . . . . schede telefoniche. Sono uomini e donne, professori universitari e bambini delle elementari, direttori di banca e pensionati. Hanno fondato club e associazioni, dispongono . . . . di due cataloghi pubblicati una volta all'anno e . . . . di un mensile che si trova in edicola. Organizzano mostre in tutt'Italia e si ritrovano . . . .

S. Ecco una lista di oggetti insoliti o di valore. Esprimete motivazioni plausibili per cui dovete assolutamente esserne in possesso. Aggiungete eventualmente altri oggetti a piacere.

- un abito da sera formale
- un guida del telefono di tre anni fa
- un videoregistratore
- un francobollo del Senegal
- un orologio a cucù
- un biglietto del tram di Stoccolma
- una barca a vela
- una lattina vuota
- uno spazzolino da denti elettrico
- una pelliccia di cincillà
- una tuta da ginnastica gialla
- una carrucola

T. Mandate un fax di risposta a uno dei seguenti annunci dando una descrizione dettagliata dell'articolo che vi interessa.

Acquisterei da privati mobili antichi, quadri e cornici per arredare una casa in centro storico. Pago in contanti. Rosalba Amati. Gallarate (VA), telefax 0331/794533

Collezionista compra giocattoli antichi, automobiline, trenini, bambole, soldatini... Fax. 041/45.45.81

Oggetti in argento di produzione artigianale vendo a prezzi veramente concorrenziali. Cappelletti, Sesto S. Giovanni (MI), tel. & fax 02/2404 672

U. Discutete.

- Ci sono cose per cui farei anche l'impossibile.
- Non è bello ciò che è bello, ma è bello ciò che piace.
- Collezionare: un'arte o una schiavitù?
- Butterei sempre via tutto: amo l'ordine e l'essenzialità.
- Mode smodate.
- Le manie dei nostri giorni.
- Tra le manie degli italiani ci sono l'ossessione estetica nel vestire e l'eccessiva preoccupazione per il mal di fegato. E tra quelle dei vostri connazionali? Oppure, ne conoscete altre di italiane?

Curiosità & Polemiche

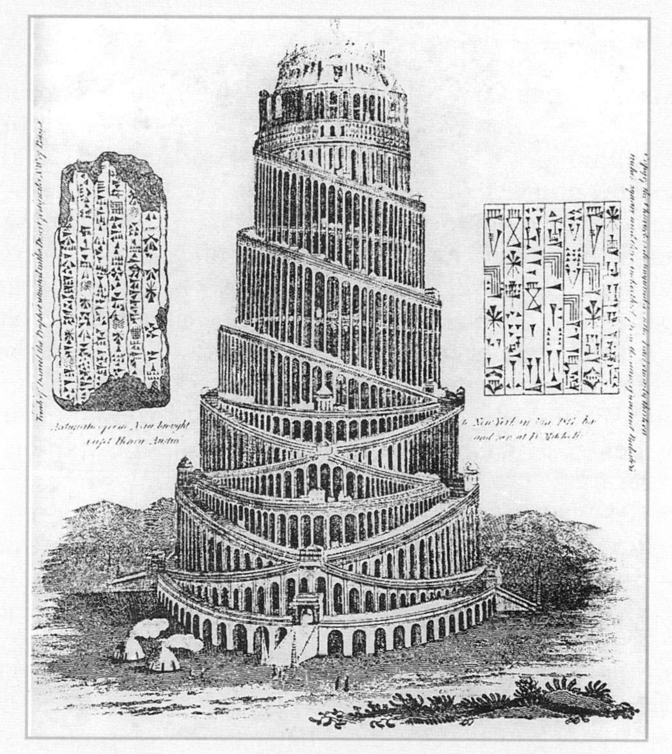

La Torre di Babele

Parte I

Curiosità e polemiche a Novate Milanese dopo l'innovazione sul nome introdotta dalla prima cittadina

«Io, sindaca, più che femminista»

«Il vocabolario e il nuovo ruolo delle donne mi danno ragione»

NOVATE MILANESE (Milano) – Allora, Signor sindaca...

«Signora sindaca, prego».

E meno male che non è femminista la prima cittadina di un comune che, per prima in Italia, ha voluto mettere, dizionario alla mano, la «a» al posto della «o», sulla parola che denota il capo (non la «capa»...) di un'amministrazione civica. È però determinata e preparata in italiano Amalia Fumagalli, 40 anni, uscita vittoriosa, per lo schieramento di centro sinistra, con il 65,79% di suffragi nel ballottaggio del 7 giugno scorso a Novate Milanese, popoloso comune «dormitorio» alle porte di Milano.

Sposata con un ingegnere, madre di due figli di 9 e 13 anni, a dispetto del suo fisico esile e filiforme, è nota come «un corpo di gomma e un'anima di acciaio» per il suo impegno deciso, da militante delle Acli, nel campo sociale a favore degli emarginati. Ed è laureata in Lettere. La signora sindaco, insomma, sa quel che dice e soprattutto quel che vuole. «Ma come dobbiamo chiamarti? Sei il "sindaco", la "sindaca", la "sindachessa" o che cosa? – ricostruisce il "caso" la professoressa Amalia (insegnante all'Istituto tecnico commerciale di Limbiate) –. Già dai primi giorni questa domanda mi è stata rivolta da molte persone e mi ha colto impreparata. Ho cercato sul vocabolario e ho letto il capitolo "Raccomandazioni per un uso non sessista della lingua italiana" del fascicolo della "Commissione nazionale per la parità tra uomo e donna"». E ha deciso: per le 8 mila famiglie novatesi, 21 mila abitanti, «sarò sindaca e le titolari di deleghe saranno assessore, non assessori».

Il caso, come ben si intende, non è solo linguistico, ma più prontamente semantico, politico. Lo ha spiegato bene la stessa «prof» ai suoi amministrati: «L'introduzione di queste parole nuove può favorire una riflessione sui nostri processi mentali e anche sul

La «sindaca» e l'ordinanza

nostro comportamento, riconoscendo, attraverso un diverso uso della lingua, quei cambiamenti sociali che vedono le donne sempre più presenti e attive nella nostra società, anche in ruoli prima esclusivamente maschili». Lezione numero uno. Lezione numero due: «La lingua non è solo uno strumento di comunicazione, ma gioca un ruolo importante nel modo di pensare e nell'interpretazione del mondo che ci costruiamo anche indipendentemente dalle nostre convinzioni. Nella lingua prevale l'uso del maschile, ma esistono le forme al femminile per quasi tutte le espressioni, per cui si tratta di scegliere di usarle, superando la resistenza che nasce dal fatto che alcune di queste forme sembrano brutte o buffe quando sono solo nuove».

Detto fatto: sulla porta del Comune l'avviso alla cittadinanza relativo al dichiarato stato di attenzione per l'inquinamento da ozono suona così: «Visti i rilevamenti... LA SINDACA avverte e invita la popolazione... ». Commenta il vicesindaco Giacomo Savoldelli, 56 anni metalmeccanico: «Non è il caso di dare troppa importanza a questa storia, anche se la sindaca, che è solo femminile non femminista, ha ragione da ogni punto di vista. I vari problemi sono altri e si batterà per risolverli: impedire che questa città diventi sempre più dormitorio di Milano, salvaguardare l'ambiente, aiutare i bambini. Sono stati proprio loro, in una seduta del consiglio comunale aperta a 200 ragazzini, a eleggerla come beniamina a cominciare a chiamarla signora sindaca».

Ma come diceva un filologo fiammingo, «le parole sono femmine, i fatti restano maschi». Così la pensano parecchi cittadini. A cominciare da un avventore del bar tabacchi di via Bollate dove è impegnato nella partita a carte domenicale: «Parla bene quella lì – bofonchia l'uomo, soprannominato «Teatro» dagli amici – ma ha compiuto un attentato alla lingua italiana. Il sindaco è sindaco, poche bal... Preferisco la Jotti, che restò presidente. Quella sì che era un... uomo». Rincara un vicino di tavolo, Salvatore Miraglia, 46 anni, calzolaio: «Mì sarò ignurant, ma ci è venuto da ridere a tutti quando abbiamo saputo di questa decisione». «Ma no, ma no – interviene a mettere pace un terzo avventore, Ernesto Bagatta, 49 anni, operaio – è una cosa normalissima. E poi ognuno la pensi come gli pare». C'è però chi proprio non vuole entrarci in queste disquisizioni linguistico-sessiste. È il signor Michele Pagnotta, 72 anni, calabrese immigrato dal 1952. Lo troviamo al circolo Acli di via Garibaldi, forte base elettorale della sindaca: «Io non parlo. Non ci capisco niente di politica». Ma lei come chiama la signora Fumagalli? «'A sindachessa! Pecché, hanno cambiato parola?».

Costantino Muscau

Corriere della Sera, 31 luglio 1995

A. Dopo aver letto l'articolo presentato qui sopra, rispondete alle seguenti domande.

- Qual è il problema nuovo affrontato dall'articolo?
- In quali termini questo problema si propone per la lingua italiana?
- Esiste lo stesso problema anche per la vostra lingua? Perché sì o perché no?
- Nell'articolo le donne sembrano risolverlo diversamente dagli uomini?

B. Riassumete tutte le informazioni che vengono fornite dall'articolo su Amalia Fumagalli e su Novate Milanese.

C. Mettetevi alla prova!

i. Individuate tutti i nomi di professione o carica usati nell'articolo.

ii. Abbinate a ogni professione il suo posto e settore.

Professione	Posto	Settore
1. contadino	a. cantiere	i. industria
2. chimico	b. albergo	ii. artigianato
3. muratore	c. fabbrica	iii. ricerca
4. orafo	d. campagna	iv. edilizia
5. cameriere	e. bottega	v. aviazione
6. pilota	f. aereo	vi. turismo
7. operaio	g. laboratorio	vii. agricoltura

iii. Abbinate il lavoratore all'attività corrispondente.

1. Il vigile	a. fa il pane
2. La cassiera	b. lava, taglia e mette in piega i capelli
3. La sarta	c. fa crescere le piante
4. Il falegname	d. regola il traffico e fà le multe
5. Il macchinista	e. taglia e cuce i vestiti
6. Il fornaio	f. fa i cappelli
7. Il parrucchiere	g. costruisce mobilia
8. La modista	h. incassa i soldi
9. Il vivaista	i. decora le case
10. Lo stuccatore	l. conduce il treno

iv. ***Volgete al femminile, cercando di essere coerenti nelle scelte.***

1. imbianchino . . . .
2. tabaccaio . . . .
3. avvocato . . . .
4. poliziotto . . . .
5. pilota . . . .
6. orafo . . . .
7. barbiere . . . .
8. ingegnere . . . .
9. attore . . . .
10. elettricista . . . .
11. muratore . . . .
12. maggiordomo . . . .
13. fabbro . . . .
14. colf . . . .

D. Rispondete.

1. Quali sono i mestieri e le professioni che oggi sembrano senza futuro?
2. Quali invece potrebbero essere quelli del futuro?
3. Che lavoro consiglieresti a tuo figlio o tua figlia? Perché?
4. Di chi avete già avuto bisogno? Quando e perché?

E. Riformulate usando variatamente gli elementi dati.

a quanto – per quanto ne – per quello che – secondo ciò che

Esempio: Amalia Fumagalli dice: il vocabolario mi dà ragione.
Secondo ciò che dice Amalia Fumagalli, il vocabolario le dà ragione.

1. La Fumagalli sostiene: la lingua gioca un ruolo importante nel modo di pensare.

. . . .

2. E non è sola; anche un opuscolo intitolato *Il sessismo nella lingua italiana* e curato da Alma Sabatini per la «Commissione nazionale per la realizzazione della parità tra uomo e donna» afferma: si può modificare il sesso della grammatica.

. . . .

3. Il vicesindaco ritiene: non è il caso di dare troppa importanza alla faccenda.

. . . .

4. Mi risulta: i problemi del Comune di Novate sono altri.

. . . .

5. Un filologo fiammingo diceva: le parole sono femmine, i fatti restano maschi.

. . . .

6. Parecchi cittadini pensano: il filologo ha ragione.

. . . .

7. Un avventore del bar sostiene: per me la sindaca ha compiuto un attentato alla lingua. La presidente Jotti era migliore.

. . . .

8. Un altro dice: l'ordinanza? È una cosa ridicola.

. . . .

F. Eliminate le frasi sbagliate.

1. a. Che io sappia, le raccomandazioni della Commissione risalgono al 1986.
   b. Che io so, le raccomandazioni della Commissione risalgono al 1986.
   c. Che io sapessi, le raccomandazioni risalirebbero al 1986.

2. a. Da quel che mi sembrerebbe, il parere delle donne non è concorde.
   b. Da quel che mi sembra d'aver capito, il parere non sarebbe concorde.
   c. Da quel che mi sembri d'aver capito, il parere delle donne non è concorde.

3. a. A quel che sento, di polemiche ce ne sono ancora abbastanza.
   b. A quel che sentirei, di polemiche ce ne sono ancora abbastanza.
   c. A quel che senta, di polemiche ce ne sono ancora abbastanza.

4. a. Per quanto mi riguarda, non vorrei essere chiamata "giudichessa".
   b. Per quanto mi riguardi, non vorrei essere chiamata "giudichessa".
   c. Per quanto mi riguardasse, non vorrei essere chiamata "giudichessa".

5. a. Per quel poco che potete giudicare, qual è la soluzione migliore?
   b. Per quel poco che possiate giudicare, qual è la soluzione migliore?
   c. Per quel poco che poteste giudicare, qual è la soluzione migliore?

6. a. Non c'è stato nessun cambiamento, per quanto io ne sappia.
   b. Non c'è stato nessun cambiamento, per quanto io ne so.
   c. Non c'è stato nessun cambiamento, per quanto io ne saprei.

7. a. Per ciò che la riguarda, l'avvocato non ha altre considerazioni da fare.
   b. Per ciò che la riguardi, l'avvocato non ha altre considerazioni da fare.
   c. Per ciò che la riguardasse, l'avvocato non avrebbe altre considerazioni da fare.

8. a. Da quanto ci risulta, "medichessa" è inaccettabile a molti.
   b. Da quanto ci risulti, "medichessa" è inaccettabile a molti.
   c. Da quanto ci risulterebbe, "medichessa" è inaccettabile a molti.

9. a. Che si sapeva, soltanto pochissime donne l'hanno accettato.
   b. Che si sa, soltanto pochissime donne l'hanno accettato.
   c. Che si sappia, soltanto pochissime donne l'hanno accettato.

10. a. Non c'è una regola fissa, a quanto risulta dalle pagine della stampa.
    b. Non c'è una regola fissa, a quanto risulti dalle pagine della stampa.
    c. Non c'è una regola fissa, a quanto risulterebbe dalle pagine della stampa.

G. Date forme alternative a questi frammenti giornalistici secondo raccomandazioni non sessiste.

No	Sì
1. ... personaggi emarginati e perdenti come la vecchia *zitella* che trova la morte nel letto del giovanissimo amante ...	. . . .
2. Il nuovo consiglio direttivo della RAI è composto da uno scrittore, un giurista e *tre donne.*	. . . .
3. Era una nobildonna napoletana, *giovane, bella e seducente*, docente universitaria ...	. . . .
4. Napoli operaia, ma anche studenti, *donne*, disoccupati e pensionati, sono scesi in piazza.	. . . .
5. Tentato rapimento della *bella moglie* dell'ex Beatle John Lennon	. . . .
6. La *paternità* di quest'opera è attribuita a Maria Rossi.	. . . .
7. Il professor Bianchi e *signora* ... [N.B. La signora Bianchi di professione scrive]	. . . .

H. Leggete le due opinioni seguenti, riportate dal *Corriere della Sera* del 31 luglio 1995, e poi scrivete una lettera di approvazione o di polemica alla sindaca Fumagalli.

A FAVORE

Livia Turco difende la decisione

«Giusto sessuare il linguaggio»

MILANO – Sindaca, assessora, architetta, consigliera. «Sì, sono d'accordo. Credo che sia giusto sessuare il linguaggio. La parola anche come dimensione simbolica è importante. Livia Turco (nella foto) combattiva deputata del Pds, difende le cariche al femminile, conferma la loro utilità: una parola è ciò che fa apparire un pezzo di realtà. Purtroppo storicamente, non si è quasi mai voluto dare accesso alle donne nella *polis*. E quando questo è avvenuto le si è omologate al modello maschile. In questa discussione, quindi – aggiunge la parlamentare pidiessina –, io sono schierata a favore dell'uso dei nomi al femminile».

«Per tutto questo, comunque, per accettare le distinzioni – conclude Livia Turco – non so se serviranno le circolari e le delibere».

CONTRO

Viviana Beccalossi la boccia

«Io non l'avrei mai chiesto»

MILANO – «Beh, no. Io mi sarei fatta chiamare "sindaco". Meglio ancora per cognome o per nome, certo non "sindaca"». A Viviana Beccalossi (foto) – candidata sindaco nelle liste di Alleanza Nazionale alle ultime elezioni comunali bresciane – l'idea della prima cittadina di Novate Milanese proprio non piace.

«È un problema che io non mi sono mai posta. Proprio alcuni giorni fa – racconta la Beccalossi – durante una discussione sull'autodromo di Monza, un consigliere di Rifondazione Comunista chiedeva continuamente di essere chiamata "consigliera". Per dimostrare il proprio valore non servono le cariche al femminile. Insomma non mi farei chiamare mai consigliera o presidentessa».

I. Combinate le frasi come opportuno, usando *a, da, in, per.*

Esempio: I cittadini sono perplessi. Non vogliono applicare le norme.
I cittadini sono perplessi nell'applicare le norme.

1. La gente, nella lingua, in genere si dimostra restia. Non vuole modificare le proprie abitudini.

. . . .

2. Molti non sono abituati. Non sanno usare con sicurezza la lingua che si riferisce a nuove situazioni e ruoli.

. . . .

3. Oggi c'è chi è molto riluttante . Non adotta i nuovi termini perché aspetta che la realtà cambi di più.

. . . .

4. Altri sono favorevoli. Vorrebbero modificare regole, arricchire il vocabolario con sempre nuovi apporti, cambiare la lingua, insomma.

. . . .

5. I puristi, per esempio, sono poco inclini. Non vorrebbero introdurre troppe parole straniere nella lingua.

. . . .

6. I giovani si dimostrano fantasiosi e temerari. Inventano continuamente espressioni, e importano parole a più non posso.

. . . .

7. Io assolutamente non mi adatto. Non riesco a capire il loro gergo.

. . . .

8. Mio figlio e i suoi amici, per esempio, sono imbattibili. Riescono a fare dei discorsi "per pochi eletti", seguendo delle mode che durano pochi giorni.

. . . .

9. Confesso che la mia fobia maggiore sono le parolacce. Penso che non mi adatterò mai. Non vorrei né dirle, né sentirle.

. . . .

10. Favorevole, contrario: è facile. Si può dire, ma non si può fare: la soluzione è data dalla società che cambia.

. . . .

L. Rileggendo l'articolo all'inizio di questa lezione, notate tutte le volte che il soggetto viene posposto al verbo, e valutatene le conseguenze dal punto di vista del significato pragmatico.

M. Scegliete tra le due proposte.

Otto marzo, festa della donna

1. Proprio nel giorno in cui si festeggiano le donne, ...
   a. il "Telefono uomo" nasce.
   b. nasce il "Telefono uomo".

2. «La speranza delle organizzatrici è che, oltre agli uomini in crisi, ...
   a. anche gli aggressori telefonino,
   b. telefonino anche gli aggressori, ...

3. per chiedere aiuto e per confidarci il loro disagio» –
   a. l'ideatrice ha spiegato.
   b. ha spiegato l'ideatrice.

4. a. Il "Telefono uomo" risponde agli stessi numeri del "Telefono donna".
   b. Risponde agli stessi numeri del "Telefono donna" il "Telefono uomo".

5. Oltre a questo nuovo servizio, ...
   a. altre due iniziative sono state presentate.
   b. sono state presentate altre due iniziative.

6. a. Queste iniziative sono una linea per anziani e un progetto di università per la famiglia.
   b. Una linea per anziani e un progetto di università per la famiglia sono queste iniziative.

7. a. Il cardinale Martini, arcivescovo di Milano le ha calorosamente approvate.
   b. Le ha calorosamente approvate il cardinale Martini, arcivescovo di Milano.

8. a. Alla presentazione delle tre novità un dibattito è seguito.
   b. Alla presentazione delle tre novità è seguito un dibattito.

9. a. Il titolo del dibattito è "Condizione femminile: valore e limite".
   b. "Condizione femminile: valore e limite" è il titolo del dibattito.

10. a. Carmen Leccardi, docente di sociologia alla Statale, e Lella Ravasi Bellocchio, psicanalista, sono intervenute.
    b. Sono intervenute Carmen Leccardi, docente di sociologia alla Statale, e Lella Ravasi Bellocchio, psicanalista.

N. Luca Novelli ha scritto un libro intitolato «La donna ce l'ha più grosso. Il cervello naturalmente» (Mondadori). Si tratta di un viaggio «dall'homo sapiens a Claudia Schiffer». Provate a ripercorrerlo passando in rassegna alcune figure femminili della storia.

O. Discutete uno di questi temi.

- Uomo-donna, vecchi-giovani, e individuo-società sono ineluttabili polarità della vita umana.

- *Rapporto sulla criminalità organizzata*

  Mafia, il boss è donna

  Il ministero: «Gestiscono gli affari e le attività di riciclaggio»

  Corriere della Sera, 29 settembre 1996

- *Dopo l'esercito, anche la Chiesa finirà per dire sì alle sacerdotesse. Ma l'ostacolo insuperabile sulla via della parità sarà l'estetica*

  Donne soldato, donne prete
  Di femminile resterà solo la bruttezza

  di Isabella Bossi Fedrigotti

  Corriere della Sera, 29 settembre 1996

- Per *parità* tra i sessi spesso si intende solo adeguamento alla norma *uomo* anche da parte della donna.
- Come per la donna, adesso c'è un centro telefonico d'ascolto in aiuto del maschio in crisi.

Parte II

Si sono pronunciati molti tribunali: ma il caso non è chiuso
Va bene "cellophane", ma non "pennarelli"

Attenzione, parole a rischio

Una legge tutela le aziende.
Ma la volgarizzazione è un fenomeno molto diffuso nella storia degli idiomi

ROMA – Cellophane, sì. Pennarelli, no. Pre-maman, sì. Oransoda, no. Non è affatto facile orientarsi. Ci sono parole che si possono usare come si vuole, declinarle al singolare o al plurale, trattarle, insomma, come nomi comuni, scriverle con la minuscola, senza virgolette. E altre che vanno prese con cura, con il riguardo di una maiuscola, con il rispetto di un corsivo. Negli Stati Uniti si può adottare «aspirina» in senso generico. In Italia, no, perché l'azienda che la produce fa fioccare lettere e diffide su chiunque la adoperi per indicare un qualsiasi prodotto antiinfluenzale che abbia determinate caratteristiche chimiche.

Nel dizionario Devoto-Oli, uno dei templi della lessicografia italiana, hanno inserito «nutella». E la Ferrero ha protestato. Hanno dedicato una voce alla «Jacuzzi». E la Jacuzzi Inc. e la Jacuzzi Europe Spa hanno reagito: dovete aggiungere che si tratta di un marchio registrato (hanno scritto anche a *Repubblica* «colpevole» d'aver dato la notizia: la lettera è pubblicata più avanti).

Che un termine da proprio possa trasformarsi in comune è fenomeno diffuso nella storia delle lingue. Anzi «inarrestabile», lo definisce Luca Serianni, professore di storia della lingua all'Università di Roma. Ha anche un nome: antonomasia. Carneade, lo «sconosciuto» per eccellenza, nessuno più lo identifica con il filosofo greco.

Ma tant'è. C'è una legge che tutela i marchi e che impone a chi lo usa di specificare se un nome designa un particolare oggetto. La vasca idromassaggi Jacuzzi non è una qualsiasi vasca per idromassaggi.

Questioni giuridiche e linguistiche si intrecciano. Per scioglierle, Serianni ha affidato a un suo allievo, Francesco Zardo, una tesi di laurea. Ne viene fuori un quadro tutt'altro che univoco. Cellophane, pre-maman, paglia e fieno (un tipo di pasta) e pinguino (il gelato col bastoncino) sono stati dichiarati da un tribunale nomi comuni, da marchio sono passati a denominazione generica. E dunque possono essere adottati. Lo stesso non è stato consentito a chi usa la parola «pennarello».

Qual è il criterio per stabilire se c'è stata volgarizzazione o no? Non c'è una regola fissa. Spetta in ogni caso a chi usa il termine generico dimostrare che quella parola è talmente invalsa nell'uso che ormai non designa più uno specifico prodotto. Fu, a suo tempo, il caso di biro. Una vertenza tutelò i sanitari «Ideal Standard», l'olio «Cuore», il «Cynar».

Se la cavò con molta eleganza Carlo Emilio Gadda. Ne *L'Adalgisa* per indicare la banalità delle mansioni di una domestica, scrisse che si servivano «con la massima disinvoltura dei dadi Maggi». Ma aprì una nota: «"dadi Maggi": cubetti di quasi-peptone da sdilinquire in un poco d'acqua tiepida, e ne ottieni una sorta, come che venga, d'artifizioso brodolino. Poca scienza è dimandato a usarli. "Maggi" è il nome commerciale». Abuso o non abuso? In ogni caso, pubblicità.

Francesco Erbani
La Repubblica, 12 maggio 1995

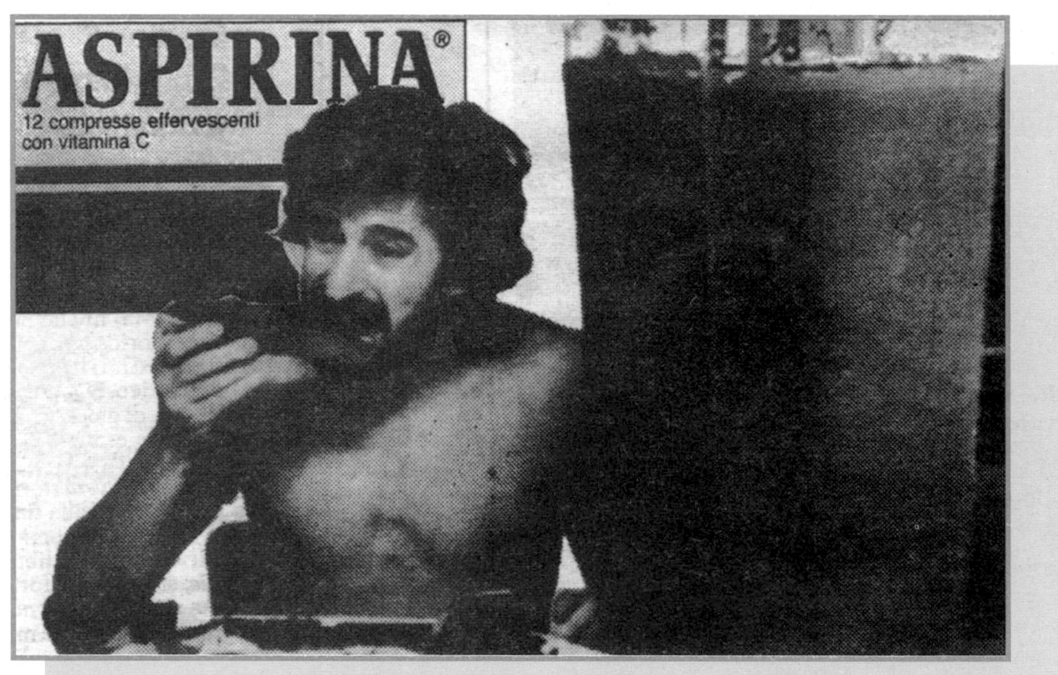

Una scena del film "Bianca"; sopra, il marchio dell'aspirina

P. Scegliete la corretta definizione di "antonomasia" tra quelle che seguono.

- Contrapposizione di due parole o espressioni di senso opposto.
- Sostituzione di un nome proprio con uno comune, o viceversa, quando quello sostitutivo richiama qualità e caratteristiche della persona o cosa di cui si parla.
- Spostamento di significato di una parola da un campo di idee a un altro.
- Indicazione di qualcosa o qualcuno con un giro di parole anziché con il suo nome.
- Trasferimento di significato di una parola dal senso proprio a un altro figurato, che abbia col primo un rapporto di somiglianza.

Q. Con riferimento all'articolo appena letto, indicate se le seguenti affermazioni sono vere (V) o false (F), e spiegate il motivo della scelta.

1. Ad usare parole che si riferiscono a marchi registrati si può incorrere in grane giuridiche.
2. La volgarizzazione dei nomi commerciali è un fenomeno da combattere.
3. La trasformazione dei nomi propri in nomi comuni è inarrestabile
4. La legge che tutela i marchi registrati stabilisce dei criteri ben determinati.
5. In base alla legge si può stabilire se un termine designa un prodotto specifico o uno generico.
6. È rischioso usare genericamente un termine di marchio: bisogna saper dimostrare che la parola denota nell'uso un prodotto non specifico.
7. Un termine commerciale diventato un sostantivo abitualmente usato dagli italiani può poi diventare plurale e esser scritto con la lettera minuscola, ma sempre tra virgolette.

R. Classificate i seguenti termini nelle due categorie considerate dal giornalista e valevoli per l'Italia.

ASPIRINA — BIRO — CELLOPHANE — CYNAR — DADI MAGGI — IDEAL STANDARD
JACUZZI — OLIO CUORE — ORANSODA — NUTELLA — PAGLIA-FIENO
PENNARELLO — PINGUINO — PRE-MAMAN

nome comune	nome proprio
. . . .	. . . .
. . . .	. . . .
. . . .	. . . .
. . . .	. . . .
. . . .	. . . .
. . . .	. . . .
. . . .	. . . .
. . . .	. . . .
. . . .	. . . .

S. Mettetevi alla prova!

i. I nomi che seguono erano nomi propri diventati in seguito nomi comuni. Indicatene il significano di oggi e la derivazione.

1. CICERONE significa . . . .
da . . . .

2. VENERE significa . . . .
da . . . .

3. CERBERO significa . . . .
da . . . .

4. ASPIRINA significa . . . .
da . . . .

5. DIESEL significa . . . .
da . . . .

6. ARLECCHINO significa . . . .
da . . . .

7. BIRO significa . . . .
da . . . .

8. CASANOVA significa . . . .
da . . . .

ii. Completate scrivendo accanto al nome comune un adeguato nome proprio, possibilmente italiano, e viceversa.

nome comune		nome proprio
pistola	1.	. . . .
fiume	2.	. . . .
formaggio	3.	. . . .
orologio	4.	. . . .
vulcano	5.	. . . .
scarpe	6.	. . . .
. . . .	7.	Vespa
. . . .	8.	Kleenex
. . . .	9.	Jacuzzi
. . . .	10.	Nutella
. . . .	11.	Montgomery
. . . .	12.	Coca-Cola

iii. Date uno o più aggettivi che qualifichino persone e luoghi nel senso dei nomi propri indicati.

1. Creso = persona . . . .
2. Giunone = persona . . . .
3. Don Chisciotte = persona . . . .
4. Don Abbondio = persona . . . .
5. Babele = luogo . . . .
6. Bengodi = luogo . . . .
7. Mecca = luogo . . . .
8. Canicattì = luogo . . . .

T. Leggendo il passo tratto da *L'Adalgisa* di Carlo Emilio Gadda da cui è stata tratta la nota riportata nell'articolo all'inizio di questa lezione, ripristinate le preposizioni tolte (con o senza l'articolo, come richiesto).

I Cavenaghi avevano, si può dire, per legge, tramandata . . . generazione . . . generazione lungo le varie intrefolature del clan, avevano . . . norma assoluta e inderogabile che le persone di servizio – così umanamente accolte – a spolverare la santità un po' malinconinca dei Lari, a mutar l'acqua al canarino – dovessero essere delle ragazze "fedeli ed affezionate" e "delle nostre parti". Guai a chi proponesse loro . . . andar a pescar le domestiche in partibus infidelium. Avevano in orrore le belle friulane, sane, sì, (e stagne, dico io), ma "infingarde"[1], . . . che intendevano poco sincere: e diffidavano al tutto . . . modenesi e in sommo grado, poi, . . . "ragazze di Reggio Emilia", abili, sì, ma "troppo spensierate la domenica", cioè piene d'un traboccante sangue. Bugie friulane o spensieratezze reggiane, o modenesi, potevano riguardare, tutt'al più, qualche domenicale pennuto o piumato[2]: (che non era il canarino).

Solevano dunque approvvigionarsi . . . grande serbatoio della fedeltà affezionata e devota di nostra parte: la Brianza. E siccome taluno si sarebbe detto patisse del troppo stagno, cioè d'una specie di complesso d'inferiorità davanti . . . sviluppo completo, così la Brianza aveva fornito delle ottime giovani ossute e giallicce, . . . gengive sporgenti, . . . infilati dentro dei denti color tabacco; data anche la cura che i Cavenaghi ponevano . . . sceglierle, "in del catài foeura". E queste ragazze, . . . un conveniente tirocinio, imparavano . . . servirsi . . . la massima disinvoltura . . . dadi Maggi[3], e a padroneggiare nel modo più assoluto la varia meccanica, idraulica, elettricità, e termotecnica domestica.

Carlo Emilio Gadda, *L'Adalgisa*
Einaudi, Torino 1963

[1] Per un curioso equivoco (dal tema 'fing' orecchiato come in 'fingere') molti settentrionali usano infingardo al luogo di insincero.

[2] "Pennuto o piumato": cioè alpino o bersagliere. "Domenicale" perché incontrato nelle ore libere della domenica.

[3] "Dadi Maggi": cubetti di quasi-peptone da isdilinquire in un poco d'acqua tiepida, e ne ottieni una sorta, come che venga, d'artifizioso brodolino. Poca scienza è dimandato a usarli. "Maggi" è il nome commerciale.

U. Riscrivete la lettera dell'avv. Alvino mantenendone intatto il contenuto ma rilassandone la forma in senso decisamente più colloquiale. Questo comporta aggiustamenti di carattere sia lessicale sia sintattico.

lettera

Povere vasche senza nome

SCRIVO in nome e per conto della Jacuzzi Inc. e della Europe S.p.A. in relazione all'articolo apparso il 12 maggio 1995 sul Vostro quotidiano, recante il titolo «Lingua di casa nostra vedi alla voce "Nutella"». L'articolo in oggetto nel dare notizia dell'inserimento nella nuova edizione del Dizionario Devoto-Oli di imminente pubblicazione di nomi di alcuni prodotti largamente noti sul mercato, fra i quali ricorre l'espressione «Jacuzzi», fa riferimento alla medesima come se si trattasse semplicemente di un nome commerciale di uso comune. In realtà l'espressione «Jacuzzi» costituisce un marchio registrato a livello mondiale della Jacuzzi Inc. e del quale la Jacuzzi Europe S.p.A. è licenziaria esclusiva per l'Europa. Tale marchio può essere utilizzato esclusivamente dalle mie assistite per contraddistinguere i loro prodotti, costituiti dalle note vasche con idromassaggio.

avv. Fiorella Alvino

La Repubblica, 24 maggio 1995

V. Scrivete una lettera per contestare o difendere l'uso abituale del marchio di uno dei seguenti prodotti. Usate lo stile più formale di cui siete capaci.

Z. Discutete.

- Intervenendo sulla lingua si può sperare di cambiare la realtà sociale.
- L'individuo è comunque impotente di fronte ai fenomeni sociali, sia linguistici sia culturali.
- Nei documenti nessuna distinzione tra divorziati, vedovi, nubili e celibi

L'anagrafe inventa i «liberi»

Sulla carta d'identità la stessa parola per tutti i single

Il sociologo Franco Ferrarotti: termine sbagliato
L'antropologa Ida Magli: errore schedare
La showgirl Alba Parietti: rivoluzione inutile

Corriere della Sera, 28 settembre 1996

- Tra le lettere inviate ai giornali, molto spesso si trovano quelle che lamentano l'uso di parole o espressioni giudicate 'scorrette'. In italiano, per esempio, c'è a chi piace poco l'uso parsimonioso del congiuntivo e quello invece troppo abbondante degli anglicismi. Quali sono gli 'errori' più deplorati nella vostra lingua?
- Purismo e lassismo, due eterne categorie dello spirito?

6

Addio negozio

Busso, prendo un tè e vendo

Lo shopping in salotto, a giudicare dai fatturati, ha successo anche in Italia

Un tempo c'erano lo «struscio» e le «vasche», quella caratteristica dell'Italia provinciale che serviva a incontrarsi, chiacchierare, criticare i vestiti e le pettinature di amiche e conoscenti, guardare le vetrine e, alla fine, ma solo alla fine, «fare le commissioni». Termine ormai desueto , soppiantato ormai da decenni dal più moderno shopping. Oggi altre tendenze avanzano, e con esse nuovi nomi. Si chiama *cocooning* quella di chiudersi nel proprio bozzolo, e *couch potatoes* (letteralmente patate da divano) le persone che passano la maggior parte del tempo libero nella propria casa, superattrezzata per evitare il più possibile di cercare fuori quello che si può trovare già dentro le pareti domestiche.

Stiamo parlando di tutte quelle forme di acquisto a distanza, dal teleshopping alla televisione interattiva alle reti informatiche, fino alle meno fantascientiche vendite per corrispondenza e vendite porta a porta, che negli Usa sono ormai una realtà supercollaudata. Un recente studio ha già previsto che nel 2010 più della metà dell'abbigliamento venduto negli Stati Uniti passerà infatti attraverso i canali della vendita diretta. Che ovviamente ha un suo nome, *direct marketing*, che comprende appunto tutte quelle forme di acquisto che non prevedono di vestirsi e uscire di casa.

Già da qualche anno gli studi sociologici hanno identificato appunto la categoria delle «patate da divano». Quelli che hanno cominciato con il videoregistratore, le videocassette e i cd, e sono arrivati ai circuiti interattivi, passando naturalmente per le vendite dirette nella propria casa, compresi i servizi di pony-express, pizza, fiori e quant'altro consegnati a domicilio.

Anche in Europa si sta affermando questa tendenza. I segnali ci sono già, e vanno dall'aumento delle vendite dell'*homewear*, l'abbigliamento per stare in casa, invenzione di questi ultimi anni, alla crisi delle sale cinematografiche e dei teatri, al boom delle riviste e dei negozi per il bricolage, che ovviamente si fa in casa.

In Italia però sono ancora pochissimi gli utenti della rete Internet (attraverso la quale si può già comprare di tutto) e il teleshopping sta incontrando alcune difficoltà di realizzazione. Per noi, popolo mediterraneo, è infatti ancora importante il contatto umano diretto, il toccare la merce, il discutere sul prezzo, anche se si sta registrando una novità, legata sì allo shopping casalingo, ma in una forma particolare: le vendite dirette. Ancora una tendenza, di cui però è importante analizzare l'andamento.

I dati dell'Anved, l'Associazione nazionale delle vendite per corrispondenza e a distanza, che raggruppa l'80 per cento dei cataloghi e delle ditte di vendita diretta, segnalano infatti un aumento dell'11 per cento dal 1992 al 1993 con 1.760 miliardi di fatturato per tutto il settore. [...]

Ma se gli Italiani non comprano volentieri dal catalogo – perché fondamentalmente diffidenti? – è vero che accolgono ben diversamente chi presenta la propria merce nel salotto di casa. In Europa, l'Italia viene infatti subito dopo la Germania per gli acquisti fatti attraverso la vendita diretta. I dati della veterana Tupperware (contenitori di polietilene per alimenti), attiva dal 1964 con una sede a Milano, parlano chiaro. Cinque direttori di area, settanta concessionari, mille capogruppo, oltre 13.500 dimostratrici per tre milioni di clienti e oltre 350 mila dimostrazioni a domicilio. Il fatturato è in costante aumento [...].

E se fino a qualche anno fa si acquistavano soprattutto beni durevoli per la casa (dalle pentole ai contenitori, dalle posate ai robot da cucina, passando per i celebri aspirapolveri tedeschi, sperimentati direttamente sullo sporco di almeno una settimana), adesso seduti sul divano si può comprare di tutto, dalle lenzuola alle coperte, ai vestiti alla bigiotteria, ai profumi. Perfino mutande e reggiseni. [...]

Si fa presto a capire il successo di questa formula. Si sceglie e si compra in casa con le amiche (o con le amiche delle amiche, comunque persone rigorosamente selezionate). Si crea un clima piacevole, rilassato. Non è un caso se queste «dimostrazioni» (perché si può provare tutto) vengono definite *party*. Si passa un'ora insieme, si chiacchiera, ci si scambiano consigli. E poi, che differenza provare i vestiti davanti al proprio specchio, quello che rimanda l'immagine di tutti i giorni, con le luci abituali, e magari anche con l'amica del cuore pronta a dare consigli!

In più c'è la scelta, l'esclusiva (è come comprare attraverso un club per pochi eletti) e l'attenzione della presentatrice che è addestrata accuratamente per «coccolare» la cliente in modo personalizzato. Una caratteristica che purtroppo nei negozi oggi si sta perdendo.

Un altro motivo di successo delle vendite dirette, specialmente i *party* nei salotti, è probabilmente legato a una certa uniformità dei negozi, ormai tutti uguali, a Milano come a Palermo. I negozi in franchising hanno sostituito quasi completamente le boutique di una volta, modificando radicalmente il rapporto tra cliente e negoziante. Un discorso di fedeltà e di servizio che oggi ha perso il proprio senso.

«Le nostre abitudini hanno come punto di riferimento la bottega, dove ci si trova per parlare e scambiarsi consigli, non solo per acquistare,» afferma lo psicologo Giovanni Braidi. Questa la sua analisi del fenomeno: «La dimensione di gruppo viene recuperata con la vendita diretta. Una sorta di club che valorizza chi ospita e rassicura chi acquista. La grande giostra del supermercato affascina ma mette anche paura. Queste riunioni, se da una parte incentivano la gente a restare a casa, dall'altra aiutano a superare la paura della solitudine e dell'indifferenza e sono meno negative, da questo punto di vista, degli acquisti via tv o via computer. In questo modo si ritrova, anche solo per poco tempo, la dimensione del gruppo di riferimento, che è necessario, ma sta sempre più scomparendo, soprattutto passata la fase dell'adolescenza». [...]

Maria Cristina Righi

La Repubblica, 12 maggio 1995

Compro tutto a casa mia

A. Elencate i seguenti punti nell'ordine con cui vengono presentati nell'articolo.

1. Dati relativi alla vendita diretta in Italia . . . . .
2. Funzionamento delle vendite a domicilio . . . . .
3. Motivi di successo della formula di vendita diretta . . . . .
4. Prodotti vendibili a domicilio . . . . .
5. Segnali europei . . . . .
6. Orientamento del mercato italiano . . . . .
7. Realtà di mercato supercollaudate negli USA . . . . .
8. Vecchie consuetudini e nuove tendenze di comportamento . . . . .

B. Mettete i tipi di vendita in ordine di popolarità crescente in Italia.

1. Vendite per televisione . . . . .
2. Vendite in salotto . . . . .
3. Vendite porta a porta . . . . .
4. Vendite per corrispondenza . . . . .
5. Vendite via internet . . . . .

C. Abbinate i sinonimi delle due colonne.

1. vendita porta a porta	a. teleshopping
2. "struscio"	b. vendita per catalogo
3. pagamento scaglionato	c. dimostrazione in salotto
4. partyshopping	d. vendita a domicilio
5. acquisti via tv	e. "vasca"
6. vendite per corrispondenza	f. acquisto rateale

D. Trovate il corrispondente italiano, o datene la spiegazione.

1. cocooning . . . .
2. couch potatoes . . . .
3. direct marketing . . . .
4. homewear . . . .
5. franchising . . . .
6. marketing . . . .
7. party . . . .
8. selfservice . . . .
9. shopping . . . .
10. pony-express . . . .
11. leasing . . . .

E. Date il genere grammaticale ai prestiti inglesi dell'esercizio D aggiungendo l'articolo.

1. . . . couch potatoes
2. . . . direct marketing
3. . . . homewear
4. . . . franchising
5. . . . marketing
6. . . . party
7. . . . selfservice
8. . . . shopping
9. . . . pony-express

– Prima di tutto, io non compro mai niente dai venditori porta a porta. E poi, non ho affatto bisogno di una rivoltella

F. Distribuite gli oggetti nominati nell'articolo nelle categorie indicate.

beni durevoli per la casa	biancheria per la casa	abbigliamento	altro
. . . .	. . . .	. . . .	. . . .
. . . .	. . . .	. . . .	. . . .
. . . .	. . . .	. . . .	. . . .
. . . .	. . . .	. . . .	. . . .

G. Date alcuni termini specifici per le seguenti testate generiche.

stoviglie	pentolame	vasellame	posate
. . . .	. . . .	. . . .	. . . .
. . . .	. . . .	. . . .	. . . .
. . . .	. . . .	. . . .	. . . .
. . . .	. . . .	. . . .	. . . .

calzature	materiale per l'igiene personale	elettrodomestici	materiale da pulizia
. . . .	. . . .	. . . .	. . . .
. . . .	. . . .	. . . .	. . . .
. . . .	. . . .	. . . .	. . . .
. . . .	. . . .	. . . .	. . . .

H. Commentate secondo quanto letto nell'articolo le seguenti affermazioni riguardo alle vendite in salotto, aggiungendo poi la vostra opinione.

- Si compra in un clima piacevole e rilassato.
- Si ricrea l'atmosfera della vecchia boutique.
- Si crea la dimensione di gruppo.
- Si offre consulenza specializzata.
- Si risparmiano tempo e denaro.

I. Esprimete la vostra opinione su quali prodotti potrebbe proporre con vendita diretta un uomo.

Che cosa? . . . .

A chi? . . . .

Dove? . . . .

Come? . . . .

Quando? . . . .

Perché? . . . .

L. Facendo la spesa in negozi tradizionali, dove andate se vi occorrono le seguenti cose?

1. i chiodi . . . .
2. la farina gialla . . . .
3. i francobolli . . . .
4. i bottoni . . . .
5. un cappello . . . .
6. i frutti di mare . . . .
7. i bigné . . . .
8. il parmigiano . . . .
9. i garofani . . . .
10. un coltello da cucina . . . .
11. una piantina di glicine . . . .
12. un analgesico . . . .

– Sarà bene tornare in città,
prima che chiudano le pescherie!

M. Completate le seguenti frasi con una delle soluzioni proposte in basso. (N.B. Sono possibili più soluzioni.)

Sandra è una giovane studente che, completati gli studi, in attesa di un lavoro più qualificato, sta seguendo un corso per raffinare la sua tecnica di videoscrittura. Intanto le capita un'occasione di lavoro in fiera

1. Un espositore ha chiesto a Sandra ...
2. Sandra incuriosita ha domandato ...
3. Voleva anche sapere ...
4. Il commerciante le ha spiegato ...
5. Le ha anche dimostrato ...
6. Sandra non sapeva davvero ...
7. Ha domandato ...
8. Sandra ha poi chiesto alla sua preside ...
9. Sandra fino a quel momento si era spesso domandata
10. Sandra si è chiesta ...

a. come avrebbe potuto fare per inserire questo 'lavoretto' nei suoi attuali.

b. cosa fosse una ditta chiamata così.

c. se voleva lavorare come interprete-rappresentante in uno stand alla Fiera Campionaria della Bigiotteria per collaborare alla presentazione degli articoli prodotti dalla casa XY.

d. in che modo sarebbe stato economicamente vantaggioso collaborare.

e. quali fossero i compiti e i doveri di un'interprete-rappresentante.

f. quali prospettive ci fossero per il futuro ad accettare questo lavoretto.

g. quando e dove si sarebbe tenuta la Fiera.

h. quanti giorni durasse il lavoro in Fiera.

i. se poteva assentarsi dal corso per tutta la durata della Fiera.

l. in che modo poteva mettere in pratica la sua conoscenza delle lingue straniere.

N. Chiedete la stessa cosa più indirettamente, come indicato.

Una mia amica è stata alla sua prima vendita diretta, ed io le faccio alcune domande

1.	Allora ti piacciono le vendite dirette?	Dimmi . . . .
2.	Hai comprato qualcosa?	Vorrei sapere . . . .
3.	Quanto l'hai pagato?	Ti posso domandare . . . .
4.	Come si deve pagare?	Ti hanno detto . . . .
5.	Dovrai mandare l'assegno?	Dimmi . . . .
6.	Chi c'era?	Sono curiosa di sapere . . . .
7.	Com'erano stati selezionati gli invitati?	Mi domando . . . .
8.	C'era pressione per comprare?	Dimmi . . . .
9.	Ci saranno altre occasioni?	Vorrei sapere . . . .
10.	Come potrò farmi invitare?	Fatemi sapere . . . .
11.	Come alternativa al negozio funziona davvero?	Mi chiedo . . . .

O. Telefonate a seguito di un'inserzione pubblicitaria letta su un quotidiano, nella quale si cerca un/a dimostratore/trice. Completate opportunamente.

Durante la telefonata

1. . . . . in che cosa consiste realmente il lavoro.
2. . . . . quali sono i requisiti richiesti.
3. . . . . se i prodotti da promuovere sono di marchio noto.

4. . . . . dove ha sede l'azienda.
5. . . . . se è indispensabile avere la patente.
6. . . . . in che area si dovrà operare.

Dopo la telefonata rimangono i dubbi

7. . . . . se ci sono incentivi e premi di produzione.
8. . . . . se si erano presentati molti candidati.
9. . . . . da quanto tempo l'azienda esercita la sua attività.
10. . . . . qual è il compenso per un dimostratore/trice.
11. . . . . quando sarebbe possibile avere un'intervista.
12. . . . . quando si dovrebbe iniziare il lavoro.

– Sono certo che questa vi piacerà:
la vostra vicina non è riuscita ad infilarsela.

© *La Settimana Enigmistica*, 27/7/96

P. Completate opportunamente.

Con un'amica vado alla mia prima dimostrazione in salotto

1. Quando siamo entrate, il portiere dello stabile ci ha chiesto subito da chi (volere) . . . . andare e se (essere) . . . . attese.
2. Sa per caso dove (trovarsi) . . . . la residenza della signora Scala?
3. Ci spieghi per quale ragione nessuno (rispondere) . . . . al citofono quando sanno benissimo che dobbiamo arrivare.
4. Dimmi tu perché oggi pomeriggio (andare) . . . . tutto alla rovescia.
5. Continuavo a domandarmi perché la Scala – che non sopporta il disordine – (mettere) . . . . a disposizione il salotto di casa sua.

6. Gliel'ho anche detto: «Vorrei proprio sapere chi ti (spingere) . . . . a fare una dimostrazione di pentole e tegami nel tuo monolocale».
7. Non siamo ancora venuti a sapere chi (inventare) . . . . la "padella magica" che non brucia, non affumica e non attacca.
8. Senza leggere le istruzioni non riuscirete mai a capire in che modo (funzionare) . . . . l'apparecchio domestico.
9. Ammiravamo moltissimo la dimostratrice e ci domandavamo se una così capace non (riuscire) . . . . a vendere anche barattoli di brillantina ai calvi o frigoriferi al polo.
10. Nessuno si chiedeva come (noi/fare) . . . . a portare a casa tutti quegli acquisti.
11. Non sapevo ancora dove (io/sistemare) . . . . tutte quelle pirofile.
12. Non domandatemi se gli acquisti mi (servire) . . . . o meno. Adesso so perché questo tipo di vendita ha gran successo.
13. L'avevo detto chiaro e tondo perché prima di allora non (partecipare) . . . . a una simile iniziativa.
14. Tu pensi che adesso (io/sapere) . . . . resistere meglio in futuro?

Q. Trovate delle spiegazioni ai seguenti fatti.

Esempio: Il radiatore fa un fumo giallognolo.
Perché fa così? Mi chiedo se ci sia acqua.

1. Il frullatore si è fermato improvvisamente.
2. Suona il campanello.
3. La coperta elettrica funziona solo se l'interruttore è al massimo.
4. Il portafoglio è vuoto.
5. Il telefono squilla nel pieno della notte.
6. Nella cassetta della posta c'è l'avviso di un pacco da ritirare.
7. Le ultime foto che ho scattato sono tutte scure.
8. L'aspiravolvere non aspira a dovere.
9. Le chiavi sono introvabili.

R. Completate opportunamente.

Attenti alla truffa: leggete il contratto

1. Abbiamo domandato al responsabile dell'Unione Consumatori se (ricevere) . . . . molti reclami e quali (essere) . . . . i più frequenti.
2. «Le vendite a domicilio sono in testa alla classifica» ci hanno risposto, aggiungendo che

non si spiegano come gli acquirenti (comprare) . . . . oggetti anche costosi senza cautela e senza leggere attentamente le clausole del contratto.

3. Infatti il contratto spiega chiaramente come l'acquirente (dovere) . . . . comportarsi in caso di ripensamento.
4. Chi compra spesso non sa quali diritti (lui/avere) . . . . per i contratti negoziati fuori dai locali commerciali (e quindi anche nel suo domicilio).
5. Si deve invece sapere, per esempio, entro quanti giorni l'acquirente (potere) . . . . annullare l'ordine e con quale procedura.
6. Molti non sanno chi (pagare) . . . . le spese di restituzione se la merce è già stata consegnata a domicilio.
7. Non si può immaginare quali complicazioni finora (nascere) . . . . a causa di mancato ritiro da parte della ditta o di rinvio al mittente da parte dell'acquirente non soddisfatto.

S. Completate secondo l'esempio.

Esempio: Carlo non sa che cosa ... (deve dire)
Carlo non sa che cosa dire.

1. Sono in dubbio se ... (andrò al cinema o resterò a casa)

. . . .

2. Non sapeva per quale motivo ... (lo avrebbe fatto)

. . . .

3. Mi domandavo se ... (dovevo parlare o tacere)

. . . .

4. Non sappiamo proprio dove ... (sbatteremo la testa)

. . . .

5. Ci chiedevamo come ... (avremmo potuto rispondere)

. . . .

6. Non avete ancora deciso se ... (prenderete il treno o l'aereo)

. . . .

7. Non so davvero quando ... (partirò domani)

. . . .

8. Nemmeno voi sapevate perché ... (sareste partiti l'indomani)

. . . .

9. Si domandano dove ... (possono trovare prezzi più convenienti)

. . . .

T. Completate con i pronomi e gli aggettivi mancanti la seguente lettera di reclamo a una ditta di ceramiche e porcellane.

PAOLO TAMBURINI
VIA IV NOVEMBRE 13
48100 RAVENNA

Direttore Ufficio Vendite
Spett. Ditta ARISTON
via Chiaia 36
80100 Napoli

Ravenna, 4 aprile 1997

Gentile Direttore,

con lettera del 13 marzo c.a. . . . avevo ordinato un servizio da tavola in porcellana modello Limoges, ref. 2468. In data odierna ricevo la . . . cassa, spedita per F.S., in corrispondenza ordinaria, il 28 u.s.

Ho subito verificato l'aspetto esterno del collo prima di accettare la consegna: esso era perfettamente normale e non mostrava alcuna traccia di deterioramento. Debbo però comunicar. . . , con . . . vivo rincrescimento che, al . . . interno, un piatto piano e due piatti fondi erano rotti.

In seguito a più attenta verifica, l'imballaggio . . . è sembrato insufficiente. I piatti erano direttamente a contatto con il cartone della cassa per cui è facilmente comprensibile che qualcuno si sia rotto.

. . . sarei grato se potesse intervenire personalmente in modo che la . . . ditta sostituisca con la massima sollecitudine gli articoli guasti, provvedendo con cura al . . . imballaggio perché non subiscano danni durante il trasporto.

Sono costretto a considerar. . . responsabili del danno e mi auguro che non sia . . . a dover assumere le spese provocate dalla negligenza del . . . imballatore.

Sperando di avere pronta soddisfazione, ringrazio e porgo distinti saluti,

Paolo Tamburini

U. Adesso tocca a voi. La merce comprata dal catalogo non vi soddisfa. Scrivete una lettera di reclamo al responsabile del servizio post-vendita per segnalarne i guasti e chiederne ricompensa. (N.B. Più si è precisi più si risulta efficaci.)

V. Mettere o non mettere il pronome[1]? Se opportuno, riempite gli spazi vuoti.

Il prezzo fisso

« . . . ho un amico a Milano» interviene Luigino «che chiede lo sconto pure alla Rinascente».

«Come lo sconto alla Rinascente! E che . . . è pazzo?»

«No, si chiama Giovanni Pennino, . . . è napoletano e sono cinque anni che vive a Milano. . . . stesso me lo ha raccontato. . . . dice che entra alla Rinascente e se vede una cosa che gli piace, che so... un tostapane che per esempio costa diecimila e cinquecento lire, . . . *tomo tomo*[2] va vicino alla commessa e . . . le dice:

«Signorina, . . . vorrei comprare questo tostapane ma non vorrei pagare più di diecimila lire». «Non è possibile signore, i prezzi sono fissi» risponde la signorina, ma . . . insiste: «Sì . . . lo so ma per una volta facciamo cifra tonda». «Ma signore non si tratta di fare cifra tonda, scusi: alla Rinascente i prezzi sono fissi».

«Gesù Gesù questo è un fatto proprio divertente, e poi che succede?»

«Succede che il mio amico chiede allora di parlare con la caporeparto» continua Luigino che ogni volta che fa la parte della commessa altera la voce fino a renderla femminile. «Ma guardi signore, che è perfettamente inutile che . . . chiami la caporeparto, i prezzi sono fissi e . . . non può risparmiare nulla» ma Giovanni insiste e così, quando viene la caporeparto, . . . le racconta tutta una storia: «Vedete signorina, . . . a casa ce l'ho già un tostapane tale e quale a questo qua, solo che mi si è rotto, allora questa mattina . . . sono andato da un elettricista e . . . mi ha detto che per accomodarlo ci volevano cinquemila lire! Ma se quello nuovo costa diecimila! E così . . . ho deciso di venirmelo a comprare nuovo alla Rinascente, senonché che succede: vengo qua e . . . trovo che . . . intanto avete aumentato il tostapane a diecimila e cinquecento lire, ora . . . vi domando: che faccio . . . ? . . . compro quello nuovo a diecimila e cinquecento lire o . . . accomodo il vecchio a cinquemila?» «Mio caro signore, cosa vuole che . . . le dica, . . . faccia quello che vuole! . . . si faccia accomodare il tostapane vecchio, ma . . . alla Rinascente abbiamo solo prezzi fissi e quindi . . . non possiamo fare lo sconto» ed il mio amico: «Ma signorina . . . dovete sapere che . . . sono pure amico della signora Rinascente» e quella: «Non esiste nessuna signora Rinascente» «Esiste signorina, esiste, solo che . . . non lo sapete».

«E poi alla fine che succede?» chiede Salvatore.

«Che . . . si compera il tostapane per diecimila e cinquecento lire» risponde Luigino.

«Scusa Luigì, ma allora che ci ha guadagnato . . . ?»

«Che ogni volta che . . . entra alla Rinascente lo riconoscono tutti quanti: lo chiamano "l'amico della signora Rinascente" e gli fanno sempre un sorriso».

Luciano De Crescenzo, *Così parlò Bellavista*
Mondadori, Milano 1977

[1] In italiano è famosa la frase: «Lei non sa chi sono io!»
[2] Zitto zitto.

La Rinascente di Roma

Z. Discutete.

- Supermercati, ipermercati, pantamercati oppure negozi tradizionali?

- L'orario di apertura dei negozi la sera e nei giorni di festa: qual è il punto di vista delle seguenti categorie?

  - le casalinghe
  - i lavoratori
  - i commessi
  - i padroni dei negozi
  - le multinazionali dei mercatoni
  - i sindacati
  - la chiesa
  - i turisti

- Tipi di pagamento: quali sono i vantaggi e gli svantaggi dei seguenti?

  - in contanti
  - con assegno
  - per bonifico bancario
  - a rate
  - con carta di credito
  - con il bancomat

- Modalità d'acquisto:

  - tanto in una volta sola, o poco e spesso?
  - ai saldi e quando se ne presenta l'occasione, o quando occorre davvero?
  - alla prima occasione soddisfacente, o dopo un'oculata valutazione in più posti?

W la differenza!

Il presepio

[Luigino:] «A proposito di Natale, io e il barone abbiamo cominciato a fare il presepe come tutti gli anni e ci sono voluti due giorni solo per aprire tutte le scatole dei pastori, levare la polvere ed incollare con la colla di pesce braccia e gambe spezzate».

«Il presepe» dice il professore «per noi napoletani è una cosa veramente importante, lei ingegnere scusi preferisce il presepe o l'albero di Natale?»

«Il presepe, ovviamente».

«E ne sono contento per lei» mi dice il professore stringendomi la mano. «Vede, gli esseri umani si dividono in presepisti ed alberisti, e questa è una conseguenza della suddivisione del mondo in mondo d'amore e mondo di libertà, ma questo è un discorso lungo che potremo fare un'altra volta, oggi vi vorrei parlare del presepe e dei presepisti».

«Forza professò» dice Salvatore. «Parlateci del presepe che qua stanno i ragazzi vostri!»

«Dunque, come vi dicevo, la suddivisione in presepisti ed alberisti è tanto importante che, secondo me, dovrebbe comparire sui documenti d'identità come il sesso ed il gruppo sanguigno. E già per forza, perché altrimenti un povero dio rischierebbe di scoprire solo a matrimonio avvenuto di essersi unito con un cristiano di tendenza natalizie diverse. Adesso sembra che io esageri, eppure è così: l'alberista si serve per vivere di una scala di valori completamente diversa da quella del presepista. Il primo tiene in gran conto la Forma, il Denaro e il Potere; il secondo invece pone ai primi posti l'Amore e la Poesia».

«Noi qua in questa casa» dice Saverio, «siamo tutti presepisti, è vero professò?»

«No, non tutti. Mia moglie e mia figlia, ad esempio, come quasi tutte le donne, sono alberiste».

«Ad Assuntina piace l'albero di Natale» dice sottovoce Saverio.

«Tra le due categorie non ci può essere colloquio, uno parla e l'altro non capisce. La moglie vede che il marito fa il presepe e dice: «Ma perché invece di appuzzolentire tutta la casa con la colla di pesce, il presepe non lo vai a comprare già bello e fatto all'UPIM?» Il marito non risponde. E già, perché all'UPIM si può comprare l'albero di Natale che è bello solo quando è finito e quando si possono accendere le luci, il presepe invece no, il presepe è bello quando lo fai o addirittura quando lo pensi: «Adesso viene Natale e facciamo il presepe». Quelli a cui piace l'albero di Natale sono solo dei consumisti, il presepista invece, bravo o non bravo, diventa creatore [...]».

«I pastori – continua Bellavista – debbono essere quelli di creta, fatti a mano, un poco brutti e soprattutto nati a San Gregorio Armeno, nel cuore di Napoli, e non quelli di plastica che si vendono all'UPIM, e che sembrano finti; i pastori debbono essere quelli degli anni precedenti e non fa niente se sono quasi tutti un poco scassati, l'importante è che il capofamiglia li conosca per nome uno per uno, e sappia raccontare per ogni pastore *nu bello fattariello*: "Questo è Benito che non teneva voglia di lavorare e che dormiva sempre, questo è il padre di Benito che pascolava le pecore sopra alla montagna e questo è il pastore della meraviglia," e a mano a mano che i pastori escono dalla scatola, c'è la presentazione. Il padre presenta i pastori ai figli più piccoli, che così ogni anno, quando viene Natale, li possono riconoscere e gli possono voler bene come a persone di famiglia. [...]».

L. De Crescenzo, *Così parlò Bellavista*
Mondadori, Milano 1977

Un presepio artigianale napoletano
(Foto Mauro Caiano)

A. Descrivete la scena e i personaggi del brano appena letto. Rielaborate le informazioni date formando una sola frase (cioè usando tanti pronomi relativi).

Esempio: Un mio collega ha deciso di trasferirsi a Napoli con la famiglia.
È nato e cresciuto a Milano.
Mi ha chiesto informazioni su Napoli.
Io sono nato a Napoli.
Sono attaccatissimo alla città di Napoli.

Un mio collega, che è nato e cresciuto a Milano e ha deciso di trasferirsi con la famiglia a Napoli, mi ha chiesto informazioni sulla città dove sono nato e a cui sono attaccatissimo.

- **La scena**

La scena si svolge a Napoli in uno stabile.
Lo stabile è situato in via Petrarca 58.
È stato costruito in posizione panoramica.
Da lì si vedono Capri e il Vesuvio.

- **I personaggi**

Luigino
Era il bibliotecario del barone.
Scrive poesie.
Le poesie fanno dimenticare tutti i guai.

Il barone
È scapolo, senza eredi e troppi quattrini.
Ha venduto per questioni economiche un'intera biblioteca.
Una volta aveva una biblioteca fornitissima.
Nella biblioteca lavorava Luigino.

Il prof. Bellavista
È professore di filosofia, in pensione.
È sposato e padre di una figlia.
È capace di rispondere (quando non ha bevuto) a qualsiasi domanda storica e geografica su Napoli.
Conosce Napoli dentro e fuori.

De Crescenzo
Fa l'ingegnere elettronico a Milano.
È nato a Napoli.
Risiede a Milano.
Alterna la professione di ingegnere elettronico a quella di giornalista-filosofo-scrittore.

Salvatore
Abita nel palazzo di via Petrarca 58.
È vicesostituto portiere dello stabile.

Saverio
Non ha un lavoro fisso.
È sempre a disposizione, come dice lui.
È sposato.
Ha tre figli.

Assuntina
È moglie di Saverio.
Fa la sarta a domicilio.
Nel mondo creato da De Crescenzo è un personaggio minore.

B. Compilate la carta d'identità del «presepista» scegliendo tra i seguenti attributi.

1.	È	maschio (prevalentemente)	a
		femmina	b
2.	Venera	Forma, Denaro e Potere	a
		Amore e Poesia	b
3.	Ama	il giorno di Natale	a
		l'attesa del Natale	b
4.	Compra		a
	Crea, inventa		b
5.	Le tradizioni,	le contesta	a
		le rispetta	b
6.	Si attarda nei dettagli		a
	Agisce con fretta ed efficenza		b
7.	È più probabilmente	milanese	a
		napoletano	b

C. Stabilite quali requisiti da «presepista» sono soddisfatti da chi scrive il seguente brano epistolare e individuate eventuali diversità nelle tradizioni familiari.

22 dicembre

Oggi dopo la colazione, sono andata in salotto e ho cominciato ad allestire il presepio al solito posto, vicino al camino. Per prima cosa ho sistemato la carta verde, poi i pezzetti di muschio secco, le palme, la capanna con dentro san Giuseppe e la Madonna, il bue e l'asinello e sparsa intorno la folla dei pastori, le donne con le oche, i suonatori, i maiali, i pescatori, i galli e le galline, le pecore e i caproni. Con il nastro adesivo, sopra il paesaggio, ho sistemato la carta blu del cielo; la stella cometa l'ho messa nella tasca destra della vestaglia, in quella sinistra i Re Magi; poi sono andata dall'altro lato della stanza e ho appeso la stella sulla credenza; sotto, un po' distante, ho disposto la fila dei Re e dei cammelli.

Ti ricordi? Quand'eri piccola, con il furore di coerenza che contraddistingue i bambini, non sopportavi che le stelle e i tre Re stessero fin dall'inizio vicino al presepe. Dovevano stare lontano e avanzare piano piano, la stella un po' avanti e i tre Re subito dietro. Allo stesso modo non sopportavi che Gesù Bambino stesse prima del tempo nella greppia e così dal cielo lo facevamo planare nella stalla alla mezzanotte in punto del ventiquattro».

Susanna Tamaro, *Va' dove ti porta il cuore*
Baldini & Castoldi, Milano 1994

D. Discutendone con i compagni di classe, escludete le statuette che tra le seguenti vi sembrano inaccettabili in un presepio italiano tradizionale.

protagonisti	**animali**	**comparse**	**piante**
Bambinello	asinello	banda di musicisti	cactus
Erode	bue	cacciatore	ciliegi
Re Magi	cammello	contadinelli	muschio
Ponzio Pilato	cane	lavandaia	palme
Santa Lucia	cavallo	macellaio	abeti
San Nicola	colomba	monaco	gerani
Babbo Natale	dromedario	pastori	garofani
Don Camillo	gallo	pescatori	querce
Madonna	maiale	pizzaiolo	gramigna
San Giuseppe	orso	vinaio	pomodori
Angelo Custode	coniglio	zampognaro	ulivi

E. Inserite i pronomi relativi mancanti.

(Foto E. Granato)

A Napoli anche quest'anno i pastori hanno il volto dei politici

La fotografia . . . . vedete qui accanto mostra una strada di Napoli. È una via affollata di turisti . . . . ammirano le statuette dei pastori. Si chiama San Gregorio Armeno ed è famosa in tutto il mondo per le sue bancarelle su . . . . , accanto ai pastori tradizionali . . . . arricchiscono il presepe, sono esposti anche quelli . . . . sono inventati per le festività natalizie dagli artigiani della città e . . . . sono scelti tra i personaggi . . . . più si sono messi in vista durante l'anno. La tradizione si è ripetuta anche quest'anno, e gli artigiani hanno proposto nuove statuette raffiguranti alcuni personaggi del mondo della politica.

Tra i pastori . . . . l'inventività di Napoli ha creato non potevano mancare i due rivali più famosi del nostro paese . . . . sono stati protagonisti di epici duelli nelle aule del Tribunale di Milano per il processo delle tangenti: l'ex giudice Antonio Di Pietro, a sinistra, ... porta un sorriso soddisfatto, e l'avvocato Giuliano Spaziali, sul . . . . viso leggete un'aria preoccupata.

(Foto E. Granato)

Poi c'è il sindaco di Napoli . . . . ha conquistato la stima dei napoletani. Ecco la statuina in . . . . è ritratto con la fascia

(Foto E. Granato)

. . . . . indossa nelle cerimonie ufficiali. Oltre a lui, nel presepe ci sono altri napoletani famosi, passati e presenti, come Totò, Eduardo De Filippo e Luciano De Crescenzo . . . . ha scritto il libro da . . . . abbiamo preso gli articoli . . . . leggete in queste pagine.

Le due statuette . . . . sono qui riprodotte in fotografie di E. Granato sono state realizzate nella bottega di Angela Loffredo, artigiano famoso in via San Gregorio Armeno, e costano circa 70 mila lire l'una.

Il nostro breve viaggio tra le splendide statuine si conclude con Umberto Bossi. Il leader della Lega Nord è raffigurato mentre viene 'decapitato' dall'ex segretario del Pds Achille Ochetto. Questa statuina in terracotta ha un richiamo nella realtà: infatti è ispirata al disegno politico di Bossi, ... mira alla 'decapitazione' dell'unità d'Italia e alla creazione di tre Stati: uno del Nord, uno del centro e uno del Sud.

F. Immaginando di fare la presentazione delle seguenti statuine, eliminate le proposte sbagliate.

1. Ecco la mangiatoia *nella quale / in cui / che / dove* metteremo la statuina del Bambinello.
2. Questo è il carretto *del quale / di cui / di chi* si serve il venditore di cocomeri, un vecchio dalla barba grigia *a chi / a cui / al quale* somiglia molto lo zio Arturo.
3. Ecco la guardiana delle oche *che / chi / la quale* abbraccia sua figlia, *il cui / la di cui / la cui* grembiule è sollevato per contenere un animale.
4. Ecco il pastore *delle quali / il cui / le cui* pecore formano un bel gregge con tanto di cane pastore, un cagnaccio da *chi / cui / che* è bene guardarsi.
5. Questa è la casetta dietro *la quale / che / cui* nasconderemo i pezzi *i quali / chi / che* si sono rotti l'anno scorso.
6. Questi sono i cammelli su *cui / i quali / chi* hanno viaggiato i tre Magi.
7. Ecco l'asinello *al cui / a cui / di cui* fiato si riscaldavano Gesù, Giuseppe e Maria.
8. Ecco il pezzo *per cui / a cui / al che* ho una particolare predilezione: è solo una capanna col tetto di stuoia *dove / che / in cui* metteremo i porcellini *chi / che / cui* ha fatto mio padre.
9. Questo è il pollaio *a cui / in cui / dove* ho aggiunto tre gallinelle *chi / che / le quali* avevo già.
10. Ecco il banco delle castagne accanto *a cui / cui / il cui* sta la venditrice *chi / – / che* mi ha regalato lo zio l'anno *in cui / dove / quando / che* ho fatto l'operazione alle tonsille.

G. Eliminate le frasi decisamente sbagliate (S), poi distinguete tra quelle che appartengono a uno stile più elevato (E), e quelle che sono invece di stile più colloquiale (C).

1. a. Non c'è nessuno che non ha sentito raccontare almeno una volta storielle sulla differenza di mentalità tra Nord e Sud. . . .
   b. Non c'è nessuno che non abbia sentito raccontare.... . . .
   c. Non c'è nessuno che non avesse sentito raccontare... . . .
   d. Non c'è nessuno che non avrebbe sentito raccontare... . . .

2. a. Conoscete qualcuno che può illustrarci la differenza? . . .
   b. Conoscete qualcuno che possa illustrarci la differenza? . . .
   c. Conoscete qualcuno che potesse illustrarci la differenza? . . .
   d. Conoscete qualcuno che potrebbe illustrarci la differenza? . . .

3. a. Parliamo con una persona che conosce bene Milano! . . .
   b. Parliamo con una persona che conosca bene Milano! . . .
   c. Parliamo con una persona che conoscesse bene Milano! . . .
   d. Parliamo con una persona che conoscerebbe bene Milano! . . .

4. a. Lei mi dia degli esempi che mi fanno capire i milanesi. . . .
   b. Lei mi dia degli esempi che mi facciano capire i milanesi. . . .
   c. Lei mi dia degli esempi che mi facessero capire i milanesi. . . .
   d. Lei mi dia degli esempi che mi farebbero capire i milanesi. . . .

5. a. Usi pure un tono scherzoso, che metta sempre di buonumore. . . .
   b. Usi pure un tono scherzoso, che mette sempre di buonumore. . . .
   c. Usi pure un tono scherzoso, che mettesse sempre di buonumore . . .
   d. Usi pure un tono scherzoso, che metterebbe sempre di buonumore . . .

6. a. Ingegnere, non avevo mai incontrato gente che sa tante cose sul mondo come lei. . . .
   b. Ingegnere, non avevo mai incontrato gente che sappia... . . .
   c. Ingegnere, non avevo mai incontrato gente che sapesse... . . .
   d. Ingegnere, non avevo mai incontrato gente che sapeva... . . .
   e. Ingegnere, non avevo mai incontrato gente che saprebbe... . . .

7. a. Lei è l'unico napoletano a Milano di cui mi fido ciecamente. . . .
   b. Lei è l'unico napoletano a Milano di cui mi fidi ciecamente. . . .
   c. Lei è l'unico napoletano a Milano di cui mi fidassi ciecamente. . . .
   d. Lei è l'unico napoletano a Milano di cui mi fiderei ciecamente. . . .

8. a. Qualunque cosa Lei dice la ascolterei con attenzione. . . .
   b. Qualunque cosa Lei dica la ascolterei con attenzione. . . .
   c. Qualunque cosa Lei dicesse la ascolterei con attenzione. . . .
   d. Qualunque cosa Lei direbbe la ascolterei con attenzione. . . .

9. a. Chiedo però scusa a tutti quelli che sono offesi dai pregiudizi. . . .
   b. Chiedo però scusa a tutti quelli che siano offesi dai pregiudizi. . . .
   c. Chiedo però scusa a tutti quelli che fossero offesi dai pregiudizi. . . .
   d. Chiedo però scusa a tutti quelli che sarebbero offesi dai pregiudizi. . . .

H. Leggete attentamente.

Il caffè

[Il professor Bellavista esordisce:] «Lei deve sapere, carissimo ingegnere, che il caffè non è propriamente un liquido, ma è come dire una cosa di mezzo tra un liquido ed un aeriforme, insomma una cosa che non appena entra in contatto con il palato sublima, ed invece di scendere sale, sale, vi entra nel cervello e là resta quasi a tenervi compagnia, e così succede che uno per ore ed ore lavora e pensa: *Ma che bellu' cafè ca me so pigliato stamattina!*[1]

«Noi invece,» dico io «nel nostro ufficio non andiamo quasi più al bar, abbiamo su ogni piano dell'ufficio delle macchinette distributrici automatiche dove mettendo cento lire e premendo un bottone si può avere a piacere il caffè oppure il cappuccino, con o senza zucchero».

«Macchine americane, è vero ingegnè?» chiede Salvatore.

«Milanesi o americane,» ribatte il professore «appartengono alla stessa razza, alla razza cioè di quelli che credono che il caffè sia una bevanda che si beve. Gesù, ma vi rendete conto che questa faccenda della macchinetta automatica del caffè è una cosa molto grave!? È un'offesa ai sentimenti dell'individuo, robba da fare appello alla commissione per i diritti dell'uomo».

«Va bene ma adesso non esageriamo».

«E chi esagera. Egregio ingegnere, lei ha il dovere di protestare e di spiegare ai suoi superiori che quando un cristiano sente il desiderio di prendere un caffè non è perché vuole bere un caffè, ma perché ha avvertito il bisogno di entrare di nuovo in contatto con l'umanità, e quindi deve interrompere il lavoro che sta facendo, invitare uno o più colleghi ad andare a prendersi il caffè insieme, camminare al sole fino al bar preferito, vincere una piccola gara con annessa colluttazione per chi offre i suddetti caffè, fare un complimento alla cassiera, due chiacchiere sportive con il barista ed il tutto senza dare alcuna istruzione sul tipo di caffè preferito, dal momento che un vero barista deve già conoscere il gusto del suo cliente. Tutto ciò è rito, è religione, e lei non me lo può sostituire con una macchinetta che da una parte si ingoia le cento lire e dall'altra mi versa un liquido anonimo e inodore! Ma s'immagina lei se adesso per farsi la comunione, invece di andare in chiesa, il Vaticano avesse messo in tutti gli uffici una macchinetta automatica? Il fedele si avvicina, s'inginocchia, mette cento lire e si confessa con un registratore, poi si alza, si inginocchia dall'altra parte, mette altre cento lire, ed una mano meccanica gli mette l'ostia in bocca, il tutto dopo avere scelto su di un juke-box incorporato un canto gregoriano o l'Avemaria di Schubert».

«Ha ragione il professore» dice Salvatore. «Il caffè si deve bere con rispetto, con devozione: io mi ricordo che una volta il mio barista di Materdei mi fece una *cancherata*[2] solo perché io mentre bevevo il caffè mi stavo leggendo Sport Sud. Mi disse: "Ma che fate, vi distraete?"».

Luciano De Crescenzo, *Così parlò Bellavista*,
Mondadori, Milano 1977

[1] Ma che buon caffè che ho bevuto stamattina!
[2] Sgridata.

I. Rispondete alle seguenti domande.

1. Quali proprietà vengono attribuite da De Crescenzo al caffè?
2. Come funziona la macchinetta automatica?
3. Come viene definita la macchinetta automatica?
4. Quali preliminari deve seguire chi vuole gustare pienamente una tazzina di caffè?
5. Una volta al bar, cosa si deve fare e non fare?
6. Come si comporta un vero barista?
7. Come si comporterebbe il fedele in una chiesa automatizzata?
8. Quali differenze vengono ancora una volta rilevate tra nord e sud?

L. Completate.

1. Il caffè è una bevanda che invece di scendere . . . .
2. Mi fa un effetto strano: invece di tenermi sveglio . . . .
3. Il professore è una persona che invece di tacere . . . .
4. La sua conversazione mi annoia, invece di . . . .
5. Le sue chiacchiere mi irritano invece di . . . .
6. L'ufficio è un posto dove mi riposo invece di . . . .
7. Ho letto un articolo che mi ha confuso le idee invece di . . . .
8. Signore, perché . . . . invece di bere il caffè in santa pace?

– Per me niente caffè, grazie: mi tiene sveglio.

M. Usate il 'Lei' invece del 'Voi' tipico della parlata napoletana.

1. Accomodatevi, Professore!

. . . .

2. Bevete pure questa tazza di caffè in tutta tranquillità.

. . . .

3. Professore, ma che fate, vi distraete?

. . . .

4. Datemi il giornale, per favore!

. . . .

5. Ingegnere, non fidatevi delle apparenze!

. . . .

6. Dottore, scusatemi, vi voglio raccontare quello che mi è successo.

. . . .

7. Mi raccomando, signora, ricordatevi dei miei consigli e siate succinta.

. . . .

8. Professore, fatemi compagnia, stasera venite a prendere il caffè da me.

. . . .

9. Se non avete tempo, ditemelo, senza complimenti.

. . . .

10. Egregio professore, state proprio esagerando!

. . . .

N. Trasformate le frasi secondo gli esempi.

Esempi: La persona che parla esagera.
Chi parla esagera.

Non fidarti delle persone che scherzano sempre.
Non fidarti di chi scherza sempre.

1. Appartengono a un'altra razza quelli che credono che il caffè sia una semplice bevanda che si beve.

. . . .

2. Offendono i sentimenti dei buongustai quelli che si fanno un caffè istantaneo.

. . . .

3. Non c'è da fidarsi della gente che usa le macchinette distributrici automatiche.

. . . .

4. Il posto ideale per quelli che amano gustare un buon caffè è il bar.

. . . .

5. Spesso c'è perfino una collutazione tra i clienti che vogliono offrire il caffè agli altri.

. . . .

6. Al bar ci vanno le persone che vogliono entrare in contatto con il mondo.

. . . .

7. A casa non ci sono sempre le persone che hanno voglia di fare due chiacchiere.

. . . .

8. In ufficio ci sono sempre colleghi che hanno bisogno di qualcosa, interrompono e disturbano.

. . . .

O. Riformulate le seguenti frasi usando delle relative, secondo l'esempio.

Esempio: Il caffè è da gustare in tranquillità.
Il caffè è una bevanda che va gustata in tranquillità.
Il caffè è una bevanda che si deve gustare in tranquillità.
Il caffè è una bevanda che deve essere gustata in tranquillità.

1. Per un buon caffè bastano poche avvertenze da seguire attentamente.

. . . .

2. Il caffè è bene comprarlo in chicchi da macinare al momento.

. . . .

3. Se proprio non si può, il caffè macinato è una polvere da tenere in un contenitore ben sigillato, possibilmente in frigorifero.

. . . .

4. L'umidità è un problema da evitare comunque, sia per quello in chicchi sia per quello macinato.

. . . .

5. Il caffè è un liquido da rimescolare quando è ancora nella caffettiera, prima di versarlo nella tazzina, per renderne omogenea la densità.

. . . .

6. È una bevanda da gustare subito, più calda possibile.

. . . .

7. È anche da bere preferibilmente amara o da non zuccherare affatto.

. . . .

8. E assolutamente mai da riscaldare.

. . . .

P. Come nell'esercizio H più sopra, eliminate gli sbagli (S), poi distinguete tra uno stile più elevato (E) e uno più colloquiale (C).

1. a. Ti raccomando di non prendere una bevanda che ti eccita. . . .
   b. Ti raccomando di non prendere una bevanda che ti ecciti. . . .
   c. Ti raccomando di non prendere una bevanda che ti eccitasse. . . .

2. a. Il caffè non è cosa che si può bere a cuor leggero. . . .
   b. Il caffè non è cosa che si possa bere a cuor leggero. . . .
   c. Il caffè non è cosa che si potesse bere a cuor leggero. . . .

3. a. Il caffè è una droga che non appena entra nello stomaco tira su, ma dopo qualche tempo butta giù più di prima. . . .
   b. Il caffè è una droga che non appena entri nello stomaco… . . .
   c. Il caffè è una droga che non appena entrasse nello stomaco… . . .

4. a. Chi vuole avvelenarsi si beva un caffè forte a digiuno. . . .
   b. Chi voglia avvelenarsi si beva un caffè forte a digiuno. . . .
   c. Chi volesse avvelenarsi si beva un caffè forte a digiuno. . . .

5. a. Rivolgiti a qualcuno che ti consiglia per il meglio. . . .
   b. Rivolgiti a qualcuno che ti consigli per il meglio. . . .
   c. Rivolgiti a qualcuno che ti consigliasse per il meglio. . . .

6. a. Il caffè fa male in qualunque modo lo si prepara. . . .
   b. Il caffè fa male in qualunque modo lo si prepari. . . .
   c. Il caffè fa male in qualunque modo lo si preparasse. . . .

7. a. Un vero amico offre la bevanda senza caffeina che l'ospite preferisce. . . .
   b. … la bevanda senza caffeina che l'ospite preferisca. . . .
   c. … la bevanda senza caffeina che l'ospite preferisse. . . .

8. a. Chiunque prende più di tre caffè al giorno rischia parecchio. . . .
   b. Chiunque prenda più di tre caffè al giorno rischia parecchio. . . .
   b. Chiunque prendesse più di tre caffè al giorno rischia parecchio. . . .

9. a. Comunque viene fatto, il caffè del bar è il più pericoloso. . . .
   b. Comunque venga fatto, il caffè del bar è il più pericoloso. . . .
   c. Comunque venisse fatto, il caffè del bar è il più pericoloso. . . .

Q. Leggete.

Il bagno

[Salvatore:] «Dice il professore che l'umanità si divide in quelli che si fanno la doccia e in quelli che si fanno il bagno».

«Veramente» interrompe Saverio «ci sono pure quelli che non si fanno né la doccia né il bagno».

«Statte zitto Savè, dunque vi dicevo che secondo il professore l'uomo produttivo, il milanese, preferisce la doccia: consuma meno acqua, meno tempo e si lava meglio. Il napoletano, invece, se si decide, preferisce il bagno; *s'intallea* come si dice a Napoli, cioè s'attarda e tiene tutto il tempo per pensare, e già perché se ci si riflette un momento, per poter pensare, voi dovete stare contemporaneamente comodo e solo, ora in casa c'è sempre qualcuno che vi dà fastidio e che vi chiama o per una cosa o per un'altra. Nella stanza da bagno invece no: uno si chiude dentro, si sdraia nella vasca e aspetta che l'acqua diventa fredda».

Luciano De Crescenzo, *Così parlò Bellavista*

Mondadori, Milano 1977

R. Trasformate le frasi scegliendo tra le strutture degli esempi (e cioè eliminando o riducendo le relative).

Esempi: Il professore è il solo che la pensi così.
Il professore è il solo a pensarla così.

È la persona a cui ci si deve rivolgere.
È la persona a cui rivolgersi.

Sa una barzelletta che diverte.
Sa una barzelletta divertente.

Ecco la storiella che ha raccontato Pia.
Ecco la storiella raccontata da Pia.

Questa è la storia che è stata raccontata da Pia.
Questa è la storia raccontata da Pia.

Corriere della Sera, 13/12/95 (Pressphoto)

Lo showman Renzo Arbore

1. Il prof. Bellavista, che ama la tranquillità, i grandi spazi e la filosofia, ha creato unastanza da bagno e da pensiero e ci ha messo anche la musica stereofonica.

. . . .

. . . .

2. Non è davvero l'unico che abbia certi gusti, ma è forse il solo che li abbia messi in pratica.

. . . .

3. Ha cercato a lungo un bravo architetto a cui potesse affidare i lavori di restauro.

. . . .

4. Ha seguito tutti i consigli che gli ha dato l'esperto.

. . . .

5. Sulle pareti hanno appeso dei quadri che raffigurano grandi scene di battaglia.

. . . .

6. Oggigiorno sono in pochi a disporre di un bagno grande come il suo in cui possano ascoltare la musica e riflettere con agio.

. . . .

7. Lui non ha problemi economici tali che debba preoccuparsi.

. . . .

8. Ha fatto i lavori grazie a del denaro che aveva vinto al lotto.

. . . .

9. Anche se la moglie del professore disapprova le ultime novità, non sarà certo lei che ostacolerà l'aggiunta di una vasca a idromassaggio.

. . . .

10. Sicché la sala da bagno sarà un ambiente attrezzatissimo in cui si potrebbe perfino offrire una tazza di caffè agli amici.

. . . .

S. Adesso fate il contrario dell'esercizio precedente (e cioè trasformate le frasi in modo che contengano una proposizione relativa esplicita).

1. Avremmo proprio bisogno di un po' di musica con cui distrarci un momento.

. . . .

2. Volete riposarvi ascoltando una cassetta registrata in Italia?

. . . .

3. Vi faccio sentire una canzone composta da Domenico Modugno.

. . . .

4. Però non è stato Modugno a scrivere le parole.

. . . .

5. Ecco le parole trovate da uno studente dell'anno scorso in un vecchio libro.

. . . .

6. Il ritornello è un pezzo da cantare con ritmo vivace.

. . . .

7. C'è anche il suono di un neonato piangente.

. . . .

8. Sulla copertina della cassetta c'è un disegno raffigurante il cantante.

. . . .

9. Anche se non sono d'accordo nel far musica in classe, non sarò certo io a impedirvi di cantare, purché non stoniate.

. . . .

T. Commentate, discutete, raccontate.

- Quali personaggi potrebbero essere considerati protagonisti dell'anno nel vostro paese? Descrivetene nei particolari la statuetta da mettere nel vostro presepio.
- Le differenze, vere o presunte, che anche nel vostro Paese si rilevano tra gente di città o regioni diverse.
- In latino si diceva «Variatio delectat. Quosdam» (La diversità piace. A qualcuno).
- Gente diversa festeggia feste diverse: compleanni, onomastici, anniversari...
- Il rito del caffè o del tè in Italia e nel vostro paese.

Il lavoro c'è ma è sommerso

ANCONA – Giorgio Fuà, vent'anni dopo il caso sollevato dal suo libro sull'occupazione sommersa in Italia, aggiorna le stime. Secondo l'autorevole economista ci sono un milione di posti di lavoro che non emergono dalle statistiche e che sono confinati nel ghetto del lavoro nero. Controcorrente l'analisi di Fuà anche sull'evento delle nuove tecnologie: assicura che non ridurrano l'occupazione.

Professor Fuà, la disoccupazione è arrivata in Italia oltre il 12 per cento, lo scorso anno sono andati in fumo centinaia di migliaia di posti. Stiamo danzando sull'orlo del baratro?

«Non credo. È sbagliato dedicare tanta attenzione alle differenze di punti o frazioni di punto che si registrano da un semestre all'altro o tra una regione e l'altra nel tasso percentuale di disoccupazione».

Perché diffida sui dati della disoccupazione?

«La significatività di queste cifre è molto discutibile, almeno per due ragioni. Prima ragione: fino ad un passato recente le rilevazioni dell'indagine campionaria sulle forze lavoro sono state, notoriamente, poco accurate. Ora l'Istat ha intrapreso un serio sforzo per migliorarle, ma ci vorrà un po' di tempo prima che questa azione dia i suoi frutti. La seconda ragione è più profonda e risiede nel fatto che la definizione di 'disoccupato' o di persona 'in attesa di prima occupazione' ha contorni sfuggenti».

Può farci un esempio?

«A titolo d'esempio indicherò due situazioni tipiche. C'è lo studente che si iscrive all'ufficio di collocamento non già perché intenda assumere subito un impiego, ma perché desidera – una volta conseguito il titolo di studio – essere ammesso a un corso di formazione professionale e al godimento del relativo sussidio e sa che a questo fine gli varrà come titolo la dimostrazione di essere disoccupato da almeno un anno. C'è poi la persona che non sente un bisogno urgente di assumere un impiego e sarebbe disposta ad accettarlo solo se le venisse offerta una situazione adeguata alle sue pretese di comodità e guadagno, che colloca assai in alto. [...]».

Qual è dunque il termometro più attendibile per capire come sta andando il mercato del lavoro in Italia?

«Come manometro del funzionamento del mercato del lavoro preferisco fissare l'attenzione sul tasso di occupazione. E debbo dire che questo [...] dà un quadro preoccupante della situazione italiana: il nostro paese presenta un tasso anormalmente basso in confronto agli altri paesi. Ciò non va interpretato che gli Italiani lavorino *effettivamente* meno degli altri, ma che sono più reticenti degli altri a dichiarare il proprio lavoro. C'è molto lavoro nero e questo è indizio e fonti di guai. Indizio perché rivela l'esistenza di storture istituzionali che rendono conveniente occultare il lavoro. Fonte di guai perché priva di trasparenza il mercato».

[...]

Si sostiene che l'ingresso delle nuove tecnologie nelle imprese è destinato a ridurre ineluttabilmente l'occupazione. Lei è d'accordo?

«Non sono d'accordo e le spiego perché. Il volume della domanda non è determinato da fatti fisiologici, non c'è un tetto, non si produce solo per mangiare. Siamo invece in una fase in cui si inventano continuamente nuovi bisogni, spuntano nuovi modelli, la gente compra di tutto. Non c'è un'impossibilità materiale per il mercato di assorbire più merci».

Nessun problema, allora: si va verso lo sviluppo senza ostacoli?

«Attenzione! Ho negato che ci sia una barriera alla crescita determinata dalla saturazione della domanda di merci. Ma la crescita è fortemente vincolata da altri fattori. C'è un vincolo posto dall'ambiente e dalla compatibilità dello sviluppo. E c'è un altro vincolo imposto dalla disponibilità di capacità imprenditoriali. Oggi i più attendono che sia dato loro un posto di lavoro e sono sempre meno coloro che si prendono l'iniziativa e la responsabilità di creare lavoro per gli altri».

C'è un declino dello spirito imprenditoriale?

«Sì, le faccio un esempio; quando andavo a scuola io, i figli dei lavoratori indipendenti, mezzadri, artigiani, bottegai, erano la maggioranza. Oggi è esattamente il contrario. Siamo in una società in cui lo spirito del lavoro autonomo e dell'impresa non viene insegnato nelle famiglie».

Come stimolarlo?

«Con l'aiuto finanziario bisogna andarci molto piano: la tentazione di fronte al denaro pubblico è molto forte».

Come fare?

«Ci vogliono tanti luoghi dove coltivare questo apprendistato, luoghi come le botteghe artigiane. Bisogna educare la gente, insegnare come si fa a creare un prodotto e a trovare un mercato».

[...]

«[...] Il tipo di imprenditore che mi interessa maggiormente è quello che forma, organizza, guida una schiera di uomini, li fa sentire partecipi ad una costruzione comune, dà un senso al loro lavoro. Tali furono Adriano Olivetti e Enrico Mattei».

Chi sono oggi in Italia i 'nipotini' di Adriano Olivetti?

«Le faccio alcuni nomi. Dioguardi nelle costruzioni, Ratti nella seta, Del Vecchio della Luxottica. Bisogna che amino il loro prodotto, che lavorino a perfezionarlo con la soddisfazione che fare un prodotto migliore è un modo per contribuire al miglioramento del mondo. Non l'atteggiamento dell'uomo d'affari, piuttosto quello dell'artigiano, come deve essere stato anche quello dei grandi artisti come Raffaello e Michelangelo».

Se non si afferma questa figura d'imprenditore cosa rischia il nostro capitalismo?

«Rischia di diventare una cosa grigia e uniforme. Dove prevalgono gli imprenditori che mirano a produrre per il potere, al profitto per il profitto».

Roberto Petrini

La Repubblica, 12 maggio 1995

A. Completate la seguente scheda.

- Secondo l'economista Giorgio Fuà c'è un milione di posti di lavoro; ma questi non risultano dal momento che
  -
  -
- L'analisi di Fuà è controcorrente riguardo a
  -
  -
- Le cifre statistiche sulla disoccupazione sono poco attendibili visto che
  -
  -
- La definizione ufficiale di 'disoccupato' o di 'persona in attesa di prima occupazione' è vaga in quanto
  -
  -
- L'andamento del mercato del lavoro in Italia dà un quadro preoccupante poiché
  -
- Il lavoro sommerso è un indizio di guai perché
  -
- Il lavoro sommerso è fonte di guai dal momento che
  -
- Sempre secondo l'economista Fuà, l'ingresso di nuove tecnologie non ridurrà l'occupazione perché
  -
- La crescita e lo sviluppo del mercato sono vincolati da
  -
  -
- Lo spirito imprenditoriale oggi è in declino in quanto
  -
- Adriano Olivetti e Enrico Mattei vengono nominati poiché
  -
- L'imprenditore ideale lavora perché
  -

Adriano Olivetti

B. Rispondete dando la vostra opinione.

1. Chi può avere interesse a falsare i dati sulla disoccupazione, e perché?
2. Perché gli italiani sono particolarmente reticenti nel dichiarare il proprio lavoro?
3. Quali possono essere le storture istituzionali che rendono conveniente occultare il lavoro?
4. Perché l'aiuto finanziario pubblico è un'arma a doppio taglio?
5. Quali sono i motivi che oggi portano molti giovani a preferire il lavoro impiegatizio al posto di quello autonomo?

C. Distinguete tra le seguenti condizioni di non lavoro.

1. disoccupato
2. cassaintegrato
3. iscritto nella lista di mobilità
4. persona in attesa di prima occupazione
5. persona che frequenta un corso di formazione professionale
6. mantenuto
7. pensionato
8. persona che vive di rendita
9. invalido
10. lazzarone

D. Completate.

1. Il termometro misura . . . .
2. Il manometro misura . . . .
3. Il barometro misura . . . .
4. Il tachimetro misura . . . .
5. L'altimetro misura . . . .
6. Il cronometro misura . . . .
7. Il micrometro misura . . . .
8. Il tassametro misura . . . .
9. Il parchimetro misura . . . .

E. Distinguete tra le seguenti coppie di parole. Ne conoscete altre simili?

1. il tasso . . . .
   la tassa . . . .
2. il dato . . . .
   la data . . . .

3. il frutto . . . .
   la frutta . . . .

4. il posto . . . .
   la posta . . . .

5. il palmo . . . .
   la palma . . . .

6. il sale . . . .
   la sala . . . .

7. il corso . . . .
   la corsa . . . .

8. il latte . . . .
   la latta . . . .

– È una specie di palma...

F. Individuate la causa di quanto viene affermato e sottolineate le parole che la esprimono.

1. Fuà, poiché anni fa ha pubblicato un libro sul lavoro sommerso, è una delle persone più autorevoli a parlare di occupazione e statistiche.

2. Per aver pubblicato quel libro, Fuà dice di aver ricevuto molte critiche.

3. Essendo state le rilevazioni statistiche poco accurate fino ad un passato recente, l'economista diffida dei dati che paragonano tassi di disoccupazione in tempi diversi.

4. Poiché partecipa ai lavori dell'Istituto Adriano Olivetti (Istao), Fuà è al corrente delle sue attività.

5. Siccome i finanziamenti del Fondo sociale europeo si sono ridotti e quelli delle banche pubbliche stanno scomparendo, l'Istao rischia di chiudere i battenti.

6. Questo è un vero peccato dato che l'Istao da oltre vent'anni si adopera a preparare i giovani per il mondo del lavoro.

7. Visto e considerato che, dei cinquanta studenti (su varie centinaia di aspiranti) che ogni anno escono dal corso dell'Istao, almeno qualcuno si avvia subito a un'attività in proprio, il bilancio di venti anni di attività può dirsi chiaramente positivo.

8. Non solo l'imprenditore tipo nobile benefattore, come Adriano Olivetti, ma anche il rampante uomo d'affari può essere utile alla società in quanto colloca bene il capitale suo o preso in prestito e lo fa fruttare al massimo.

9. Persino lo speculatore – se opera onestamente – può essere una componente utile della società considerando che contribuisce all'allocazione efficiente delle risorse finanziarie.

G. Unite le due frasi usando un'espressione causale.

L'ALTRA FACCIA DEL LAVORO

Il caso di un'azienda comasca leader nel settore degli elettrodomestici

«Cerco 100 operai ma non li trovo»

La risposta più frequente:
meglio disoccupati che alla catena di montaggio

Corriere della Sera, 24 luglio 1996

1. Decine e decine di disoccupati rifiutano il posto. Dicono che è meno peggio essere nella lista di collocamento che alla catena di montaggio.

. . . .

2. La «Polti», nota impresa di elettrodomestici del Comasco, ha aperto una succursale anche in Brasile. Offre cento nuovi posti.

. . . .

3. È riuscita ad assumere solo venti operai. L'offerta è di un milione 350 mila lire per 172 ore di lavoro al mese non è giudicata sufficiente.

. . . .

4. In Lombardia cresce la richiesta di lavoro intellettuale. Giovani disoccupati – ma anche cassaintegrati o iscritti alla lista di mobilità – rinunciano a un posto di operaio.

. . . .

5. Rimangono scoperti posti da tute blu, per operai o tecnici fortemente specializzati. Il forte esubero è di colletti bianchi, soprattutto giovani ragionieri.

. . . .

6. All'estero è più facile assumere. Gli imprenditori lombardi minacciano di spostare le fabbriche all'estero.

. . . .

7. Nella minaccia c'è mista la delusione. I problemi dello spostamento sono enormi.

. . . .

8. La tentazione è forte. Il vantaggio a potenziare maggiormente lo stabilimento in Sud America lo potrebbe essere altrettanto.

. . . .

– Una volta avevo un lavoro, ma non ripeto mai lo stesso errore, io!

H. Completate.

1. I cittadini di Como si chiamano . . . .
2. I cittadini di Venezia si chiamano . . . .
3. I cittadini di Palermo si chiamano . . . .
4. I cittadini di Genova si chiamano . . . .
5. I cittadini di Londra si chiamano . . . .
6. I cittadini di Parigi si chiamano . . . .
7. I cittadini di Mosca si chiamano . . . .
8. I cittadini di . . . . si chiamano ginevrini.
9. Gli abitanti d... . . . . si chiamano alto-atesini.
10. Gli abitanti d... . . . . si chiamano istriani.
11. I cittadini di . . . . si chiamano urbinati.
12. Gli abitanti d... . . . . si chiamano friulani.
13. I cittadini di . . . . si chiamano cosentini.
14. Gli abitanti d... . . . . si chiamano austriaci.

I. La causa addotta nelle seguenti frasi è espressa con molta riserva. Usate il condizionale per indicarne il valore tutto soggettivo.

Esempio: Molti immigrati sono clandestini perché non funzionerebbero gli uffici amministrativi locali.

CREMONA

Nelle stalle trovano posto gli indiani

1. Poiché, a quanto pare, agli italiani lavorare nelle stalle non piace, gli immigrati provenienti dall'India stanno salvando la zootecnia padana.

. . . .

2. Lo ammettono non solo i datori di lavoro ma anche i rappresentanti sindacali delle organizzazioni agricole, poiché il problema è gravissimo.

. . . .

3. Il fenomeno è vastissimo poiché pare che interessi almeno tre province: Cremona, Mantova e Brescia.

. . . .

4. Gli italiani snobbano le stalle – a detta dei giornali – sia per la puzza che rimane addosso anche dopo la doccia, sia per gli orari rigidamente spartani legati alla mùngitura.

. . . .

5. Il soggiorno in Lombardia degli indiani non ha il sapore della provvisorietà e precarietà, dal momento che, secondo dati ufficiosi, alcuni extracomunitari lavorano in cascina regolarmente da alcuni anni.

. . . .

6. Avendo richiamato spesso un fratello o un nipote in Padania, questi nuovi mandriani – così almeno pare – si fanno carico di avviarli al lavoro di stalla.

. . . .

7. Vivendo, così pare, spesso in cascina con tutta la famiglia e facendo parecchi straordinari, riescono a guadagnare sui due milioni al mese.

. . . .

8. Possiamo proprio dire che gli indiani sono i più numerosi, poiché le cifre indicano che, su di 1.500 immigrati con regolare permesso di soggiorno nella Bassa, sono 748 coloro che hanno un lavoro fisso, e di questi 651 sono indiani occupati in agricoltura.

. . . .

L. Sistemate i verbi, facendo attenzione di distinguere tra uno stile più elevato e formale e uno più dimesso e colloquiale.

«Non faccio il postino»

In 200 rifiutano il lavoro

BRESCIA – «Io il postino non lo faccio». Sono circa 200, uno su due, i giovani disoccupati che fino a questo momento hanno rifiutato l'occasione offerta loro dall'Ente Poste italiane che a Brescia assume circa 400 unità con contratto formazione lavoro.

Corriere della Sera, 3 maggio 1996

1. Nonostante le ottomila domande giunte negli uffici della sede di Milano alla data dell'11 settembre 1995, scadenza del bando di concorso, i giovani rifiutano il posto non perché (rifiutare) . . . . il lavoro, ma perché (volere) . . . . lavorare dietro la scrivania o lo sportello e non nelle strade.
2. Hanno fatto domande perché non (sapere) . . . . di che posto si trattasse, non perché (essere) . . . . disposti a tutto.
3. La lunghissima graduatoria stabilita a Milano era giusta non già perché (tenere) . . . . conto dei desideri personali, ma perché (basarsi) . . . . rigorosamente sull'età dei candidati, sul voto conseguito alla maturità, e su eventuali attività svolte in precedenza presso l'Ente Poste.
4. Il segretario del sindacato Uil-post di Brescia è deluso perché secondo lui 1.400.000 lire mensili oggigiorno non (andare) . . . . disprezzate, non perché (essere) . . . . stato proprio lui a battersi per queste assunzioni.
5. Ma molti giovani che vengono da lontano pensano che non ne valga la pena dal momento che le spese di vitto e alloggio fuori casa (portarsi) . . . . via quasi tutto lo stipendio.

M. Completate scegliendo tra le espressioni date.

rimanere al verde - avere il bilancio in rosso - firmare in bianco - vedere nero avere carta bianca - vendere sul mercato nero - passare la notte in bianco mettere nero su bianco

Il lavoro autonomo

1. Non stacco mai – natale, pasqua, ferragosto, sempre in officina. E poi dormo poco, ... pensando a come guadagnare una lira in più.
2. Però che soddisfazione, non ho capo, faccio quello che voglio, ...
3. Siccome . . . . i prodotti, riesco a evadere un po' di tasse.
4. Questo mi permette di non . . . .
5. Altrimenti sarebbe un disastro, poiché – investendo tutto per iniziare l'attività – . . . .
6. Il futuro però non si prospetta affatto roseo, anzi . . . .
7. L'unica che crede in me è la mia compagna: è la mia socia e, professando di non capirci niente, ... tutti i documenti, ma io so che lo ha fatto perché si fida. La banca invece, naturalmente ha voluto . . . . tutto.

N. Per ridurre il sommerso, il mercato nero, i finti bilanci in rosso *le mani pulite* stanno oggi facendo qualcosa, dopo che quelle sporche hanno ottenuto tanto in passato. Chiaritevi i vari significati che assumono nel seguente contesto.

A proposito di Tangentopoli

Giochi di mano

Ma le mani, dopo essere state *avide, lunghe, leste, piene, prensili, rapaci, unte*, dopo esser state spesso tenute *in pasta* e non di rado infilate *nel sacco*, dopo esser state usate per fare *man bassa* e *man salva*, potranno mai diventare veramente *pulite*?

Augusta Forconi
Italiano & Oltre, settembre-ottobre 1993

O. Completate le seguenti frasi con l'espressione 'manesca' appropriata tra quelle date.

mettersi le mani nei capelli – star con le mani in mano – avere il cuore in mano essere alla mano – avere sotto mano – andare contro mano

1. Sono passati i ladri in casa lasciando tutto in disordine: quando l'ho visto . . .
2. Piera è una persona molto disponibile, non si dà arie, . . .
3. Meno male che nessuno si è fatto male, ma devo ammettere che l'incidente è stato colpa mia: . . .
4. Scusami, ma gli ultimi dati non li ricordo. Sono appena tornata dalle vacanze e non li . . .
5. Mario è generosissimo, non sa più che cosa fare per aiutarli, veramente . . .
6. Ero disperata, avevo bisogno di aiuto ma nessuno mi aiutava, tutti guardavano senza far niente, . . .

P. Se possibile, nelle seguenti frasi esprimete la causa senza una proposizione esplicita, come nell'esempio.

Esempio: Il giornalista Turani merita un elogio perché ha illustrato chiaramente la situazione.
Il giornalista Turani merita un elogio per aver illustrato chiaramente la situazione.
Il giornalista Turani merita un elogio avendo illustrato chiaramente la situazione.

L'Italia che tace e produce

Una sera di qualche mese fa, a Milano, vicino a me, in pizzeria era seduto un signore, sulla sessantina, ben vestito, molto tranquillo, molto discreto, molto normale. Molti chiedevano chi è questo, chi è quello, come capita nei ristoranti. Nessuno domandò chi fosse quel signore sulla sessantina, che al massimo poteva avere l'aria di un commercialista affermato e prudente, e che mangiava con calma metodica la sua pizza margherita.

Si trattava invece dell'uomo più ricco d'Italia (almeno secondo la sua denuncia al fisco).

Giuseppe Turani

Corriere della Sera, 19 aprile 1995

1. Leonardo Del Vecchio continua a essere un personaggio poco raccontato perché in fondo viene percepito un po' estraneo al sentimento nazionale.

. . . .

2. Eppure vale la pena parlarne dato che la sua storia ha tutti i caratteri della favola moderna.

. . . .

3. Per trent'anni nessuno si occupa nel modo più assoluto di lui perché comincia con una piccolissima azienda che fa le montature per gli occhiali a Agordo in Cadore, nel Veneto settentrionale.

. . . .

. . . .

4. Poi allarga la fabbrica perché capisce una cosa fondamentale.

. . . .

5. Siccome il mercato italiano, per uno che fa solo montature per occhiali, è troppo piccolo, si arriva presto alla saturazione.

. . . .

6. Poiché è ardito e capace, decide di investire nel mercato mondiale.

. . . .

7. La buona sorte gli ha sorriso anche perché ha colto presto i suggerimenti della moda e il possibile uso delle nuove tecnologie.

. . . .

8. Nonostante il successo, rimane la sensazione che l'italiano medio faccia fatica a riconoscerlo come uno dei suoi campioni perché in fondo gli dispiace che un signore capace di fare le cose così grandi non si atteggi a salvatore della Patria.

. . . .

9. Ma questa Italia che lavora, in Italia la si conosce poco perché ormai lavora quasi più con l'estero che con i consumatori del nostro paese.

. . . .

10. Del resto, Leonardo Del Vecchio, pur essendo più bravo, più svelto, più ricco degli altri, non è solo, dal momento – appunto – che ci sono anche gli altri: altri imprenditori che, da tempo, si sono messi sulla stessa scia e che come lui hanno puntato sul mercato mondiale.

. . . .

Q. Stabilite le quattro cause del successo della novità di marketing presentata nel seguente articolo.

In negozio un solo scanner. Il costo: 140 dollari

Le scarpe al computer

Ordinate in USA, prodotte in Italia. Consegna in 15 giorni

MILANO – Un pomeriggio di shopping nel Connecticut: «Buongiorno, prego, metta il piede dentro lo scanner. Ecco fatto: tra due settimane avrà le sue scarpe. Il tempo di mandare i dati in Italia, confezionarle e spedirle». E soddisfatto il cliente se ne andrà a casa, aspettando i suoi bei mocassini su misura pagati la modica cifra di 140 dollari, poco più di 200 mila lire. Stravaganze italo-americane? Anche, ma non solo.

Corriere della Sera, 22 marzo 1996

- . . . .
- . . . .
- . . . .
- . . . .
- . . . .

R. Correggete l'errore lessicale contenuto in ogni frase.

Le nuove generazioni sono attratte dal lavoro autonomo

I giovani imprenditori: «L'industria spesso è ancora una sconosciuta»

Il Sole – 24 Ore, 4 novembre 1996

1. Molti giovani conservano dell'industria l'immagine stipata dello Charlot di «Tempi moderni».
2. Eppure, dicono gli specialisti, l'industria sta diventando "brain intensive". E i giovani non condizionati da vecchie immagini se ne stanno accingendo.
3. L'industria infatti attrae i giovani con più alta qualificazione. Secondo i dati dell'Istat, i laureati che hanno selezionato di lavorare nell'industria sono oggi il 17 per cento.

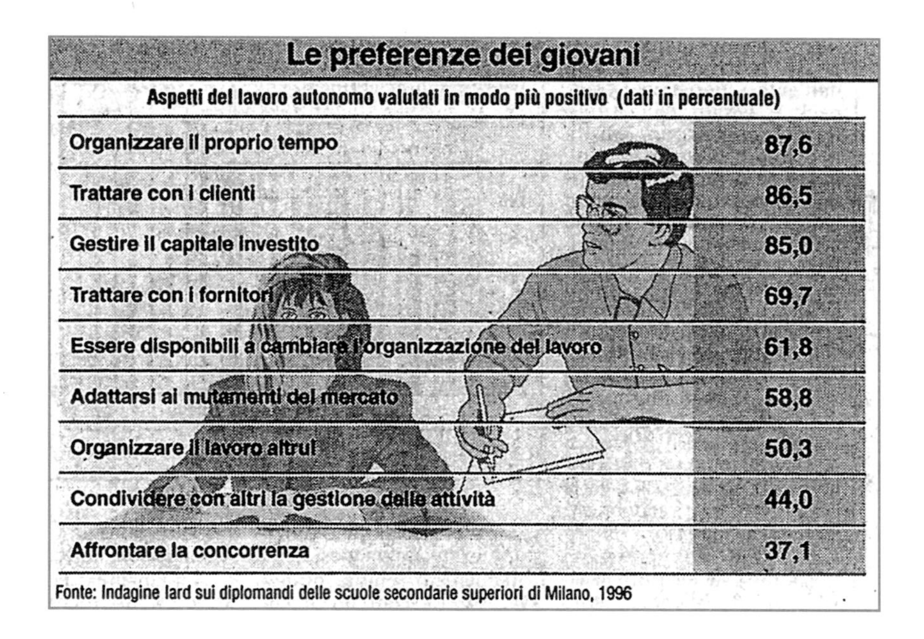

Le preferenze dei giovani

Aspetti del lavoro autonomo valutati in modo più positivo (dati in percentuale)

Aspetto	%
Organizzare il proprio tempo	87,6
Trattare con i clienti	86,5
Gestire il capitale investito	85,0
Trattare con i fornitori	69,7
Essere disponibili a cambiare l'organizzazione del lavoro	61,8
Adattarsi ai mutamenti del mercato	58,8
Organizzare il lavoro altrui	50,3
Condividere con altri la gestione delle attività	44,0
Affrontare la concorrenza	37,1

Fonte: Indagine lard sui diplomandi delle scuole secondarie superiori di Milano, 1996

4. I luoghi comuni sono lenti a morire. Mobilità e flessione non sono ancora ritenuti valori positivi dalla maggioranza dei giovani.
5. Oppure molti giovani amano il lavoro autonomo e l'impresa.
6. Le indagini sui giovani rilevano una costante della cultura giovanile del lavoro: la valutazione decisamente positiva del poter lavorare per proprio conto, di essere cioè intraprendenti di se stessi.
7. La scuola invece non ha preso sufficiente conoscenza dei valori positivi dell'imprenditorialità e del lavoro autonomo.

8. Basta guardare allo scarso spazio che nei programmi, ancora oggi, è dedicato all'economato di mercato.
9. In molti casi la scuola è ancora attardata a trasmettere orientamenti stantii, che prelibano la cultura del lavoro assistito.
10. Qualcosa in questo senso si sta facendo, ma la scuola appare ancora lontana dal procedere interventi efficaci sulla grande massa degli studenti.

S. Discutete sul tema del lavoro esaminando i seguenti punti.

- Che lavoro fai / hai fatto?
  - caratteristiche
  - vantaggi e svantaggi
- Che lavoro vorresti fare?
  - in proprio
  - dipendente
  - in piccola azienda
  - in grande azienda
  - altro
-
  - a tempo pieno
  - a tempo parziale
-
  - in orario normale
  - con turni serali e notturni
- Per una donna, lavoro e figli?
  - sì
  - no
- Cosa conta di più sul lavoro?
  - stipendio
  - condizioni di lavoro
  - possibilità di realizzarsi
  - ambiente
  - altro
- Cosa dovrebbe premiare di più lo stipendio?
  - merito
  - fatica
  - bisogno
  - altro
- Lavoro 'nero'
  - sì
  - no
- Sussidio di disoccupazione?
  - sì
  - no
- Lavoro garantito senza possibilità di licenziamento
  - sì
  - no

T. Commentate, rapportando i dati italiani anche al vostro paese.

Un laureato su tre è disoccupato

Le facoltà più utili sono quelle scientifiche

Il pezzo di carta sembra valere poco, soprattutto se strappato nelle facoltà umanistiche e nel sud.

«Ma l'università è importante». Secondo il sociologo Franco Ferrarotti, da tempo la laurea, specie in materie umanistiche, è sopravvalutata, ma dire che "l'università non serve a niente" è reazione sbagliata.

Una laurea è magari insufficiente ma necessaria.

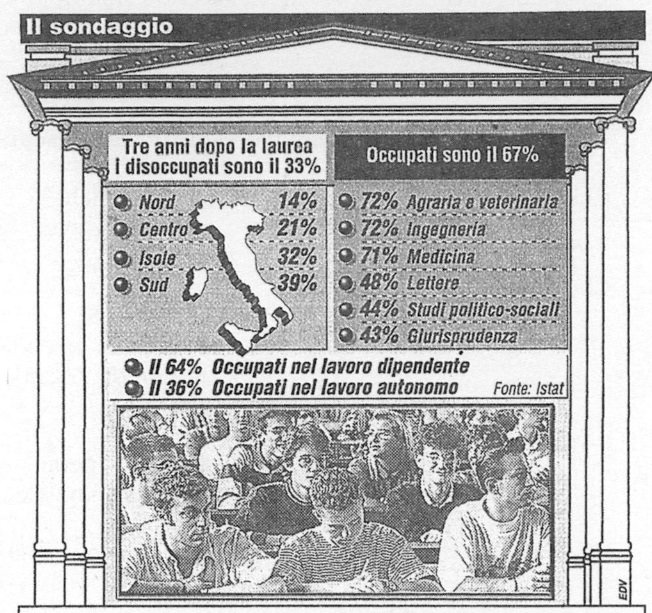

Corriere della Sera, 15 settembre 1996

U. Scrivete un articolo svolgendo l'informazione data.

OCCUPAZIONE & PARADOSSI

Una ricerca Eurispes dà i numeri allarmanti dell'economia sommersa

Lavoro, 11 milioni di «irregolari»

Sette milioni svolgono il doppio lavoro

Il fenomeno dilaga soprattutto nel Mezzogiorno

Il 47% dell'abusivismo si annida in agricoltura

È «nascosta» la metà degli edili

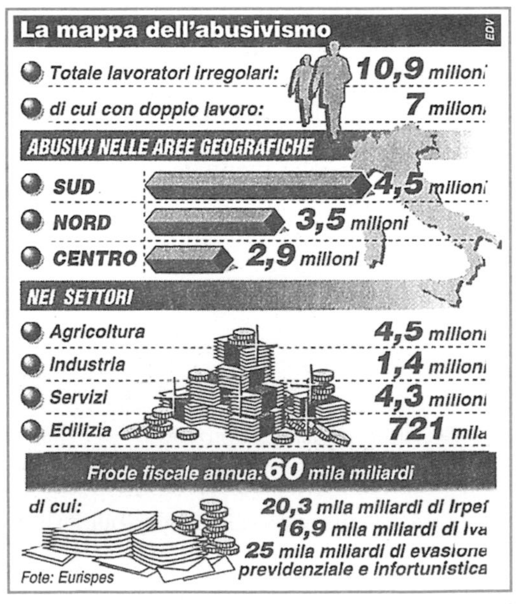

Corriere della Sera, 22 agosto 1996

La pubblicità?
Più bella di un film

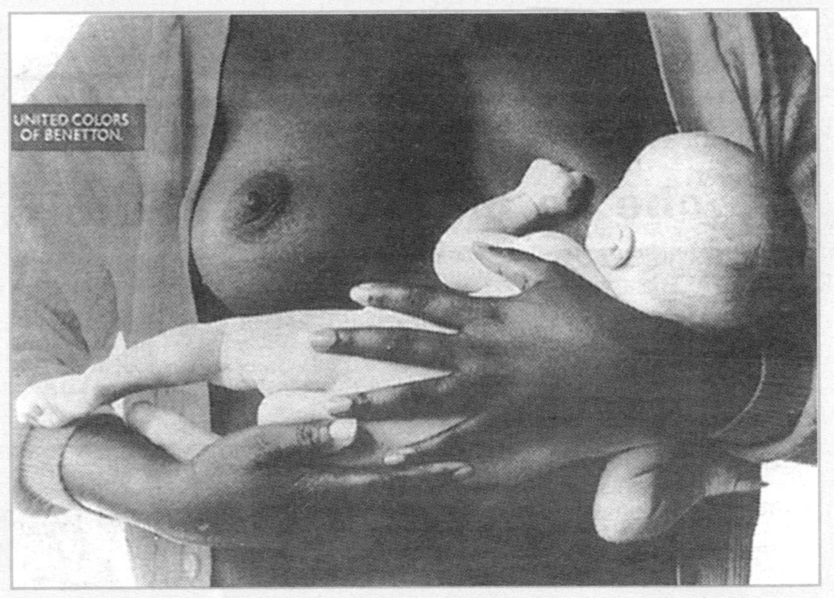

Un'immagine della pubblicità Benetton firmata da Oliviero Toscani

ROMA – Dieci anni fa uno dei guru della pubblicità, Jacques Seguela, scrisse un libro: «Non dite a mia madre che faccio il pubblicitario», sottotitolo «Sa che suono il piano in un bordello». Di tempo ne è passato e oggi alcune campagne pubblicitarie sono considerate addirittura più educative, più belle, in una parola migliori di molti programmi televisivi che le «contengono», che sono quelli che hanno anche i più alti indici d'ascolto. E c'è poco da stupirsi, in fondo, quando i registi degli spot sono Spike Lee o Wim Wenders. L'obiettivo è sempre quello di vendere l'orologio, l'auto o il detersivo ma quanta strada rispetto a carosello...

[...]

Per lo psichiatra Paolo Crepet il successo della pubblicità è innanzitutto «nell'immediatezza del linguaggio e negli strumenti, nelle metodologie e nei tempi molto diretti e adatti alla comunicazione ai giovani. Anzi – aggiunge provocatoriamente – riesce a comunicare più efficacemente con i giovani uno spot che la scuola e la famiglia».

«Gli spot non sono surrogati culturali – precisa Crepet – ma piccoli film. Alcuni, poi, sono mitici, come quello del profilattico della Levi's in cui è la ragazza a chiedere il preservativo, l'ho trovato molto forte e d'impatto. Oppure le campagne di Oliviero Toscani, che riesce a far vendere i maglioni parlando dei temi sociali, ricordo ancora la campagna sull'Aids. Certo, poi ci sono le pubblicità edulcorate, retoriche, moralistiche, stile Mulino Bianco e dintorni e quelle davvero non mi piacciono perché parlano di una famiglia che non c'è». Eppure, secondo alcuni psicologi, associare i valori positivi e i buon sentimenti a un prodotto significa connotarlo di «un peso simbolico che ne aumenta il valore».

Diverso il discorso sulla televisione e su alcuni programmi, che non sono solo diseducativi, ma anche «orrendi e pericolosi». Alcuni più degli altri. «"Domenica in", per esempio, è un po' volgarotta e mediocre, non è portatrice di valori – spiega Crepet – ma non è dannosa. Al massimo vederla è una perdita di tempo, non bisogna prenderla sul serio. [...] "Amici", poi, ha aspetti da grand guignol, con famiglie che rappresentano il peggio della famiglia in modo che chi guarda possa dire «mamma mia, noi non stiamo bene ma non siamo certo così», innescando meccanismi di assoluzione. Il peggio forse è "Beautiful"» che ha il grandissimo difetto di mostrare un mondo orrendo come auspicabile e anzi appetibile, un mondo di donne bellissime che stanno con uomini ricchissimi dove però il tipo più tranquillo fa un figlio con un partner diverso dal suo».

Dunque guerra alla tv o solo controllo – come suggerisce il 38 per cento dei suoi colleghi – che auspica un organo di supervisione che vigili sulla qualità? «Ma no, la tv è uno strumento educativo fondamentale – conclude Crepet – e del resto anche oggi ci sono dei programmi frivoli e divertenti che sono anche educativi, come i video di Mtv, fatti con grande professionalità. [...] Altro discorso è quello sul controllo, non credo che un controllo a valle possa sortire un risultato, mi sembra la riedizione dell'organo parrocchiale che ti dice cosa vedere e cosa no. Adesso poi, con la tv satellitare, con Internet, come si fa a controllare cosa vedono i bambini? Il problema è che le famiglie non devono abdicare al loro ruolo e restare con i figli a guardare i programmi tv, meglio che sia il padre e non una commissione Fininvest a decidere cosa può guardare il figlio e cosa no».

Elvira Naselli

La Repubblica, 16 giugno 1996

A. Rispondete alle seguenti domande.

- Anni fa come era considerata la pubblicità?
- Adesso cosa si dice di alcune campagne pubblicitarie?
- Perché alcune campagne pubblicitarie hanno buona reputazione?
- Quali tipi di campagne pubblicitarie sono individuati dallo psicologo Crepet?
- Quali programmi sono portati ad esempio dallo psicologo?
- Che valutazione viene data sulla televisione?
- Chi dovrebbe esercitare un controllo sui programmi televisivi?

B. Spiegate le seguenti parole ed espressioni secondo il significato che hanno nel contesto dell'articolo appena letto, dove le trovate sottolineate.

1. bordello . . . .
2. indici d'ascolto . . . .
3. c'è poco da stupirsi . . . .
4. carosello . . . .
5. profilattico . . . .
6. le pubblicità edulcorate . . . .
7. e dintorni . . . .
8. innescando . . . .
9. l'organo parrocchiale . . . .

Giornale di Brescia, 7/8/96

C. Compilate la pagella degli spot e dei programmi menzionati nell'articolo, dando per ognuno di essi un voto (da 1 a 5) che esprima la valutazione dello psichiatra intervistato dalla giornalista. Se siete incerti discutetene con i compagni di classe.

SPOT	PROGRAMMI TV

D. Date il contrario.

1. educativo . . . .
2. alto . . . .
3. amato . . . .
4. seguito . . . .
5. al massimo . . . .
6. peggio . . . .
7. innocuo . . . .
8. sul serio . . . .
9. bellissimo . . . .
10. a valle . . . .

E. Completate con gli elementi dati.

al massimo – anzi – anziché – addirittura – infatti – innanzitutto – in fondo – poi

1. Creare spot non è un'occupazione vergognosa, ... può essere un'arte.
2. I giovani comunicano meglio con la pubblicità . . . . con la scuola e la famiglia.
3. Il successo della pubblicità è . . . . nella sua qualità.
4. Gli spot spesso sono piccoli film; alcuni, ... , sono mitici.
5. . . . . parlano di grandi temi sociali.
6. C'è poco da stupirsi, ... , quando i registi sono personaggi famosi.
7. Alcuni programmi invece non sono solo brutti ma anche diseducativi, ... pericolosi.
8. Altri non sono dannosi: . . . . sono una perdita di tempo.

F. Esprimete con un verbo lo scopo indicato in corsivo.

Esempio: *Per un pranzo veloce,* acquistate prodotti già preparati.
Per pranzare velocemente, acquistate prodotti già preparati.

1. *Per la massima garanzia di successo,* chi gira spot pubblicitari sugli alimenti oggigiorno utilizza una «home economist», una figura professionale dell'economia domestica capace di dare utili consigli.

   . . . .

2. Anche la Star ha assegnato a una «home economist» l'incarico più recente *per la promozione dei suoi prodotti.*

   . . . .

3. Molte aziende si contendevano la stessa persona *per una miglior resa del loro impegno.*

   . . . .

4. La Star è riuscita ad ottenere l'apporto della signora Pallina, particolarmente adatta *al lancio della Famiglia Star.*

   . . . .

5. *Per vostra conoscenza,* la famiglia Star è composta di un padre, una madre e tre bambini.

   . . . .

6. Ma Casa Star è piena anche di zii, cugini, nonni, parenti, amici, conoscenti e vicini di casa, e si allarga, *per amore di precisione,* al portiere e signora, al lattaio, all'edicolante, al fioraio e al gestore di benzina.

   . . . .

7. Quando prepara le sue specialità, *per protezione contro gli schizzi,* la madre della Famiglia Star usa il grembiule.

   . . . .

8. *Per una rapida preparazione delle minestre,* secondo la famiglia Star è opportuno ricorrere ai dadi.

   . . . .

9. Eravamo pronti *per la cena,* quando sono arrivati tre ospiti inattesi.

   . . . .

10. Niente paura! *Per la salvezza* nei casi di emergenza, la "Pasta in busta" è sempre in dispensa.

    . . . .

G. Scegliete l'espressione giusta (ed eliminate quella sbagliata).

Obiettivi della pubblicità

1. Innanzitutto la pubblicità deve informare i potenziali compratori *affinché sappiano / per sapere* quale nuovo prodotto è disponibile.
2. I persuasori devono suscitare interesse della gente *affinché si rivolga / per rivolgersi* verso un nuovo prodotto.
3. Quando più imprese competono sul mercato, la pubblicità deve essere persuasiva *affinché i consumatori scelgano / per scegliere* uno specifico prodotto.
4. Deve convincere i consumatori *perché preferiscano / a preferire* un prodotto tra molti altri.

5. A questo punto il compratore è stato persuaso *affinché acquisti / ad acquistare* il prodotto.
6. Ma non è finita: un nuovo messaggio lo deve raggiungere *affinché rafforzi / per rafforzare* la sua preferenza per il prodotto che ha già scelto.
7. *Affinché i compratori ricordino / per ricordare* il prodotto, lo slogan deve essere incisivo.
8. Le imprese adottano continuamente nuove tecniche e strategie *affinché attraggano / per attrarre* l'attenzione dei compratori.
9. I persuasori seguono strade molto originali *affinché convincano / per convincere* la gente ad acquistare quello di cui non hanno affatto bisogno.
10. Il messaggio deve suscitare emozione *affinché catturi / per catturare* il consumatore.

H. Combinate le frasi usando un verbo all'infinito seguito da *per*, *a*, *di*.

Esempio: Un rappresentante ha bussato alla porta. Voleva vendere un detersivo.
Un rappresentante ha bussato alla porta per vendere un detersivo.

1. La pubblicità serve. Fa vendere di più.

. . . .

2. Anche i saldi e le vendite promozionali servono. Fanno risparmiare.

. . . .

3. Posso venire domani? Mi piacerebbe mostrarvi un prodotto eccezionale.

. . . .

4. È veramente ora di andare. Devo fare la spesa.

. . . .

5. Saliamo in auto ogni giorno. Andiamo in ufficio.

. . . .

6. Accendi la radio. Vuoi ascoltare il giornale radio.

. . . .

7. Ha fatto una telefonata. Voleva sapere come se la passano amici e parenti.

. . . .

8. Vorresti sentire il Tg3? Metti il terzo canale.

. . . .

9. Vi prego. Ripensate a quello che avete detto.

. . . .

10. Ho dovuto girare quattro negozi. Dovevo cambiare centomila lire.

. . . .

– Hai notato, Armando, che non interrompono mai per trasmettere le notizie, durante uno spot pubblicitario?

I. Combinate le frasi usando *perché* oppure *affinché* seguiti dal verbo.

Esempio: Ci ha telefonato. Voleva che ospitassimo un suo amico.
Ci ha telefonato perché ospitassimo un suo amico.

1. Ho sfogliato una rivista alla ricerca degli annunci pubblicitari. Volevo che voi ne aveste alcuni esempi.

. . . .

2. Il Coni sollecita gli italiani a giocare al Totocalcio. Vorrebbe che la gente si appassionasse allo sport.

. . . .

3. Un'industria alimentare ha lanciato una campagna. Invita i consumatori a provare i suoi prodotti, dal tè della prima colazione alla camomilla che precede l'andata a letto.

. . . .

4. La modella di un annuncio si asciuga i capelli in giardino. Vuole che il sole glieli illumini.

. . . .

5. C'è anche un messaggio dei frati francescani. Sollecitano le persone generose ad aiutare i poveri e i bisognosi.

. . . .

6. Non volete che i raggi solari vi diano fastidiose scottature? Usate creme protettrici e copritevi adeguatamente.

. . . .

7. Non volevamo che zanzare e altri insetti ci mangiassero vivi. Abbiamo comprato una crema repellente formidabile.

. . . .

8. Anche il nostro gatto deve avere un regime dietetico equilibrato. Compreremo nuove scatolette di tonno.

. . . .

9. Una pensione integrativa che faccia vivere senza preoccupazioni? Un signore si è assicurato con una società specializzata.

. . . .

10. La vostra auto diventerà un bene immobile! Comprate il nostro antifurto presso autoaccessori e ferramenta.

. . . .

L. Trasformate le frasi usando opportunamente *per + infinito* oppure *per + fare + infinito*.

Esempio: Ho consegnato una lettera a Paolo perché la imbucasse.
Ho consegnato una lettera a Paolo per fargliela imbucare.

1. Per qualche settimana una rivista ha presentato un regalo ai suoi lettori perché aumentassero di numero.

. . . .

2. Regalava un inserto ai suoi lettori perché conoscessero i segreti e le qualità di vari alimenti di uso quotidano.

. . . .

3. È una guida preziosa e completa perché la gente scopra le proprietà benefiche e curative dei cibi.

. . . .

4. Sicuramente è un'idea di successo dato che uno è sempre alla ricerca di consigli affinché possa restare in forma anche a tavola.

. . . .

5. La Dieta della salute dalla A di aglio alla Z di zucchero dà consigli a tutti allo scopo di indicare quali cibi scegliere e quando mangiarli.

. . . .

6. Ho portato il primo inserto perché lo poteste vedere.

. . . .

7. Vi porterò anche il raccoglitore affinché voi scopriate la sua utilità.

. . . .

8. Io non potrei raccontare le mie abitudini alimentari ai miei amici affinché non ridano di me.

. . . .

9. Una volta volevo preparare un piatto appetitoso ad alcuni amici affinché mangiassero in abbondanza.

. . . .

10. Ma dopo cena i miei ospiti esitavano a parlare perché io non mi sentissi a disagio.

. . . .

M. Sistemate i verbi.

La guerra delle mozzarelle

CATANIA – È scoppiata una battaglia tra il sindaco, di sinistra, che si è scoperto puritano, e il presidente della Provincia, di destra, che non avvertiva pruderie, affinché una pubblicità contestata (scomparire) . . . . dalla circolazione.

Pietra dello scandalo, un delizioso torace semicoperto da un bikini preso a prestito da una modella per (lanciare) . . . . una mozzarella.

Affinché il prodotto (invogliare) . . . . i clienti, i titolari di un caseificio hanno trovato un titolo ammiccante: «le cose belle dell'estate». Hanno scelto un seno largo, abbronzato per non (suggerire) . . . . pensieri morbosi, e tutt'al più per (richiamare) . . . . la visione materna dell'allattamento. Un seno che, affinché l'immagine (ottenere) . . . . la massima attenzione, campeggiava in tutta la sua prorompente bellezza su cartelloni di sei metri per tre piazzati in ogni angolo della città e soprattutto nelle fiancate degli autobus dell'azienda municipale trasporti.

Destra e sinistra, dalle loro vecchie trincee, si sono impegnate bellicosamente affinché le polemiche (risolversi) . . . . a favore della propria parte.

Sette, Corriere della Sera, 27 luglio 1995

Le cose belle dell'estate

Nello Musumeci (40), presidente della Provincia

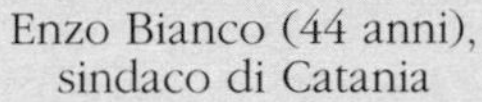

Enzo Bianco (44 anni), sindaco di Catania

Il sindaco ha tuonato affinché i titolari del caseificio incriminato (rimuovere) . . . . subito i seni-scandalo dai manifesti.

Le femministe ritengono che si debba fare ancora molta strada affinché la pubblicità non (offendere) . . . . la dignità delle donne.

Dal canto suo, il presidente della Provincia ha dichiarato che si sarebbe battuto affinché nessuno (toccare) . . . . i seni che, a suo parere, al massimo facevano pensare a Botticelli o a Michelangelo.

N. Trasformate le seguenti frasi usando opportunamente *pur + infinito* oppure *purché + congiuntivo*.

Esempio: Molta gente farebbe qualsiasi cosa, quando vuole assolutamente finire sui giornali.
Molta gente farebbe qualsiasi cosa pur di finire sui giornali.

1. Sei disposto a fare un'impresa eccezionale? Vuoi a tutti i costi che il Guiness dei Primati menzioni il tuo nome?

   . . . .

2. Una volta ho fatto la coda di 24 ore davanti alla Scala a Milano. Volevo assolutamente avere l'abbonamento all'Opera.

   . . . .

3. Un signore non ha badato a spese. Voleva dichiarare il suo amore a una donna.

   . . . .

4. Ha affittato un'intera pagina di un quotidiano al solo scopo che lei leggesse «Ti amo» scritto pubblicamente a grosse lettere.

   . . . .

5. La donna è ricorsa ad ogni mezzo. Voleva evitare che l'identità del suo innamorato fosse resa nota a tutta la città.

   . . . .

6. La cattiva pubblicità non guarda in faccia nessuno. Intende ad ogni modo conseguire il proprio scopo.

   . . . .

7. Certe operazioni pubblicitarie ricorrono a sofisticate e costosissime indagini. Vogliono proprio avvicinarsi al massimo al target prescelto.

   . . . .

8. Non esitano neppure davanti a un pubblico infantile. Le ditte committenti devono aumentare gli incassi.

   . . . .

O. Cominciate a leggere il racconto ripristinandone gli aggettivi tolti.

Fumo, vento e bolle di sapone

Ogni giorno il postino deponeva qualche busta nelle cassette degli inquilini; solo in quella di Marcovaldo non c'era mai niente, perché nessuno gli scriveva mai [...].
«Papà, c'è posta!» grida Michelino.
«Ma va'!» risponde lui. «È la solita réclame!»
In tutte le cassette delle lettere spiccava un foglio ripiegato azzurro e giallo. Diceva che per fare una . . . . saponata il Blancasol era il migliore dei prodotti; chi si presentava col foglietto azzurro e giallo, ne avrebbe avuto un campioncino gratis.

Siccome questi fogli erano stretti e . . . . , alcuni d'essi sporgevano fuori dall'imboccatura delle cassette; altri erano per terra appallottolati o un po' . . . . , perché molti inquilini aprendo la cassetta usavano buttar via subito tutta la carta . . . . che l'ingombrava. Filippetto, Pietruccio e Michelino, un po' raccogliendoli da terra, un po' sfilandoli dalle fessure, un po' addirittura pescandoli con un fil di ferro, cominciarono a far collezioni di buoni Blancasol.

[...]

In quei giorni, il mondo della produzione di detersivi era in grande agitazione. La campagna pubblicitaria del Blancasol aveva messo in allarme le ditte concorrenti. Per il lancio dei prodotti, esse distribuivano in tutte le cassette . . . . della città questi tagliandi che davano diritto a campioni . . . . sempre più grossi.

I bambini di Marcovaldo nei giorni . . . . ebbero un gran daffare. Le cassette delle lettere ogni mattina fiorivano come alberi di pesco a primavera: foglietti con disegni verdi rosa celeste arancione promettevano candidi bucati a chi usava Spumador o Lavolux o Saponalba o Limpialin. Per i ragazzi, le collezioni di tagliandi e buoni-omaggio s'allargavano di sempre nuove classificazioni. Nello . . . . tempo, s'allargava il territorio della raccolta, estendendosi ai portoni d'altre strade.

[...]

A comandare le operazioni, si capisce, erano sempre Filippetto, Pietruccio e Michelino, perché la . . . . idea l'avevano avuta loro. Riuscirono perfino a convincere gli altri ragazzi che i tagliandi erano patrimonio . . . . , e si doveva conservarli tutti insieme. «Come in una banca!» precisò Pietruccio.

«Siamo padroni d'un lavanderia o d'una banca?» chiese Michelino.

«Comunque sia, siamo milionari!

[...]

La pubblicità, come i fiori e i frutti, va a stagioni. Dopo . . . . settimana, la stagione dei detersivi finì; nelle cassette si trovavano solo avvisi di callifughi.

«Ci mettiamo a raccogliere anche questi?» propose qualcuno. Ma prevalse l'idea di dedicarsi subito alla riscossione delle ricchezze accumulate in detersivi. Si trattava d'andare nei negozi . . . . , a farsi dare un campione per ogni tagliando: ma questa . . . . fase del loro piano, in apparenza semplicissima, si rivelò molto più . . . . e complicata della prima.

Le operazioni andavano condotte in ordine sparso: un ragazzo per volta in un negozio per volta. Si potevano presentare anche tre o quattro tagliandi insieme, purché di marche . . . . , e se i commessi volevano dare solo un campione d'una marca e nient'altro, bisognava dire: «La mia mamma li vuol provare tutti per vedere qual è il meglio».

Le cose si complicavano quando, come succedeva in . . . . negozi, il campione gratis lo davano solo a chi faceva degli acquisti; mai le mamme avevano visto i ragazzi tanto . . . . d'andare a far commissioni in drogheria.

Insomma, la trasformazione dei buoni in merce andava per le lunghe e richiedeva spese . . . . perché le commissioni con i soldi delle madri erano poche e le drogherie da perlustrare erano . . . . Per procurarsi dei fondi non c'era altro mezzo che attaccare subito la terza fase del piano, cioè la vendita del detersivo già riscosso.

Decisero d'andare a venderlo per le case, suonando i campanelli. «Signora! Le interessa? Bucato . . . . !» e porgevano la scatola di Risciaquick o la bustina di Blancasol.

«Sì, sì, datemi, grazie,» diceva qualcuna, e appena preso il campione, chiudeva loro la porta in faccia.

«Come? E pagare?» e tempestavano di pugni la porta.

«Pagare? Non è gratis? Andate via, monelli!»

Proprio in . . . . giorni, infatti, stavano passando casa per casa incaricati delle . . . . marche a depositare campioni gratis: era una . . . . offensiva pubblicitaria intrapresa da tutto il ramo detersivi, vista poco . . . . la campagna dei tagliandi omaggio.

Casa Marcovaldo sembrava il magazzino d'una drogheria, ... com'era di prodotti Candofior, Limpialin, Lavolux; ma da tutta questa quantità di merce non c'era da tirar fuori neanche un soldo; era roba che si regala, come l'acqua delle fontane.

Naturalmente, tra gli incaricati delle ditte non tardò a spargersi la voce che . . . . ragazzi stavano facendo il loro . . . . giro porta per porta, vendendo gli stessi prodotti che loro pregavano di accettare gratis. Nel mondo del commercio sono . . . . le ondate di pessimismo: si cominciò a dire che mentre a loro che li regalavano la gente rispondeva che non sapeva cosa farsene di detersivi, da quelli che si facevano pagare, invece, li comperavano. Si riunirono gli uffici-studi delle varie ditte, furono consultati specialisti di ricerca di mercato: la conclusione cui si giunse fu che una concorrenza così sleale poteva esser fatta solo da ricettatori di merce . . . . La polizia, dietro . . . . denuncia contro ignoti, cominciò a battere il quartiere in cerca dei ladri e del nascondiglio della refurtiva.

Da un momento all'altro il detersivo diventò . . . . come dinamite. Marcovaldo si spaventò: «Non voglio più neanche un grammo di queste polverine in casa mia!» Ma non si sapeva dove metterlo, in casa non lo voleva nessuno. Fu deciso che [...]

Italo Calvino, *Marcovaldo*
Garzanti, Milano 1993

P. Come potrebbe finire secondo voi il racconto?

Q. Per i seguenti nomi proponete delle alterazioni adatte al contesto del racconto di Calvino appena letto.

1. carta pubblicitaria cartaccia
2. fogli di réclame . . . .
3. campioni di merce . . . .
4. i tre fratelli . . . .
5. i loro amici . . . .
6. pacchi di fogli . . . .
7. speravano in un affare . . . .
8. i monelli . . . .
9. i tagliandi omaggio . . . .
10. le bolle del detersivo . . . .
11. le buste con la polvere . . . .

Giornale di Brescia, 7/8/96

– Da bambino collezionavi figurine, adesso collezioni figuracce!

R. Elaborate alcuni dei seguenti punti esprimendo la vostra opinione sul ruolo della pubblicità.

- Tutti i principali mezzi di informazione (radio, tv, giornali) dedicano ampio spazio ai messaggi pubblicitari.
- Tanto più siamo informati su quel che accade, tanto più siamo sottoposti a messaggi pubblicitari.
- I bambini conoscono i prodotti attraverso la pubblicità ancora prima di consumarli.
- La tecnologia è di grande aiuto alla pubblicità.
- La pubblicità è strumento indispensabile per informare il pubblico.
- La pubblicità sembra essere molto efficace per vendere prodotti a basso prezzo e di largo consumo che poco si distinguono da quelli dei competitori, mentre è poco adatta per prodotti complessi, costosi e altamente individuali.
- Ultimamente anche banche, assicurazioni, associazioni religiose e addirittura la Chiesa hanno fatto ricorso alla pubblicità.
- La pubblicità è molto usata per diffondere valori sociali e sostenere idee politiche.
- Non ha senso né demonizzare né incensare la pubblicità.
- Il giusto equilibrio tra le necessità di chi deve vendere e quelle del possibile compratore va trovato con regole imposte dall'alto.

S. Commentate.

Oliviero Toscani si crede un artista? Spiacenti. Benetton non è Lorenzo il Magnifico e Toscani non esce dalla scuola del Verrocchio. [...] Toscani è piuttosto un pubblicitario di mestiere; le sue creazioni, lungi dal rappresentare il «colpo di genio», rispondono a banali regole che si insegnano nelle scuole d'arte. Toscani è un manipolatore di immagine, vende simboli ambigui e volendo unire il mondo intiero sotto lo stemma di una filosofia umanitaria, al mondo impone un pensiero totalitario: gli *United Colors of Benetton*. Morale: tutta la strategia di comunicazione di Toscani, porta dritta dritta alla marca, come tutte le pubblicità. L'arte è un'altra cosa.

Rosanna Sisti

L'Avvenire, 24 agosto 1995

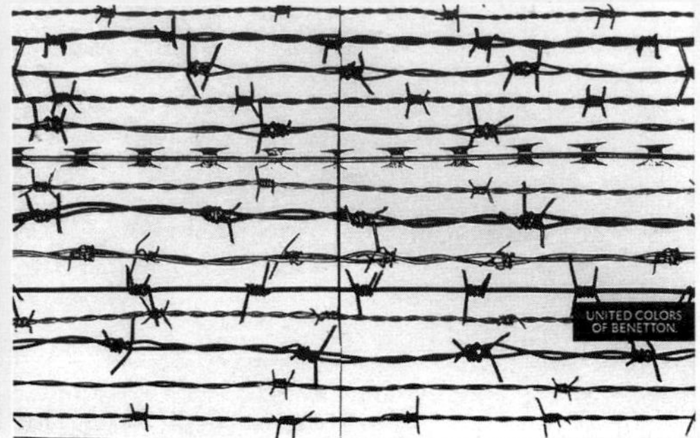

Su Benetton 'monta' la polemica

BRUXELLES – Nuovo poster, nuova polemica. Ormai Benetton ci ha abituati: non c'è campagna pubblicitaria che non trascini con sé una coda di scandali. L'ultima ha messo a rumore il Belgio, dove ieri è cominciata l'affissione di manifesti che mostrano uno stallone nero in procinto di montare una puledra bianca.

Corriere della Sera, 14 agosto 1996

T. Esprimete la vostra opinione.

I giovanissimi rappresentano ormai gran parte dei consumatori

Bimbi-manager per vendere di più

Le grandi aziende americane assumono ragazzini come consulenti

Stefanel: scelta giusta. Piaggio: vanno guidati

MILANO – Se negli Stati Uniti i ragazzini consulenti sono ormai una realtà, nel nostro Paese le cose vanno, almeno per ora, in maniera diversa. [...]
«Non abbiamo mai assunto dei ragazzi come consulenti – spiegano alla Stefanel, noto marchio d'abbigliamento – tuttavia tutta la nostra struttura commerciale è basata sull'ascolto della clientela, inclusa quella più giovane». [...]
«Non abbiamo mai neanche pensato di assumere dei giovanissimi come consulenti – dicono alla Piaggio, una delle aziende leader nel campo della produzione di ciclomotori – però [...] conoscere il giudizio dei ragazzi è molto importante, dato che sono tra i principali acquirenti».

M. Le., *Corriere della Sera*, 10 agosto 1996

«Io Soldini, un vero lupo di mare»

Giovanni Soldini con la compagna Elena Carozzi

«Vivo con due milioni al mese. Le vacanze? Quando lascio il porto»

A colloquio con lo skipper che ha vinto la traversata atlantica in solitario sbaragliando i rivali dopo quindici giorni in compagnia di balene e delfini. Trent'anni, vita di ribelle e una vera passione: sfidare l'oceano

SARZANA (La Spezia) – «Ci sono dei momenti in cui sei solo, il vento e il mare ti tengono compagnia, pensi alla tua barca, alla tua compagna, alla vita. E capisci che poi, in fondo, per stare veramente bene non hai bisogno di molto». Giovanni Soldini parla così, con tanta semplicità, sorride, scherza e non fa l'eroe. Eppure le imprese di questo ragazzo trentenne hanno emozionato milioni di italiani. Con una barca di appena dodici metri ha attraversato l'Atlantico, dall'Inghilterra agli Stati Uniti. Oltre quindici giorni di viaggio solitario. E alla fine è arrivato primo, battendo ogni record e mettendosi alle spalle nomi che hanno fatto la storia della vela mondiale. Ma in fondo, anche se questo è straordinario, per Giovanni Soldini la cosa più importante non è aver vinto, ma avercela fatta, essere stato spinto al traguardo da quel vento e da quel mare che lui ama.

In questi giorni Giovanni è a Sarzana, il paese in cui ha scelto di vivere. Una casa nell'entroterra, un po' isolata, un luogo tranquillo dove abita con la sua compagna Elena, la piccola Martina, nata quattro mesi fa, e il simpatico cagnolone Ballast (ovvero, "zavorra" in inglese).

È una giornata splendida. «Ieri abbiamo battezzato Martina, poi abbiamo fatto una grande festa. Ogni tanto è bello». Un po' di pulizie a casa. Qualche commissione, poi assoluto relax. E tanto sole. «Purtroppo per me l'estate non è più sinonimo di vacanze. Sono anni che trascorro i mesi estivi a lavorare, a preparare la mia barca, a fare mille cose. Ma è una scelta. Le mie vacanze incominciano nel momento in cui parto. Lascio il porto e il vento mi spinge». Tra pochi giorni Giovanni Soldini partirà per un'altra impresa, con la sua barca parteciperà alla regata Québec-Saint Malo. Dal Canada alla Bretagna. Un'altra sfida impossibile, e sa bene che questa volta ci saranno molti riflettori puntati su di lui.

Ma nonostante la grande celebrità piovutagli addosso dopo l'impresa nella "Europe 1 Star", compiuta con pochissimi mezzi rispetto ai suoi avversari, questo ragazzo innamorato del vento ci tiene a essere sempre se stesso. «Non per altro, ma perché per arrivare a fare quello che amo ho sgobbato come un matto. Ho fatto sacrifici. Perché dovrei cambiare proprio adesso?».

Antonio Troiano

Corriere della Sera, 15 luglio 1996

A. Le cose elencate sono tra quelle che Soldini ama di più. Quali potrebbero essere invece quelle che teme maggiormente, o che gli piacciono meno?

1. la vita di mare . . . .
2. il vento . . . .
3. il sole . . . .
4. la libertà . . . .
5. la barca a vela . . . .
6. la solitudine . . . .
7. la tranquillità . . . .
8. la modestia . . . .
9. la vita . . . .
10. l'avventura . . . .

Soldini con il suo cane Ballast e in barca al radiotelefono

B. Le seguenti espressioni possono essere usate in senso letterale (L) o metaforico (M). In che senso sono usate nell'articolo appena letto? Inventate poi delle frasi che ne esemplifichino l'uso nell'altro senso.

1. battere ogni record . . .
2. mettersi alle spalle . . .
3. passare il traguardo . . .
4. zavorra . . .
5. battezzare . . .
6. una sfida impossibile . . .
7. con i riflettori puntati . . .
8. piovere addosso . . .

La barca "Stupefacente" di Giovanni Soldini

C. Sistemate i verbi.

La storia di Giovanni parte da lontano

Comincia con un bambino che (nascere) . . . . a Milano. (Esserci) . . . . già due fratelli maggiori (Silvio ed Emanuele), e il papà (lavorare) . . . . nel campo della nautica. Fin da piccolo Giovanni (mostrare) . . . . un carattere che presto gli (fare) . . . . capire una cosa fondamentale: «Nella vita (essere) . . . . importante svegliarsi la mattina e sentirti felice per quello che (fare) . . . . ». Giovanni (essere) . . . . fatto così. E allora siccome non (essere) . . . . un figlio di papà, in casa non (esserci) . . . . soldi da buttare, (decidere) . . . . di scommettere da solo.

«A 16 anni, dopo aver peregrinato per diversi licei milanesi – Parini, Tito Livio, Beccaria – (lasciare) . . . . la scuola e (partire) . . . . Con un amico (Pino) (andare) . . . . a Sud, in cerca di avventure e quella voglia di libertà che ti (prendere) . . . . a quell'età e che a me (continuare) . . . . a restarmi dentro. (Capire) . . . . allora che ciò che (volere) . . . . fare era sentire il profumo del mare, avere una mia barca e farla correre più veloce del vento».

A 18 anni Giovanni (avere) . . . . alle spalle un anno a Cuba, due Oceani, il giro dei Caraibi, ingaggi su decine di barche. «(Potere) . . . . lavorare quando (volere) . . . . , ma per mantenere una promessa fatta a mio padre (fermarmi) . . . . e (prendere) . . . . la maturità. Poi (iscrivermi) . . . . anche all'università: scienze politiche, dieci esami e una bella media».

Ma il problema (essere) . . . . che «più (acquistare) . . . . esperienza e meno (riuscire) . . . . a navigare. (Finire) . . . . per fare il cameriere ai ricconi, su barche stupende di gente che non (avere) . . . . passione, cui non gliene (fregare) . . . . niente del mare. Che (portare) . . . . la sua barca a Porto Cervo e (restare) . . . . lì tutta l'estate. Un dramma. Il mondo della vela purtroppo (essere) . . . . fatto anche di questi personaggi. Anzi (esserci) . . . . un sacco di gente che (avere) . . . . i soldi e basta. Niente passione, niente di niente. Per me non (essere) . . . . così, per me i valori sono altri». Ancora oggi Soldini, nonostante i successi, (vivere) . . . . con due milioni al mese.

D. Completate le seguenti frasi scegliendo opportunamente una tra le espressioni date.

ci vuole/vogliono – bisogna – occorre/occorrono

1. Ma correre non è semplice. Prima di tutto, c'è sempre il problema dei soldi: . . . . pensarci continuamente. Non siamo in Francia dove il mondo della vela vive tutta un'altra dimensione.
2. Per attirare gli sponsor . . . . intraprendenza, determinazione e diplomazia, tutte doti che a Soldini certamente non mancano.

3. Poi, per partire per un lungo viaggio . . . . settimane solo per preparare tutto l'occorrente.
4. Lo dite a noi? A noi l'anno scorso . . . . due giorni solo per raccogliere i viveri.
5. Certo . . . . fare molta attenzione a non dimenticare niente.
6. Per non correre rischi . . . . anche i medicinali.
7. Beh, non . . . . esagerare! . . . . soltanto l'aspirina e qualche antibiotico.
8. Per la barca . . . . tante cose: le vele, le cime, l'ancora, il canotto di salvataggio, i remi, la bandiera, ecc.
9. Poi non . . . . assolutamente dimenticare l'acqua.
10. E in ultimo . . . . la grappa per i momenti di scoraggiamento.

E. Completate, precisando come si 'va' in vario modo.

1. In barca a vela si veleggia
2. In nave si . . . .
3. In barca a remi si . . . .
4. In acqua si . . . .
5. In aereo si . . . .
6. A piedi si . . . .
7. In bicicletta si . . . .
8. Sui pattini si . . . .
9. Sugli sci si . . . .
10. Sulla slitta si . . . .

F. Ordinate questa scala del vento secondo la sua velocità.

brezza – burrasca – calma – tempesta – uragano – vento

1. . . . .   2. . . . .   3. . . . .
4. . . . .   5. . . . .   6. . . . .

G. A proposito di mare, abbinate le parole che hanno tra loro significato più simile.

aragosta – arena – baia – balena – bonaccia – delfino – gabbiano – gambero golfo – litorale – maretta – nettuno – pinguino sabbia – sirena – spiaggia

. . . .

. . . .

. . . .

. . . .

H. Scegliete tra i diversi significati che può assumere *magari*.

anche – anche se – perfino – forse – oh se fosse vero – volentieri

Sul lago di Garda

1. Dopo tante ore di studio, magari ti senti stanca. . . . .
2. «Vieni a fare un giro in barca con me?» «Magari!» . . . .
3. Io vorrei proprio arrivare fino a Sirmione anche se c'è poco vento, dovessi magari remare. . . . .
4. Questa barca di mio fratello è molto vecchia, magari si spezza l'albero. . . . .
5. Spero che non ti venga il mal di stomaco, e che magari vomiti. . . . .
6. Magari trovassimo posto al porticciolo di Sirmione! In questa stagione è sempre pieno di turisti tedeschi. . . . .
7. Me la voglio comprare proprio una barca tutta mia, dovessi magari pagarla fior di quattrini. . . . .
8. Voi magari non sapete che differenza c'è tra un catamarano e un motoscafo. . . . .
9. Allora partiamo? Magari s'alzasse un delizioso venticello da est! . . . .

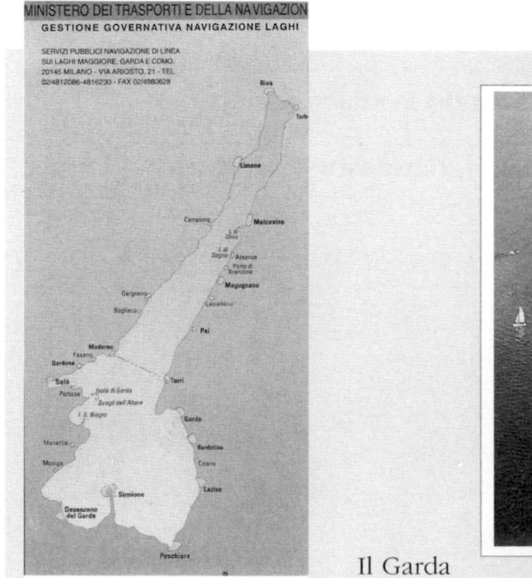

Il Garda

I. Sostituite le espressioni in corsivo con quelle date.

arricchirsi molto – condividere la stessa sorte – dare una mano
mettersi da parte – minacciare il fallimento
muoversi fra posizioni contrastanti

1. Mio padre si sente troppo vecchio ormai, preferisce *tirare i remi in barca*.
. . . .
2. Silvio è partito dal nulla, ed ora che *ha fatto una barca di soldi*, tratta tutti dall'alto in basso.
. . . .
3. Voglio proprio dimettermi dall'amministrazione del condominio: *la barca fa acqua* da tutte le parti.
. . . .
4. Coraggio! La situazione è spiacevole, ma *siamo tutti nella stessa barca*.
. . . .
5. Mi sento solo alle prese con problemi più grandi di me. Invece tutti dovrebbero *aiutare la barca*.
. . . .
6. Carriera e sport? Non riuscivo più a *barcamenarmi* e ho scelto di dedicarmi allo sport con tutto me stesso.
. . . .

L. Scegliete l'espressione giusta.

1. Da qualche anno Soldini è diventato uno skipper di *punto/punta*.
2. Per lui *il punto più bello / la punta più bella* della gara non è l'arrivo, ma la partenza.
3. Però anche lui, nonostante l'esperienza, si è messo paura quella volta vedendo *la punta / il punto* di un iceberg.
4. Tornato a casa, ha raccontato alla moglie l'avventura *punto per punto / punta per punta*.
5. Il nome della navigatrice francese che era gara con lui? Ce l'ho *sul punto / sulla punta* della lingua.
6. Una strana ragazza: sul suo viso c'è sempre *un velo / una vela* di tristezza.
7. A me, più che la partenza o l'arrivo, piace la corsa quando *i veli sono spiegati / le vele sono spiegate* al vento.
8. Mi piace soprattutto d'inverno, non d'estate quando la visibilità è ridotta e c'è sempre *un velo / una vela* di foschia.
9. Ieri per esempio il cielo era terso, *nessun velo / nessuna vela* di nuvole copriva il cielo.
10. E sull'Adriatico lo spettacolo era stupendo: c'erano in gara solo *veli/vele* di colore giallo ocra.
11. Come vanno gli affari? A *gonfie vele / gonfi veli*!
12. Però prima di farmi la barca nuova devo fare bene *il punto / la punta* della situazione.

M. Combinate le seguenti frasi usando variatamente gli elementi dati, ma badando all'omogeneità dello stile.

mentre – mentre al contrario – mentre invece
quando – quando al contrario – quando invece
laddove – laddove al contrario – laddove invece

Esempio: L'estate lavoro moltissimo. Potrei riposarmi.
L'estate lavoro moltissimo mentre potrei riposarmi.
L'estate lavoro moltissimo quando invece potrei riposarmi.

D'estate

1. Al mare, leggo poco i giornali. Sarebbe opportuno che sapessi quello che succede nel mondo.

. . . .

2. Ad agosto le informazioni interessanti sono poche. Le pagine sono ricche di avvenimenti sportivi.

. . . .

3. Nei titoli, ciclisti e tennisti fanno concorrenza ai campioni della vela. I calciatori si riposano.

. . . .

4. Ricordo solo qualche risultato delle gare. La mia memoria dovrebbe essere più precisa per prepararmi strategicamente.

. . . .

5. Molti apprezzano Soldini soprattutto per il suo coraggio. Dovrebbero stimarlo altrettanto per la sua intelligenza.

. . . .

6. Le previsioni metereologiche avevano preannunciato burrasca. Le giornate del torneo di tennis sono state magnifiche.

. . . .

7. D'estate i colletti bianchi stanno sulla spiaggia per abbronzarsi. I colletti blu, costretti a sudare al sole, non appena possono rimangono a casa.

. . . .

8. Il mondo occidentale altamente industrializzato può permettersi le vacanze. Il terzo mondo in via di sviluppo non ha neppure il cibo di cui nutrirsi e la casa in cui vivere.

. . . .

9. I ricchi sono indifferenti. Basterebbe poco per aiutare i poveri.

. . . .

N. Unite le frasi usando variatamente gli elementi dati, ma facendo attenzione all'uniformità dello stile.

anziché – invece di – in luogo di – più che

Esempio: Cerca di impegnarti di più. Non ti arrendere alle prime difficoltà.
Cerca di impegnarti di più invece di arrenderti alle prime difficoltà.
Cerca di impegnarti di più anziché arrenderti alle prime difficoltà.

1. Era meglio affittare una casetta al lago. Ma abbiamo deciso di fare una crociera.

. . . .

2. Che tipo buffo che sei! Perché sei titubante? Dovresti fare gli ultimi preparativi!

. . . .

3. Ascoltami. Non ridere. Ho una confessione da farti.

. . . .

4. Adesso? Sbrighiamoci. Non perdiamo tempo prezioso.

. . . .

5. Senti: non so nuotare veramente. Agito braccia e gambe nell'acqua.

. . . .

6. E me lo dici adesso. Avresti potuto confessarmelo prima.

. . . .

7. Cerchiamo qualche rimedio e non pensiamo alla mia vergogna.

. . . .

8. Primo porterai il giubotto di salvataggio e non ti godrai il sole.

. . . .

9. Secondo: ti bagnerai vicino alla barca e non ti allontanerai dalla scaletta.

. . . .

10. Un dépliant pubblicitario avvertiva formalmente: «Chiunque vada al mare è invitato a iscriversi a un corso di nuoto. Non serve prendere lezioni di alpinismo.»

. . . .

11. Un vecchio signore distinto dal parlare forbito ha commentato: «Quale errore reclamizzare uno sport contro l'altro! Meglio sarebbe esaltare i pregi di tutti e due».

. . . .

O. Scegliete l'elemento opportuno.

Lucia Pozzo

Donne in mare. Le avventure di una protagonista della vela

Mursia, Milano 1996

Questo libro, di una donna che fa vela d'alto mare in competizione con i più prestigiosi velisti del mondo, ha un'interesse che va al di sopra della sola cerchia degli appassionati della vela. *Però / Infatti / In realtà* è un segno di quanto stia cambiando il costume e la condizione della donna ai giorni nostri, e di quanto questi cambiamenti incidano *del resto / dunque / anche* nel mestiere dell'andare per mare, che fin dalla notte del tempi è stato considerato un campo riservato esclusivamente ai maschi.

Lucia Pozzo si considera, e lo è *in effetti / a tutti gli effetti / infatti*, un marinaio di prim'ordine. *Insomma / E / Eppure* ha scritto questo libro per rivendicarlo in faccia al mondo. È insofferente nei confronti del femminismo (o di ciò che considera tale), *d'altro lato / ma / perciò* organizza, comanda e naviga sui mari del mondo con equipaggi, in genere tutti femminili.

Ammette di non essere una brava scrittrice (il libro *anche / in effetti / anzi* sembra talvolta il diario di una divertente gita scolastica). Nasconde sentimenti e indignazioni sotto il linguaggio spiccio di chi vuole andare subito al sodo. *Dunque / Però / Insomma* non se ne preoccupa più di tanto. E *d'altronde / invece / ma* un po' più di lavoro artigiano di scrittura, avrebbe maggiormente giovato alla sua causa.

P. Completate con le frasi suggerite.

a. mentre io avrei preferito restare nel porto
b. invece di puntare su Corfù
c. anziché morire di paura
d. anziché restare sulla barca
e. mentre invece avrebbe dovuto esserci un po' di preoccupazione
f. invece di essere elettrizzato
g. invece di riposare
h. anziché continuare sulla rotta prevista

1. La scorsa estate, attraversando l'Adriatico dall'Italia alla Grecia, il vento sfavorevole e il mare mosso ci hanno fatto uscire dalla rotta prevista e ci hanno portato in Albania, ...
2. Quando abbiamo avvistato le coste albanesi, a bordo c'era grande eccitazione, ...
3. Abbiamo dovuto chiedere alle autorità di un porto che ci facessero ormeggiare, ...
4. Il giorno dopo, il nostro capitano ha deciso di affrontare il mare per riprendere la rotta, ...
5. Il vento di 30 nodi soffiando a poppa ci ha fatto toccare anche gli 11 nodi di velocità, e filando sulla cresta delle onde, ... ci siamo divertiti moltissimo.

6. Ad essere onesti, ... c'era chi in coperta raccomandava l'anima a Dio.
7. Arrivati in porto a Corfù, ubriachi di stanchezza e di emozione, ... , ci siamo dati da fare per riparare la vela che il vento aveva strappato.
8. . . . . , c'era chi ha preferito scendere e brindare al pericolo scampato in una taverna.

Q. Legate le frasi in modo che il testo scorra piacevolmente, apportando tutti i cambiamenti che ritenete opportuni.

I grandi velieri:
parte da Genova la regata storica

La nave scuola Amerigo Vespucci

GENOVA – Ci vorrebbe la penna di Joseph Conrad o di Herman Melville.
Queste giornate genovesi sarebbero raccontate degnamente.
Sessanta velieri sono arrivati da tutto il mondo.
Si sono dati appuntamento sotto la Lanterna.
Hanno creato una magica atmosfera.
L'atmosfera riporta al periodo eroico della marineria.

Partecipano alla *1996 Cutty Sark Tall Ship's Race in the Mediterranean.*
Così si chiama la manifestazione.
L'ha voluta lo Yacht Club Italiano e la Marina Militare.
Sono intervenuti direttamente anche il presidente della Repubblica Scalfaro e il re Juan Carlos di Spagna.

I velieri lasceranno il porto ligure domani mattina.
Navigheranno fino a Palma di Maiorca.
L'arrivo è previsto per il 21 luglio.
Tre giorni dopo abbandoneranno le Baleari.
Faranno rotta su Napoli.
A Napoli sosteranno dal 31 luglio al 4 agosto.

I circa mille marinai presenti si impegneranno ogni pomeriggio sui moli in antiche e nuove competizioni.
Metà di questi per regolamento devono essere ragazzi e ragazze tra i 13 e i 25 anni.

Tra le navi scuola presenti a Genova ci sono delle celebrità.
Tra queste i due tre alberi della nostra marina.
Si chiamano Amerigo Vespucci, di 104 metri di lunghezza, e Palinuro, di 60.

R. A proposito di acqua.

i. Completate scegliendo l'aggettivo adatto.

acquatico – acqueo – acquoso – idrico

1. Questo brodino è piuttosto . . . . Avresti dovuto metterci più dado e un pizzico di salsa di soia.
2. Le balene sono animali . . . . nonostante siano mammiferi.
3. L'assetto . . . . dell'intera Valpadana andrebbe sistemato per evitare che si verifichino nuove catastrofi ogni volta che piove per qualche giorno di fila.
4. Con la bollitura il liquido . . . . si trasforma in vapore . . . .

ii. Abbinate opportunamente gli elementi delle due colonne, poi formate delle frasi usando le espressioni figurate.

1.	essere un'acqua cheta	a.	trovarsi a disagio
2.	avere l'acqua alla gola	b.	perdersi in una difficoltà irrilevante
3.	affogare in un bicchier d'acqua	c.	dire qualcosa di ovvio
4.	navigare in cattive acque	d.	compiere un tentativo inconcludente
5.	essere un pesce fuor d'acqua	e.	essere una persona innocua
6.	scoprire l'acqua calda	f.	tentare di placare passioni e rancori
7.	fare un buco nell'acqua	g.	essere in difficoltà
8.	buttare acqua sul fuoco	h.	essere incalzato da impegni urgenti

iii. Indicate a quale campo semantico appartengono le seguenti opposizioni abbinando opportunamente gli elementi delle due colonne.

1.	acqua dolce – acqua salata	a.	coste e maree
2.	acque bianche – acque nere	b.	urbanistica e rete fognaria
3.	acqua naturale – acqua gassata	c.	ambiente per esseri animali e vegetali
4.	acqua alta – acqua bassa	d.	bevande

S. L'associazione-scuola "Vivere la Vela" organizza un circuito di regate amichevoli aperto a tutti (anche agli inesperti). Chiunque può iscriversi con la propria barca o con quelle della scuola. Scrivete una lettera di presentazione dimostrando il vostro interesse alla formazione di un equipaggio.

T. Discutete.

- La vela come altri sport e attività che hanno come teatro d'azione la natura e i suoi elementi, presenta fattori di rischio che ripropongono continuamente il tema della sicurezza. Crediamo nella necessità di rilanciare l'argomento per restituirgli il valore e l'attenzione che merita.

- «Non amo il mare, anzi l'ho assolutamente in uggia [...] Detesto i bagni di mare; penso che colui che coniò l'espressione "bagni penali" sapeva quel che diceva. Tuttavia naturalmente liberale, come l'imperatore Tito, mio modello e consigliere, mi compiaccio che folle si immergano nel buon mare inquinato, che godano sole e sabbia e bambini chiassosamente infelici».

Giorgio Manganelli, *Improvvisi per macchina da scrivere*
Leonardo, Milano 1989

- Sport di squadra e sport solitario.

- I costi dello sport: non solo degli attrezzi ma anche dell'abbigliamento.

- Ormai lo sport con le Olimpiadi non c'entra niente altro, o quasi, che come semplice pretesto.

- Lo sport agonistico si allontana sempre di più dalla vita di ogni giorno. Quando non si possono – come con lo sci o il motociclismo – tecnicizzare le attrezzature e l'abbigliamento, si tecnicizzano i corpi degli atleti, costruendoli artificialmente con ormoni, stimolanti e anabolizzanti – come nella ginnastica o l'atletica leggera.

- È ancora possibile recuperare oggi i valori etici e i tratti stilistici all'insegna del 'disinteresse' tipici dell'ideologia del 'gentleman' con la quale lo sport aveva visto la luce all'inizio di questo secolo? O è inevitabile che rimanga dominato da pulsioni moralmente neutre, tipiche delle mobilitazioni di massa contemporanee?

Drammatici o melodrammatici?

Una scena da *L'occasione fa il ladro* di Gioachino Rossini
Pesaro, agosto 1996

Gli italiani e l'opera

«Tutto il mondo è burla»

Andiamo all'opera. Andiamo a vedere (e a sentire) il *Falstaff* che Giuseppe Verdi compose nel 1893, ispirandosi a Shakespeare, su libretto di Arrigo Boito. Arriviamo al terzo ed ultimo atto. Ascoltiamo le parole finali:

Tutto nel mondo è burla.
L'uomo è nato burlone,
la fede in cor gli ciurla,
gli ciurla la ragione.
Tutti gabbati! Irride
l'un l'altro ogni mortal.
Ma ride ben chi ride
la risata final.

Tutto nel mondo è burla? Tutto, nel mondo dell'Opera è esagerazione, esasperazione, iperbole. Forse anche burla? Dell'Opera lirica è stata data anche questa definizione: è quel genere letterario nel quale se un personaggio viene pugnalato alla schiena, non cade a terra ma si mette a cantare a voce spiegata.

Qui si è in presenza di qualcosa di singolare. La società europea dell'Ottocento si esprime – esprime i suoi sogni, i suoi sentimenti, le sue paure – soprattutto attraverso il romanzo. La società italiana dello stesso periodo esprime le sue angosce e le sue palpitazioni soprattutto attraverso l'Opera. [...]

Canta benissimo, la nostra Opera lirica su questo non c'è dubbio. Fa sentire bellissime le voci. Fa anche le veci del romanzo. Per esempio, non ci sono donne vere nel romanzo italiano dell'Ottocento. Come ci sono in Stendhal (la Sanseverina della *Certosa di Parma*: l'unica donna italiana vera nel romanzo dell'Ottocento, diceva Italo Calvino), in Balzac, in Dickens, in Tolstoj e in Dostoevskij. La Lucia dei *Promessi Sposi* è poco più che una «madonnina infilzata», come è stata definita. Una donna vera, drammatica è invece la Lucia di Lamermoor di Donizetti. E di donne vere l'Opera nostra abbonda: Violetta, Tosca, Santuzza, l'Amelia del *Ballo in maschera*, la Gilda del *Rigoletto*.

Fatta l'unità d'Italia, subentra nel Paese una grande delusione, un diffuso disincanto, splendidamente descritto nella prima pagina della *Storia d'Italia* di Benedetto Croce. Tutto qui? È proprio questo che volevamo? No, «non per quest'Italia morimmo», eccetera. Dov'è il romanzo che descrive questo stato d'animo? Non c'è. C'è un'opera, il *Don Carlos* di Verdi che lo descrive benissimo. [...]

Nessuno vuol togliere alla nostra Opera nessun merito. Ma c'è qualcosa di preoccupante nel nostro deficit di immaginazione romanzesca (niente *I tre Moschettieri*, niente *I miserabili*) già lamentata dal Leopardi. E nella sua sostituzione con l'immagine operistica, che è tutt'altra cosa. Agisce in altro modo, sortisce altri effetti. Occupando da solo tutto il campo, il melodramma rischia di infettare di sé tutte le manifestazioni della vita nazionale.

«Tangentopoli è stata vissuta come un'Opera», ha dichiarato l'attore comico Paolo Rossi al "Messaggero" (18 gennaio 1994). «L'informazione italiana sembra il libretto del *Trovatore*», ha detto allo stesso giornale (9 gennaio 1994) il politologo Saverio Vertone.

Ancora: nasce un certo giorno il "western all'italiana". È fatto benissimo, sorprende. Riscuote un immediato successo. Però, osservano i critici d'oltre oceano, non ha niente a vedere né con il West, né col western. Nel vostro 'spaghetti western' le pistole sputano fuoco e fiamme, come sul palcoscenico, ma non succede niente di veramente drammatico. Muoiono in tanti, ma si ha l'impressione che dopo una pennichella si rialzeranno. Le pallottole risuonano come gli acuti del tenore risuonano sul palcoscenico. È un *operatic* western. Tanto rumore per nulla. O quasi nulla.

Non sorprende che ricorrentemente la nostra Opera venga posta sotto accusa. [...]

«I nefandi libretti d'opera... Tutto era falso, convenzionale, insopportabile». Forse non è tutto vero, non sempre. Ma il tasso di teatralità della nostra vita pubblica è sempre sul punto di varcare la soglia del rischio. Poi tutto si sgonfia, tutto si aggiusta – si sa, il Paese tiene, così universalmente si ritiene – e ci si rimette all'opera. Per mettere in piedi un'altra Opera, un altro spettacolo.

Domanda: non si potrebbero utilizzare le stesse preziose energie per organizzare qualcosa di più prosaico; e magari di altrettanto, se non più soddisfacente? Bisogna proprio stare sempre su un palcoscenico? Non se ne potrebbe qualche volta discendere per riprendere fiato?

[Nel] 1968, [...] Gianni Brera diceva ai giovani 'rivoluzionari' (numerosissimi, quell'anno): «In Italia, rivoluzionario vero è chi va in ufficio la mattina alle otto e mezzo e fa tutt'intero il suo dovere per il resto della giornata».

Voleva dire, Gianni Brera – che non era affatto un uomo meschino, né meschinamente conservatore – che un certo modo di essere «rivoluzionario» all'italiana sa molto di operistico (operatico, *operatic*) come lo spaghetti western. La buona amministrazione, la moderna efficienza, si ispiri alla prosa del mondo, al romanzo.

Naturalmente ci sono anche – e rimangono – tutte le ragioni di tutti gli appassionati dell'Opera, a cominciare da Bruno Barilli (*Il paese del melodramma*). Grande spettacolo popolare, l'Opera; grande spettacolo italiano.

Ma noi siamo ancora impressionati dalle osservazioni negative [...]. Cantiamo troppo. Sicché – e sarà pure per un riflesso condizionato – ogni volta che vediamo qualcuno emettere acuti, sul palcoscenico del teatro come su quello di Montecitorio, come su quello televisivo, ci vien fatto di chiedere: ma che cosa ha da cantare quello? Non si è accorto che ha un coltello nella schiena?

Beniamino Placido, *Eppur si muove*

Rizzoli, Milano 1995

A. Individuate nel testo i punti seguenti.

- Definizione di opera
- Personaggi favorevoli
- Personaggi contrari
- Considerazioni sui personaggi femminili dell'opera
- Considerazioni sui personaggi femminili del romanzo
- Conclusione dell'autore

B. Riempite ogni spazio vuoto con una sola parola.

La società italiana dell'800 . . . . le sue palpitazioni attraverso l'opera, mentre la società europea dello stesso . . . . esprimeva i suoi sogni, sentimenti e . . . . nel romanzo.

L'opera italiana cantava benissimo facendo sentire bellissime . . . . , e raccontando grandi . . . . Soprattutto ha presentato numerosi personaggi . . . . 'veri' con personalità ben più complesse di quelle non solo degli stessi personaggi operatici maschili, ma anche delle protagoniste dei romanzi italiani della stessa . . . .

L'immaginazione operistica . . . . quando sostituisce quella romanzesca, perché occupando tutto il campo rischia di avere . . . . dilaganti fuori dalla scena dello spettacolo.

Oggi si ha l'impressione che in politica si seguano i . . . . d'opera. Sulle . . . . conseguenze nella vita pubblica dei «nefandi» libretti – che introducono il melodramma nella realtà, ... da clamore, esagerazione e confusione convenzionalizzati – sono state presentate da più parti e in anni diversi opinioni . . . .

Alla fine, l'autore del brano . . . . che converrebbe lasciar . . . . il grande spettacolo popolare sul palcoscenico, e che fuori, invece, si lavorasse più modernamente senza troppi acuti per una efficiente amministrazione, ispirandosi piuttosto al . . . .

C. Completate.

1. Chi scrive per professione è . . . .
2. Chi scrive per il teatro è . . . .
3. Chi lo fa per i giornali è . . . .
4. Chi scrive . . . . è librettista.
5. Chi scrive romanzi è . . . .
6. Chi scrive poesie è . . . .
7. Chi scrive . . . . è paroliere.
8. Chi scrive . . . . è pubblicista.

D. Distinguete tra dramma e melodramma, incolonnando opportunamente le parole date. Se siete incerti, discutetene con i compagni di classe.

convinzione – discrezione – esagerazione – intensità – misura
moderazione – ostentazione – passionalità – pretensione
passione – sentimentalità – sentimento – serietà – teatralità – teatro

DRAMMA	MELODRAMMA
. . . .	. . . .
. . . .	. . . .
. . . .	. . . .
. . . .	. . . .
. . . .	. . . .
. . . .	. . . .
. . . .	. . . .

E. Sistemate sotto opportune testate le parole date pensando al campo semantico del mondo teatrale.

balletto – guardarobiere – lirica – loggione – palco – palcoscenico
platea – prosa – quinte – scenario – sipario – suggeritore
tecnico delle luci – truccatore – varietà

. . . .

. . . .

. . . .

. . . .

. . . .

F. Costruite delle frasi in cui risalti il valore figurato delle seguenti parole ed espressioni.

applaudire – calare il sipario – comparsa – far da spalla
palcoscenico – primadonna – sceneggiata

G. Riscrivete le espressioni in corsivo usando un verbo preceduto variatamente dagli elementi dati.

al tempo in cui – come – mentre – nel momento in cui – quando

La Traviata da Dumas a Verdi

1. La Traviata è una donna realmente esistita la cui storia fu narrata in un romanzo da Alessandro Dumas figlio, *allora un ragazzo di 28 anni.*

   . . . .

2. Questi, *durante una festa*, aveva conosciuto una delle più celebri cortigiane del tempo.

   . . . .

3. Se ne era innamorato *vedendola* ballare «alta, bellissima, i capelli scuri e la carnagione rosea e bianca».

   . . . .

4. La giovane, già malata di tubercolosi, *durante la loro relazione*, tradiva in continuazione il giovane scrittore che non poteva permetterle la lussuosa vita cui era abituata.

   . . . .

5. *Alla notizia* dell'ennesimo tradimento, la rottura fu inevitabile.

   . . . .

6. *Durante un viaggio* di Dumas all'estero, Alphonsine tornò alla sua vita di vizio e morì a Parigi nel 1847 a soli 23 anni.

   . . . .

7. *Al ritorno a casa*, Dumas fortemente scosso dalla vicenda la descrisse in un romanzo, che, pubblicato con il titolo "La signora delle camelie", ebbe uno straordinario successo di pubblico.

   . . . .

8. L'anno dopo lo scrittore ricavò dalla vicenda un dramma, che fu interpretato da grandi attrici come Sarah Bernhardt, Eleonora Duse e Greta Garbo. Risulta che Verdi lesse il romanzo *lo stesso anno della pubblicazione.*

. . . .

9. Con ogni probabilità, poi, nel febbraio 1852 *durante un lungo soggiorno* a Parigi, ebbe modo di vederne rappresentato anche il dramma.

. . . .

10. L'esperienza personale faceva di Verdi il cantore ideale di un'anima femminile offesa dalla vita e dalle regole di una morale ipocrita ed impietosa. Egli infatti *durante la composizione* della "La Traviata" era pesantemente criticato dai contemporanei benpensanti perché viveva con Giuseppina Strepponi senza che fossero sposati.

. . . .

H. Sistemate i verbi.

1. Leggerò il libretto, mentre (suonare) . . . . il disco della Traviata.
2. Il sipario si apre mentre l'orchestra (suonare) . . . . un allegro brillante e vivace che sottolinea l'atmosfera festosa in casa di Violetta.
3. Violetta, malata di tubercolosi, è animata da una sfrenata gioia di vivere per dimenticare la malattia in un'epoca in cui molta gente (morire) . . . . frequentemente dello stesso male.
4. Alcuni amici andarono a trovare Violetta nella sua casa di Parigi quando fuori la notte (essere) . . . . piuttosto fredda.
5. Nel momento in cui tutti gli ospiti (brindare) . . . . a tavola, Violetta e Alfredo si trovarono vicini.
6. Tutti poi si erano avviati verso la sala da ballo quando un malore improvviso (cogliere) . . . . Violetta.
7. Ripresasi, quando Alfredo le (confessare) . . . . il suo amore, Violetta ascoltava incredula.
8. Mentre Alfredo (stare) . . . . per uscire, Violetta gli offre una camelia, il suo fiore preferito, e lo invita a tornare quando il fiore (appassire) . . . .
9. Il telefono s'è messo a squillare insistentemente proprio mentre Alfredo (attaccare) . . . . la melodia "Di quell'amor", ma per fortuna ha smesso non appena (io/alzare) . . . . il ricevitore.

I. Collegate le seguenti frasi usando – opportunamente ma anche variatamente – il gerundio o l'infinito preceduto dalla corretta preposizione semplice o articolata.

Esempi: La gente passeggiava al sole. La gente si godeva una giornata primaverile.
Passeggiando al sole, la gente si godeva una giornata primaverile.
Alcuni vedono dei musicisti. Pensano di sedersi ad ascoltarli.
Nel vedere dei musicisti, alcuni pensano di sedersi ad ascoltarli.

1. Due giovani musicisti suonavano i loro strumenti. Pensavano di raccogliere dei soldi.

. . . .

2. Vicino a loro, una ragazza si preparava a cantare. Leggeva da uno spartito.

. . . .

3. La ragazza ha approfittato di una pausa degli altri. Ha cominciato a cantare.

. . . .

4. Noi abbiamo visto la scena. Ci aspettavamo una discussione.

. . . .

5. I ragazzi hanno sentito le prime note. Hanno deciso di accompagnare la cantante.

. . . .

6. Un signore seguiva l'improvvisato trio. Esprimeva ad alta voce il suo entusiasmo.

. . . .

7. Altri li ascoltavano suonare. Tacevano stupiti.

. . . .

8. I musicanti hanno percepito il piacere del pubblico. Hanno improvvisato un vero e proprio concerto.

. . . .

9. Stamattina voi passavate da quelle parti. Non avete sentito della musica?

. . . .

10. Tornerò ai giardini domani. Voglio vedere se ci sono delle repliche straordinarie.

. . . .

L. Collegate le seguenti frasi usando variatamente gli elementi dati e, quando possibile, variatamente anche l'indicativo e il congiuntivo.

finché (non) – fino a quando (non) – fino al momento in cui (non)

Esempi: I veneziani andavano assidui alla Fenice. Poi nel 1996 un incendio l'ha distrutto.
I veneziani andavano assidui alla Fenice finché nel 1996 un incendio non l'ha distrutto.

Non ci saranno spettacoli. Poi il restauro finirà.
Non ci saranno spettacoli finché non finirà / sarà finito il restauro.
Non ci saranno spettacoli fino a quando non finisce / sia finito il restauro.

L'uccello e le ceneri, il teatro e gli incendi

Il prospetto della facciata originale del famoso teatro La Fenice

L'incendio che distrusse La Fenice nel 1836 in una litografia di Pividor

1. Le fiamme, divampate sopra l'ingresso principale, si sono propagate verso la platea. Poi il custode ha lanciato l'allarme.

   . . . .

2. I vigili del fuoco hanno lavorato intensamente per alcune ore sperando di domare le fiamme. Ma poi è crollato il tetto sopra la platea, i palchi e il palcoscenico.

   . . . .

3. Gli abitanti della zona guardavano allarmati. Poi sono stati evacuati dalle loro case.

   . . . .

4. Non tutto è andato perduto nel rogo. Manoscritti di Rossini, lettere di Verdi, costumi e spartiti venivano conservati alla Fenice. Poi per fortuna tempo fa erano stati trasferiti altrove.

   . . . .

5. Già nel 1836 La Fenice era andata in cenere. Il fuoco aveva divorato silenziosamente scena e platea per alcune ore. Poi qualcuno si accorse dell'incendio.

   . . . .

6. Il teatro rimase inagibile per alcuni mesi. Poi, dopo soli sette mesi riaprì le porte con una grandiosa inaugurazione.

   . . . .

7. Per quest'ultimo incendio adesso continuano le sottoscrizioni in tutto il mondo. Saranno raccolti tutti i fondi necessari alla ricostruzione.

   . . . .

8. Comunque c'è chi giura che non metterà piede alla Fenice. Gli esperti garantiranno la sicurezza.

   . . . .

9. «Adesso resteremo in casa. Ci consegneranno sicuramente un teatro nuovo e sicuro».

   . . . .

10. I veneziani rimarranno senza lirica. Ma senza dubbio il mitico uccello rosso e oro, simbolo del teatro, tornerà presto sulla laguna.

    . . . .

M. Prima leggete il brano, poi stabilite il significato di *finché* nelle frasi che seguono.

Esempi: *Il tenore ha cantato finché (non) ha perso la voce.* = *fino al momento in cui*
Il tenore ha cantato finché ha avuto voce. = *per tutto il tempo che*

Il tenore Aristofane Lanciadoro

«Lei deve sapere che la natura mi ha dotato di una voce meravigliosa, ma troppo forte. Un giorno, potevo avere dieci anni, mi spaventai alla vista di uno scorpione e gridai: "Mamma!" Signore, in quel preciso istante la nostra casetta scoppiò come un mortaretto, e solo per un miracolo mia madre poté essere estratta dalle macerie.

[...] A quindici anni cominciai lo studio del canto. Il primo giorno i miei acuti fracassarono il pianoforte del mio maestro e tutti i vetri della contrada. Il secondo giorno intervennero le autorità. Studiavo a Pisa, signore. Pare che la potenza della mia voce avesse inferto una pericolosa inclinazione alla famosa torre, già di per se stessa pendente. Insomma, se non volevo privare la Toscana e l'Italia di uno dei loro monumenti più insigni, dovevo allontanarmi, o promettere di cantare con un fazzoletto in bocca.

[...] Adottando infinite cautele – egli proseguì – riuscii a cantare alla Scala di Milano. Una sola volta, però. E per pochissimi minuti. Conosce il Rigoletto di Giuseppe Verdi? Facevo la parte del Duca di Mantova. Quando attaccai la famosissima aria che fa: "La donna è mobile qual piuma al vento..." si udì un sinistro scricchiolio.»

«Crollavano i palchi?»

«No, signore. Avevo avuto la precauzione di mandare la voce in direzione di una finestra aperta. Risultato: tredici guglie del Duomo incrinate. I milanesi volevano lapidarmi sulla pubblica piazza. Poi, venne la grande idea: dovevo cantare all'aperto, in un luogo abbastanza ampio, dove la mia voce potesse espandersi senza pericoli. L'Arena, signore. L'Arena di Verona».

Gianni Rodari, *Il libro degli errori*

Einaudi, Torino 1964

1. Aristofane non aveva notato la potenza straordinaria della sua voce finché non vide uno scorpione.

   . . . .

2. Sua madre era rimasta sepolta dalle macerie della casa distrutta da un suo grido, finché il Pronto Intervento non l'aveva salvata in extremis.

   . . . .

3. Gli abitanti della contrada vivevano felicemente finché Aristofane non cominciò a prendere lezioni di canto.

   . . . .

4. Finché ha studiato a Pisa, la torre pendente era in serio pericolo.

   . . . .

5. Finché il maestro ha dato lezioni a Aristofane, doveva continuamente riparare stoviglie, vetri e finestre, per non parlare del pianoforte.

   . . . .

6. Finché ha abitato in Toscana, ha cantato con un fazzoletto in bocca.

   . . . .

7. Tutti vivevano sotto l'incubo delle sue rappresentazioni, finché non gli hanno fatto solennemente promettere che avrebbe lanciato acuti solo all'aria aperta.

   . . . .

8. Durante la rappresentazione dell'Aida all'Arena di Verona, il tenore mandava la sua voce in direzione delle stelle, sicuro di non causare danno alle persone e alle cose, finché non si udì lontano un boato.

   . . . .

N. Inserite le congiunzioni o preposizioni temporali appropriate.

Bohème, cent'anni di sospiri

1. . . . . . . il 1 febbraio 1996 Torino ha festeggiato l'anniversario del primo debutto della Bohème, il calendario delle manifestazioni è stato ricchissimo: opera al Teatro Regio, convegno, mostre, ecc.
2. Si è voluta celebrare con grandi spiegamenti di forze la ricorrenza della prima assoluta del 1896 . . . . . . Mimì aveva esordito . . . . . . Puccini stesso assisteva in sala e Toscanini dirigeva sul podio.
3. Allora – come oggi, come sempre – . . . . . . il pubblico aspettava impaziente, il sipario si aprì su una misera soffitta.
4. Il pittore Marcello lavora a un quadro . . . . . . il suo amico Rodolfo guarda pensierosamente fuori dalla finestra. Sono senza denaro, hanno fame, nella soffitta fa freddo e per scaldarsi bruciano il manoscritto di un romanzo di Rodolfo, poeta senza fortuna.
5. Poi entrano in scena due amici, con legna, viveri e denaro. Tutti insieme cominciano a preparare da mangiare, ma . . . . . . la cena si presenta il padrone di casa che riescono a congedare senza pagargli l'affitto.

Mirella Freni e Francisco Araiza nell'edizione di "Bohème" diretta da Daniel Oren presentata all'Opera di Roma nel 1992

Corriere della Sera, 19/1/96

6. Poco dopo Rodolfo resta solo in soffitta, perché deve finire un articolo. . . . . . . scrive, sente bussare alla porta: è una sua vicina, Mimì, fioraia, alla quale, ... saliva le scale, si è spento il lume. Rodolfo glielo riaccende, e poiché le è anche caduta la chiave l'aiuta a cercarla. Le loro mani si incontrano ...
7. Chi non si è mai commosso . . . . . . il duetto d'amore della "Gelida manina"?

O. Inserite le espressioni temporali scegliendo variatamente tra le seguenti.

da allora che – dacché – dal giorno/ora/istante che – dal momento in cui
da quando – dal tempo in cui

Ancora Mimì che compie un secolo

1. Luciano Pavarotti e Mirella Freni sono stati i protagonisti della "Bohème" riproposta al Regio di Torino, a un secolo esatto da quando . . . . . . aveva debuttato. Il luogo

fisico è lo stesso ma non il teatro, perché quello in cui andò in scena allora ha subito radicali restauri . . . . fu distrutto in un incendio nel 1937.

2. Pavarotti ha parlato del suo legame con la "Bohème": «Ho esordito nel 1961 a Reggio Emilia proprio nel ruolo di Rodolfo, e quella sera ho capito che potevo fare il tenore invece che il maestro elementare. Ecco è . . . . Rodolfo è un po' il mio primo amore, e "Bohème" il mio portafortuna».
3. Stesso discorso per Mirella Freni, modenese come Pavarotti: «È un ruolo che porto in scena . . . . ho esordito, 35 anni fa, e che continua a darmi delle grandi soddisfazioni».
4. «Onorato di salire sul prestigioso podio» si è detto Daniel Oren, il direttore d'orchestra. «È una cosa che sogno . . . . ho cominciato la mia carriera e che mi dà un'emozione fortissima – ha aggiunto – perché la Bohème è un'opera che non si può eseguire male».

Luciano Pavarotti con Mirella Freni e il direttore d'orchestra Daniel Oren

Corriere della Sera, 30/1/96 (foto Ansa)

5. L'affermazione del direttore aveva subito suscitato la reazione scaramantica di Pavarotti che aveva pubblicamente toccato... ferro poiché il tenore . . . . è nato è notoriamente superstizioso.

P. Leggete e individuate le caratteristiche delle cantanti liriche del 2000, poi sistemate i verbi nelle frasi che seguono.

Le Callas del 2000

Niente capricci e attenzione alla linea

Sono asciutte, sportive, spesso molto belle. Consce del rilievo assunto dall'immagine nel nostro tempo, sanno quanto può contare per conquistare un ruolo: diffidano del prototipo della soprano-balena, statica in palcoscenico come un monumento alla voce. Nella consapevolezza dell'importanza assunta dalla regia nel teatro lirico contemporaneo, sono anche attrici smaliziate, pronte a lavorare a fondo sul personaggio. Lucide, determinate, con vocazione internazionale, musicalmente colte (non pochi divi di altre generazioni non sapevano e non sanno leggere la musica), si battono per emergere più con la testa che col cuore.

Professioniste della voce, detestano le bizze del divismo e s'amministrano con giudizio nelle scelte dei ruoli: che saranno lente, progressive, ragionate. Nessuna ha figli, la famiglia non si concilia col mestiere.

Sembrano queste le caratteristiche emergenti da un sommario identikit della cantante lirica del Duemila: Leonetta Bentivoglio su *La Repubblica* del 7 aprile 1995 ne ha scelte alcune, tutte intorno alla trentina, tutte in indiscussa, plateale espansione.

1. La giornalista dopo (scegliere) . . . . sei giovani cantanti liriche in ascesa, ha dato alcune veloci informazioni sulla loro carriera.
2. Anna Antonacci, soprano bolognese, appena (finire) . . . . gli studi in Italia, ha avuto il lancio sulla scena internazionale a Berlino e in Gran Bretagna. Dopo che il pubblico la (apprezzare) . . . . in Rossini e Monteverdi, intende dedicarsi soprattutto alla rivalutazione del repertorio barocco.
3. Monica Bacelli, mezzosoprano. Si è diplomata a Pescara dopo (frequentare) . . . . lezioni di musica a Chieti, sua città natale. Si è appassionata al mondo della lirica solamente una volta che (superare) . . . . le proprie paure. «Da bambina all'opera mi spaventava vedere quella gente urlante sulla scena». Tornerà a cantare in Italia a febbraio quando (rientrare) . . . . da una tournée all'estero.
4. Nuccia Focile, soprano, siciliana. Si è trasferita in Galles dopo (lasciare) . . . . Torino, sua città di adozione, dove è rimasta finché non (terminare) . . . . i suoi studi. È entrata nel mondo della lirica quando ormai (diplomarsi) . . . . anche in pianoforte.

Corriere della Sera, 7/4/95

5. Barbara Frittoli, soprano milanese. Dopo (studiare) . . . . pianoforte e canto al conservatorio, ha avuto il primo ruolo importante a Napoli come Mimì. Crede

che bisogni presentarsi ai direttori dopo che si (raggiungere) . . . . una preparazione perfetta.

6. Ci sono poi due soprano liriche leggere, Eva Mei, toscana, e Elizabeth Norberg–Schulz, italianissima a dispetto del nome, che condividono oltre all'amore per il canto, la passione per la natura. Come il loro calendario di impegni glielo (permettere) . . . . , si ritirano in campagna: una in Toscana e l'altra nei Castelli Romani, per ritrovare la tranquillità.

Q. Collegate le seguenti frasi, seguendo opportunamente ma variatamente i modelli degli esempi.

Esempi: Fatti i suoi studi in Italia, il giovane pianista ha debuttato in Argentina.
Dopo aver fatto i suoi studi in Italia, il giovane pianista ha debuttato in Argentina.
Una volta fatti i suoi studi in Italia, il giovane pianista ha debuttato in Argentina.

Arrivata in Argentina, si è innamorata di un direttore d'orchestra.
Non appena è arrivata in Argentina, si è innamorata di un direttore d'orchestra.

1. Siamo arrivati a questo punto. Mi sapete dire quali sono i modi migliori per prepararsi all'opera?

. . . .

2. Ho letto un'intervista con una cantante di talento. Vi racconto il suo punto di vista.

. . . .

3. Gli aspiranti cantanti oggi studiano con attenzione e disciplina. Poi si fanno apprezzare dai direttori.

. . . .

4. Ho studiato il piano per anni. Ho scoperto tardi l'amore per la lirica.

. . . .

5. Verdi aveva scritto la "Traviata". La fece rappresentare alla Fenice a Venezia.

. . . .

6. I veneziani accorsero a teatro. Non apprezzarono affatto il dramma.

. . . .

7. Superò la delusione per il fiasco della prima. Il compositore la ripropose con successo in un altro teatro.

. . . .

8. Pavarotti rientrerà in Italia. Darà uno spettacolo di beneficienza?

. . . .

9. Fortunatamente ha finito il conservatorio. È stato selezionato per un concorso.

. . . .

10. Siamo andati al botteghino all'ultimo momento. Abbiamo trovato dei posti in platea a prezzi ridotti.

. . . .

R. Collegate i due eventi usando opportunamente *prima che* oppure *prima di*.

Esempi: Prima il tenore ha intonato l'aria. Poi è entrato in scena.
Il tenore ha intonato l'aria prima di entrare in scena.
Prima il pubblico ha applaudito. Poi il tenore ha finito l'aria.
Il pubblico ha applaudito prima che il tenore finisse l'aria.

All'Arena di Verona

Uno dei maggiori anfiteatri romani superstiti, l'Arena di Verona fu eretta nel sec. I d.C. Di forma ellittica, (m 44.43 x 73,58), con una cavea di 44 gradini, è capace di accomodare 22 mila spettatori. Nei mesi di luglio e agosto vi si danno grandiosi spettacoli lirici.

1. Prima volevo che il mio amico olandese vedesse assolutamente l'Aida. Poi poteva ripartire per Amsterdam.

. . . .

2. Visto l'enorme successo della stagione lirica veronese, prima ci siamo procurati il biglietto. Poi siamo partiti per Verona.

. . . .

3. Prima abbiamo mangiato una pizza in Piazza Bra. Poi è iniziato lo spettacolo.

. . . .

4. Siccome le gradinate di marmo sono molto dure, abbiamo noleggiato due cuscini (non erano affatto ben imbottiti). Poi siamo entrati.

. . . .

5. Ci siamo seduti. Dopo cinque minuti è iniziata la musica.

. . . .

6. Dovevamo trovare con calma la posizione del corpo più adatta a ricevere le straordinarie emozioni musicali e sceniche. Poi s'è scatenato il coro e sono entrati i protagonisti.

. . . .

7. Man mano che diventava buio si accendevano le candeline degli spettatori. Erano tutte accese. Poi è iniziato il secondo atto.

. . . .

8. Ho detto al mio amico: «Ascoltiamo l'intero lavoro. Poi lo commenteremo».

. . . .

9. «Sì, certo. Anzi, prima usciamo, sgranchiamoci le gambe e riposiamoci il posteriore. Poi ne discuteremo».

. . . .

10. In effetti ne abbiamo discusso a lungo, poi nelle prime ore del mattino il treno ci ha riportati a Milano.

. . . .

S. Completate le frasi contrapponendo le posizioni di due impresari.

Esempio: Lanciadoro può cantare quando vuole.
No, Lanciadoro non canterà finché non abbia preso ogni precauzione di sicurezza.
No, Lanciadoro non canterà finché non prenderà ogni precauzione di sicurezza.
No, Lanciadoro non canterà finché non avrà preso ogni precauzione di sicurezza.

1. Il pubblico può accomodarsi in teatro prima che tutto sia pronto.
   No, il pubblico non può accomodarsi finché le maschere non (indicare) . . . . i posti.
2. L'orchestra suonerà prima che il direttore salga sul podio.
   No, l'orchestra non comincia finché il direttore non (salire) . . . . sul podio.
3. La recita potrà avere inizio prima che arrivino gli ultimi ritardatari.
   No, la recita non avrà inizio finché gli ultimi ritardatari non (sedersi) . . . .
4. Gli spettatori in ritardo entrano prima che sia finita la prima scena.
   No, gli spettatori in ritardo non entreranno finché il primo intervallo non (avere) . . . . inizio.
5. Lo spettacolo comincerà prima che le luci siano spente.
   Assolutamente no. Non può cominciare finché il tecnico non (spegnere) . . . . le luci.
6. La gente può cominciare ad uscire prima che il sipario sia calato.
   No, la gente non potrà andarsene finché lo spettacolo non (terminare) . . . .
7. Gli artisti ritorneranno sulla scena prima che gli applausi li abbiano chiamati.
   Gli artisti non torneranno sulla scena finché gli applausi li (chiamare) . . . .
8. La tournée finirà prima che la compagnia abbia dato l'ultima replica.
   No, non può terminare finché la compagnia non (dare) . . . . l'ultima replica.

T. Distinguete tra un significato condizionale (Cond) e uno fattuale (Fatt), e tra uno stile più elevato (Elev) e uno più colloquiale (Coll).

1. a. Finito lo spettacolo, andrei a complimentare i protagonisti, quando trovassi eccezionale la loro interpretazione. . . .
   b. Finito lo spettacolo, vado a complimentare i protagonisti quando trovo eccezionale la loro interpretazione. . . .
2. a. Spesso davanti ai camerini i fans aspettano finché il loro beniamino non ha dato loro l'autografo. . . .
   b. Spesso davanti ai camerini i fans aspettano finché il loro beniamino non abbia dato loro l'autografo. . . .
3. a. Il tenore è molto gentile; figuratevi che a Roma si rifiutava di andarsene finché non aveva salutato tutti i fans. . . .
   b. Il tenore è molto gentile; figuratevi che a Roma si rifiutava di andarsene finché non avesse salutato tutti i suoi fans. . . .
4. a. Il soprano è estremamente superstiziosa; quando vedesse un vestito viola, si metterebbe a tremare. Non andate nel suo camerino con delle violette. . . .
   b. Il soprano è estremamente superstiziosa; quando vede un vestito viola, si mette a tremare. Non andate nel suo camerino con delle violette. . . .

5. a. Oggi abbiamo visto l'opera dal loggione, ma non appena guadagnassimo di più però prenderemmo palco. . . .
   b. Oggi abbiamo visto l'opera dal loggione, ma non appena guadagnamo di più però prendiamo un palco. . . .
6. a. Oggi la recita è stata un fiasco. Non perdoneremo questa figuraccia finché il nostro idolo non avrà promesso di dare del suo meglio al pubblico. . . .
   b. Oggi la recita è stata un fiasco. Non perdoneremo questa figuraccia finché il nostro idolo non abbia promesso di darci del suo meglio. . . .
7. a. Il giorno in cui Lei venisse meno alle sue promesse, sarebbe per noi una grossa delusione. . . .
   b. Il giorno in cui Lei verrà meno alle sue promesse, sarà per noi una grossa delusione. . . .
8. a. Non appena Lei abbandonasse la carriera, cosa Le piacerebbe fare? . . .
   b. Non appena Lei abbandonerà la carriera, cosa Le piacerebbe fare? . . .

U. Se non la conoscete già, cercate la storia di una delle seguenti opere e raccontatela.

- Lucia di Lamermoor (Donizetti)
- Tosca (Puccini)
- Cavalleria Rusticana (Mascagni)
- Rigoletto (Verdi)
- Il ballo in Maschera (Verdi)
- Falstaff (Verdi)

V. Discutete.

- Musica rock o silenzio?
- Musical o opera?
- Canzonette moderne o madrigali antichi?
- Potente tamburo o dolce violino?
  L'eccessivo costo dei CD provoca l'invasione di copie pirata sul mercato.

Z. Commentate pensando alla situazione musicale nel vostro paese.

-

«Aida? L'ha scritta Beethoven»

Sondaggio: un popolo di ignoranti in musica
E sotto la doccia Battisti batte Verdi

Chi ha scritto quell'opera?

L'AIDA	Beethoven	52%	Verdi	31%	Rossini	8%
LA TRAVIATA	Verdi	48%	Rossini	38%	Bellini	11%
LA CARMEN	Verdi	54%	Non so	35%		
IL BARBIERE DI SIVIGLIA	Rossini	59%	Mozart	29%	Verdi	12%

Corriere della Sera, 24 ottobre 1996

- Parlate di musica con gli italiani e vi sparano il nome di Beethoven: non solo per la nona e la quinta sinfonia, vivaddio, ma perfino per l'Aida. Sempre in ambito operistico scopriamo che nella terra del belcanto, Verdi viene risarcito come autore della "Carmen".

- Sotto la doccia il 14 per cento degli intervistati canta "Acqua azzurra acqua chiara" di Lucio Battisti. E "Volare" di Modugno è il motivo preferito dal 10 per cento.

- Gli intervistati amano in effetti più la musica leggera, ascoltata alla radio, come sottofondo. Insomma gli italiani consumano musica, ma non la ascoltano veramente. Un ascolto passivo, dunque.

- Tra gli strumenti che si vorrebbero suonare dominano pianoforte e chitarra: il primo da pensare a esibizioni da salotto buono, la seconda evoca notti di luna e di vacanza passate a stonare a squarciagola.

- 

  «Inutile scandalizzarsi – dice Dario Fo – l'Italia sarà anche il paese del belcanto, ma la maggioranza degli italiani è stonata. Colpevole in primo luogo la scuola, latitante su ogni educazione musicale, ma anche i teatri che hanno alimentato un clima elitario attorno a spettacoli 'popolari'. Perché questo era il destino del melodramma: attrarre con grandi sentimenti e musiche travolgenti anche il pubblico meno sofisticato».

12

Roma oggi

Giovani seduti sulla famosa scalinata

Il bivacco a Trinità de' Monti

Li dimostra tutti i suoi 270 anni, ma non è colpa sua. Ha resistito bene all'usura dei primi secoli di vita, ma adesso non ce la fa più a respingere gli assalti dei teppisti, dei vandali, dei maleducati che ogni giorno la sporcano e la usano.

Nel Settecento e nell'Ottocento, in fin dei conti, se l'era cavata senza grossi danni. Siamo noi postmoderni a infliggerle colpi pericolosi, proprio noi uomini e donne del Duemila, che ci riempiamo la bocca con i valori dell'arte e della cultura.

Così va il mondo. Sulla scalinata di Trinità de' Monti sono passati non solo poeti e uomini di stato, musicisti e generali, ma anche giovinastri e bravacci, manigoldi e ignoranti di ogni risma e nazionalità. Tuttavia, le conseguenze non sono mai state così gravi come ora che sui gradini consumati dell'antico travertino bivaccano centinaia di ragazzi, che bevono Coca-cola, masticano gomma americana, fumano spinelli e lasciano dietro di sé cartacce, cicche, lattine, bottiglie e ogni genere di immondizia.

Per la Giunta comunale è tempo di agire, in collaborazione con la questura, in difesa di uno dei monumenti più celebrati della città. Se non si vuole che, sotto l'obbiettivo delle cineprese dei turisti, vada definitivamente in malora.

Si possono escogitare tanti modi, se si vuole intervenire. Si potrebbero installare pannelli per ricordare le caratteristiche della scalinata, le liriche, le prose famose, le lettere nelle quali è stata lodata. Ci si potrebbe scrivere: di quegli ottantamila scudi messi a disposizione e mai spesi dal cardinale Mazzarino, che già nel Seicento voleva contribuire all'opera; dei ventimila scudi lasciati da un altro francese, il diplomatico Stefano Gueffier; del progetto firmato dall'architetto Francesco De' Sanctis, che si aggiudicò la realizzazione della scalea dopo aver vinto la concorrenza del più famoso Alessandro Specchi (autore pochi anni prima del porto di Ripetta); dell'inaugurazione nel 1726 ad opera del papa Benedetto XIII. Chissà se sarebbero più rispettosi i ragazzotti che scelgono quei gradini al posto dei banchi di scuola, se conoscessero le poesie struggenti di John Keats, il poeta inglese morto nel 1821 nella casa rossa che sporge sulla destra della scalinata?

O forse è illusorio far conto sulla conoscenza e sulla forza dell'arte e della storia, a fronte della sfrontatezza e dell'inciviltà. È probabile che solo poliziotti e carabinieri possano garantire il futuro e il decoro di quella favolosa gettata di marmo che unì piazza di Spagna con la chiesa, con l'obelisco, con la passeggiata del Pincio.

Che altro si può fare del resto contro la stupidità e il vandalismo? In che altro modo, se non con la forza della legge, si potrebbe impedire che un imbecille, nella notte di Capodanno, sbrecciasse due gradini facendo scoppiare un mortaretto? È stato l'ultimo di una serie di danni, che si sono aggiunti a quelli già provocati dall'usura.

È tempo di restaurarla, la scalinata. Certo, a parte la spesa e il reperimento del travertino, non sarà piacevole vederla chiusa per mesi e mesi. Già i lavori della Barcaccia hanno provocato polemiche, con quel recinto voluto dagli sponsor e inventato dall'architetto Portoghesi attorno alla fontana del Bernini.

Nel momento in cui ci si metterà all'opera sarà però necessario avere chiare in mente le misure successive.

Il flusso dei nullafacenti e dei visitatori non potrà essere bloccato. Conosciamo l'accusa rivolta ai costruttori della linea A della metropolitana: se non si fosse aperta quella famosa fermata in piazza di Spagna, le orde che dalla periferia sbucano nella piazza non sarebbero mai arrivate. È vero, ma al tempo d'oggi chi può bloccare le folle giovanili? Chi può impedire l'arrivo dei motorini e magari degli hippies, dei punk, di quella colorita e formicolante masnada che va a piazzarsi sui gradini. Sarebbe inutile, illogico e sbagliato. A nessuno può venire in mente di tener lontani i cittadini dai luoghi di maggior interesse e, per questo, rendere più difficile l'accesso ed eliminare i mezzi di trasporto.

Né Trinità dei Monti può essere messa sotto chiave. Quattro anni fa, l'associazione dei commercianti di via Condotti propose di installare cancellate ai piedi e alla sommità della gradinata. L'idea di Gianni Battistoni fece il giro del mondo, ma ricevette più fischi che applausi. Ricordo il commento di Alberto Moravia: «È un errore. L'accesso deve essere libero come è sempre stato, anche agli ubriachi e ai perditempo. Lo scandalo sono i carrettini dei venditori ambulanti, ma per eliminare quelli basta un vigile urbano. I commercianti si dicevano disposti a mettere insieme un miliardo per il restauro, ma volevano garanzie che i vandali sarebbero poi stati fermati. Qualcuno disse che i cancelli sarebbero stati chiusi soltanto la notte, ma prevalse il buon senso. Anche il Campidoglio non condivise il progetto.

Tutti i luoghi d'arte hanno lo stesso problema. Non si può impedire ai cittadini di darsi appuntamento in una piazza o su una scalinata. Roma ha bisogno di controlli intelligenti, meticolosi, ben visibili. Intelligenti: con le buone maniere e con una sorveglianza attenta si possono ottenere grandi risultati, multando chi sporca e bloccando chi imbratta. Meticolosi: la gente deve vivere in libertà, ma con la certezza che chi sgarra sarà 'pizzicato' (a Tokyo è così, perché da noi non si può?). Ben visibili: non servono le guardie in borghese, perché chi sa di essere osservato va altrove a fare le proprie bravate.

Nessuno chiede lo stato di polizia ma molti problemi sarebbero risolti, se chi passa col rosso al semaforo, chi sale sul bus senza biglietto, chi butta il pacchetto di sigarette dal finestrino si accorgesse che nove volte su dieci sarà fermato e multato. Anche a piazza di Spagna, la questione è tutta lì. Non danno fastidio le centinaia di ragazzi sulla scalinata. Anzi, sotto il sole e in mezzo alle azalee, sono simpatici. Purché venga loro impedito di drogarsi, di ubriacarsi e di deturpare uno dei luoghi più belli di Roma. E ai turisti sia vietato gettare fazzoletti di carta, involucri di foto o cartocci di patatine. Dunque, i commercianti offrano pure i loro soldi per il restauro, prima che i gradini vadano tutti in pezzi. [...]

Vittorio Roidi

Roma, ieri, oggi, domani, marzo 1994

A. Letto il brano, svolgete i seguenti punti.

- Informazioni sulla scalinata di Trinità de' Monti:
  - storia
  - problema presente
  - possibili soluzioni e probabili controindicazioni
  - posizione del Comune di Roma in Campidoglio
  - posizione dei commercianti della zona
- Commenti:
  - comportamenti scorretti tenuti sulla scalinata
  - opinione dell'autore dell'articolo su:
    - i venditori ambulanti
    - Tokyo
    - i tutori dell'ordine pubblico

B. Cercate nel brano tutte le parole che si riferiscono negativamente alle persone non gradite sulla scalinata, e fornite invece quelle che descrivono positivamente le persone che potrebbero essere più gradite.

Persone non gradite	Persone potenzialmente più gradite
. . . .	. . . .
. . . .	. . . .
. . . .	. . . .
. . . .	. . . .
. . . .	. . . .
. . . .	. . . .
. . . .	. . . .
. . . .	. . . .
. . . .	. . . .
. . . .	. . . .
. . . .	. . . .
. . . .	. . . .
. . . .	. . . .
. . . .	. . . .

C. Cercate nel brano le parole che si riferiscono all'immondizia, e aggiungetene di vostre.

. . . .	. . . .	. . . .
. . . .	. . . .	. . . .
. . . .	. . . .	. . . .
. . . .	. . . .	. . . .
. . . .	. . . .	. . . .

D. Fornite il titolo alle seguenti fotografie.

1

. . . .

2

. . . .

E. Cambiate l'aggettivo *vivace* scegliendo tra i sinonimi dati.

acceso – animato – brioso – esuberante – versatile

1. un colore vivace . . . .
2. un discorso vivace . . . .
3. un ragazzo vivace . . . .
4. una mente vivace . . . .
5. una polemica vivace . . . .

F. Riscrivete le seguenti frasi sostituendo le espressioni in corsivo con quelle date.

ascoltare con attenzione – silenzio! – manifestare gran soddisfazione
rimanere delusi – essere ricompensati – essere argomento risaputo
considerare di aver già acquisito qualcosa – mangiare di tutto

1. Vi racconto quello che mi è successo ieri, ma – mi raccomando – *acqua in bocca!*

   . . . .

2. Hamburger, patatine, pop corn! Bisogna ammettere che molti ragazzi al giorno d'oggi *sono proprio di bocca buona*.

   . . . .

3. Che la zona del centro sia rovinata da orde di gente maleducata è un tema *sulla bocca di tutti*.

   . . . .

4. «Ti è dispiaciuto rimandare la vacanza?» «Certo ci *avevo già fatto la bocca!*»

   . . . .

5. Mentre il sindaco parlava i cittadini assai interessati *pendevano dalla sua bocca*.

   . . . .

6. Volevo andare a teatro, ma lo spettacolo era sospeso e *sono restata a bocca asciutta.*

. . . .

7. Noi, uomini e donne del duemila *ci riempiamo la bocca* con i valori dell'arte e della cultura, ma poi che facciamo veramente?

. . . .

8. Dopo una giornata nera, Piero *si è rifatto la bocca* andando a un concerto jazz che gli è piaciuto moltissimo.

. . . .

G. Indicate quale significato, tra quelli dati, assume *pure*.

al solo fine – anche – anche se – ma – perfino – *pleonastico & rafforzativo*
prego – proprio – sebbene – ugualmente

1. I gradini sono pieni di giovani che parlano e fumano; a volte cantano pure. . . . .
2. Vediamoci in piazza alle sei. Ci verrà pure Silvio. . . . .
3. Posso dire una cosa? Di' pure! . . . .
4. I commercianti offrano pure i loro soldi per il restauro della scalinata. . . . .
5. Pur di vendere non so cosa farebbero! . . . .
6. Non mi avete chiesto aiuto. Pure, ve lo darò. . . . .
7. Un regalo, sia pure piccolo, fa sempre piacere. . . . .
8. Pur essendo romano, tifa per la Juventus. . . . .
9. Sembra strano, pure è vero. . . . .
10. È pur vero quello che dici, anche se non lo sembra. . . . .

H. Completate aggiungendo i pronomi, se necessario con le preposizioni.

1. Trinità de' Monti i suoi anni, ... dimostra tutti e non si sa difendere dai vandali . . . . . ogni giorno . . . . . sporcano e . . . . . usano.
2. Il degrado . . . . . parla l'articolo è grave; credo inoltre che di tempo . . . . . passerà ancora molto prima che possa essere superato.
3. Il giornalista sta dicendo la verità. Ascoltate . . . . . Non sempre accade che venga difeso con tanta passione lo stato . . . . . si trovano le bellezze artistiche.

4. L'articolo . . . . . ci riferiamo è stato scritto qualche anno fa, ma . . . . . è capitato tra le mani ieri.
5. Ho parlato con l'architetto e . . . . . ho detto che volevo vedere il progetto. Mi ha risposto che non . . . . . ha ancora finito, e che . . . . . ha preparato solo una sezione.
6. Ho preso in prestito la macchina fotografica di papà e . . . . . devo avere lasciata sui gradini. Vado di gran corsa a cercar . . . . . , sperando di trovar . . . . . ancora.
7. Non preoccupar . . . . . , la macchina fotografica . . . . . hai dimenticata in macchina di Gianni e Carla. Perché non . . . . . telefoni per ringraziar . . . . . Cosa . . . . . dici se . . . . . invitassimo a venire a cena da . . . . . , così . . . . . possono riportare?
8. Che sollievo . . . . . dai! Vorrei proprio prender . . . . . un tè. . . . . . vuoi una tazza anche . . . . . ? Sì, beviamo . . . . . magari con un dolce. Il locale più famoso . . . . . possiamo andare è ai piedi della scalinata sulla sinistra guardando in su.

I. Riscrivete le seguenti frasi usando variatamente le congiunzioni date.

anche se – benché – con tutto che – malgrado – nonostante
per quanto – pure – sebbene

Esempio: La scalinata di piazza di Spagna è troppo affollata, ma è sempre suggestiva.
Malgrado la scalinata sia troppo affollata, è sempre suggestiva.

1. Avevamo la piantina della città, ma ci siamo persi nelle stradine del centro storico.

. . . .

2. Il cielo era nuvoloso; però ho voluto fotografare ugualmente la suggestiva panoramica della piazza.

. . . .

3. In centro c'è il divieto di circolazione, ma ci sono sempre tante macchine.

. . . .

4. Io mi sforzo di controllarmi, ma la confusione mi fa perdere la testa.

. . . .

5. Il natale era ancora ben lontano, ma un gran via vai di persone già animava i negozi e i bar.

. . . .

6. Era una normale giornata di scuola, tuttavia molti ragazzi occupavano i gradini di marmo.

. . . .

7. Un ragazzo mi ha chiesto i soldi per le sigarette, ma era ben vestito.

. . . .

8. L'ho invitato a rivolgersi a qualcun altro, però l'avevo sempre tra i piedi.

. . . .

9. Alcuni lampioni sono ricoperti di graffiti, ma c'è il divieto di imbrattare gli oggetti.

. . . .

10. Chiuderanno la piazza anche ai pedoni, ma ci saranno molte polemiche.

. . . .

L. Completate opportunamente con *essere* o con *fare*.

Esempi: *Per antipatico che sia, dobbiamo sopportarlo.*
Per gridare che facesse, nessuno accorreva in suo aiuto.

1. Ieri alla Tv hanno dato un vecchio film ambientato a Trinità de' Monti; per vecchio che . . . . . . non l'avevo ancora visto. Le protagoniste erano alcune giovanissime ragazze che lavoravano in una sartoria vicino a piazza di Spagna.
2. A pranzo, per brutto che . . . . . . il tempo, mangiavano sempre sedute sugli scalini, all'aperto.
3. Ogni volta raggiungevano il solito posto, per vuota che . . . . . . la scalinata.
4. Per parlare e ridere che . . . . . . , erano sempre pronte a riprendere il lavoro puntualmente.
5. Cercavano tutte un fidanzato, per giovani che . . . .
6. Lucia, per piccolina che . . . . . . , sceglieva sempre corteggiatori molto più alti di lei.
7. Elena, per brutta che . . . . . . , aveva trovato un ragioniere molto simpatico.
8. Marisa, per lavorare che . . . . . . , aveva sempre il tempo di incontrare il suo ragazzo.

M. Volgete al passato.

1. Anche se i commercianti hanno ragione a lamentarsi, non devono esagerare.

. . . .

2. A costo di rimetterci, vogliono chiudere la piazza al traffico.

. . . .

3. Pur non essendo d'accordo sulle misure proposte, capisco la loro indignazione.

. . . .

4. Benché si amino appassionatamente, gli innamorati non dovrebbero scrivere i loro sentimenti sui monumenti.

. . . .

5. Malgrado la loro squadra abbia vinto la partita, i tifosi accaniti devono trattenersi dall'esprimere il loro entusiasmo con slogan graffiti sul marmo.

. . . .

6. E i turisti? Nonostante vogliano mangiare all'aperto godendosi il cielo di Roma, potrebbero gettare lattine e cartacce negli appositi cestini.

. . . .

7. I venditori ambulanti stendono la loro merce sui gradini, benché ci siano norme che lo vietino.

. . . .

8. Sono molti gli episodi di vandalismo, sebbene da anni si cercano misure preventive.

. . . .

9. Sebbene non voglia fare gravi danni, un ragazzo non resiste alla tentazione di sparare un mortaretto.

. . . .

10. Secondo gli scettici, qualunque cosa si decida, il degrado aumenterà ugualmente.

. . . .

N. Se possibile, trasformate le frasi usando le costruzioni date.

benché + participio passato
pur + gerundio
nemmeno / neppure / neanche a + infinito

1. Benché vada al cinema raramente, ricordo che anche nel film "Vacanze romane", con Audrey Hepburn e Gregory Peck, i protagonisti si davano appuntamento a Piazza di Spagna.

. . . .

. . . .

2. La ragazza, benché fosse appena arrivata a Roma, girava per le strade con disinvoltura.

. . . .

. . . .

3. Malgrado molti ammiratori la corteggiassero, lei preferiva le attenzioni di un giornalista.

. . . .

4. Benché il giornale presso cui lavorava fosse straniero, lui abitava in Italia.

. . . .

5. Nonostante lei appartenesse a una famiglia aristocratica si comportava con estrema semplicità.

. . . .

6. Malgrado girino per la città in Vespa, i capelli della ragazza sono sempre a posto.

. . . .

7. Lei, malgrado sia innamorata di lui, preferisce lasciarlo.

. . . .

8. Non vi diciamo la fine del film anche se ci supplicate.

. . . .

O. Abbinate opportunamente gli elementi delle due serie.

Operazione pulizia muri

1. Le scritte sui muri dimostrano un'incredibile tenuta,
2. Alcuni messaggi sembrano recenti,
3. Il Comune ha deciso finalmente in questi giorni di fare pulizia,
4. Prima che scatti l'operazione pulizia, ho guardato bene tutti i graffiti che incontro durante il mio solito tragitto ufficio-casa, e ho fatto, con attenzione, un lungo inventario (abito lontano),
5. Le scritte più numerose sono le esclamazioni politiche, che reggono tuttora
6. Seguono insulti sessuali e slogan sportivi, a pari merito,
7. Poi ci sono dichiarazioni d'amore illimitato o d'odio sfrenato per la Roma o per la Lazio, promesse di assassinio per gli juventini, e annunci di stragi per i tifosi del Napoli,
8. Ho trovato patetici i testi consacrati agli amori,
9. Mi domando se il ragazzo che, in via Flaminia, giura infinito amore a Michela non abbia già cambiato parere,
10. "Be happy!" invita un sereno messaggio sui muri della borgata di periferia,

a. pur avendo discusso per anni sulle misure da prendere.
b. nonostante chi abita là sia romano di Roma, polacco o nigeriano.
c. anche se esposte alle intemperie, alcune da molto tempo.
d. malgrado la sua solenne, appassionata dichiarazione.
e. nonostante questi ultimi siano scritti a caratteri molto più grandi.
f. benché siano stati scritti ormai da più di dieci anni.
g. per quanto siano gli arbitri a meritare le sorti peggiori.
h. sebbene siano rivolte a personalità ormai uscite di scena.
i. benché sia un tipo molto sentimentale.
l. nonostante deplori vivamente gli anonimi autori.

P. Se per un momento vi lasciaste andare... che graffito/i scrivereste?

- Con la bomboletta spray sul muro sotto casa del vostro ragazzo, o della vostra ragazza
- Con un chiodo sul banco della scuola o dell'università
- Con la penna nei gabinetti della stazione Termini di Roma

Q. Discutete.

- I bambini e i giovani: convincerli con le buone o con le cattive?
- Chiusura del centro storico a *tutto* il traffico motorizzato: il punto di vista
  - dei commercianti
  - dei residenti
  - dei turisti
  - degli albergatori
  - dei pendolari che ci lavorano
  - dei posteggiatori, ecc.
- Abitare in pieno centro o nel verde della periferia?
- Città o campagna?
- Restauro e mantenimento dei monumenti: soldi pubblici o privati?

R. Rispondete alla seguente lettera.

Pagare il biglietto in chiesa

Il problema del biglietto da pagare in chiesa è molto serio e per niente banale (Corriere della Sera, 25 settembre). Nelle chiese d'arte entrano infatti due categorie ben distinte: i devoti credenti che si recano a pregare e non a passeggiare o a far chiacchiere; e i turisti con abiti e comportamenti che mai si permetterebbero in una moschea, dove i guardiani fanno piuttosto paura e la religione appare più riverita. Ora spesso i turisti disturbano molto le funzioni; e usufruiscono gratis di un bene o servizio che andrebbe pagato, come il bus e la colazione e le varie prestazioni di agenzia che fanno parte del programma del tour. Anzi spesso la visita alla cattedrale illustre è uno dei 'numeri' principali. E sfrutta beni artistici sempre bisognosi di fondi per la manutenzione, come i musei e gli scavi. Perché ci devono guadagnare solo i commercianti, quando lo scopo della visita non è religioso?
Si può prevedere, in un futuro non lontano, una suddivisione come quella (prima discussa, poi accettata) tra fumatori e non fumatori nei ristoranti americani. Una zona atttrezzata per la preghiera, gratuita e raccolta. E un percorso a pagamento per i turisti: come appunto si comincia a fare in diverse chiese europee. E per gli studenti, come dappertutto, il tesserino.

Alberto Arbasino

Corriere della Sera, 29 settembre 1996

S. Scrivete una lettera di protesta agli uffici del vostro quartiere ilustrando le pessime condizioni dei servizi (pulizia, scuola, trasporti, rumore, ecc.) ma fornendo anche qualche proposta solutiva.

Corriere della Sera, 23 settembre 1996

T. Siete turisti a Milano. Scrivete una lettera al Comune di Milano protestando per i motivi suggeriti qui sotto.

Milano proibita ai fotografi

Auto e bus nascondono i monumenti, e i turisti protestano

Code di taxi e pullman hanno mutato le vedute da immortalare nell'album dei ricordi, rovinando le istantanee

L'obiettivo ormai cattura solo fastidiosi paesaggi metropolitani. Castello, Duomo e Teatro della Scala nascosti dai parcheggi

Teatro della Scala, Duomo e Castello Sforzesco, tre monumenti simbolo della città negati alla macchina fotografica dei turisti. Per l'obiettivo, in primo piano, ci sono soltanto automobili e pullman

Corriere della Sera, 4 agosto 1996 (Foto Corsera)

U. Siete turisti a Firenze. Partecipate alla polemica sul Perseo, prima discutendone in classe (potete assumere ruoli diversi e sostenerne i punti di vista), poi scrivendo una lettera a un'amica per riportarle il problema, le soluzioni e la vostra opinione.

Firenze, lo spostamento del capolavoro del '500 provoca polemiche tra gli esperti: «Deve restare in piazza della Signoria»

Una copia per il Perseo

Il bronzo del Cellini verrà chiuso per sempre agli Uffizi

Il Perseo, il bronzo più bello del mondo: m 5,29 di altezza; bisognoso di un lungo e costosissimo restauro.

Benvenuto Cellini: «Io mi sento morire, non sarò mai vivo domattina!» Così gridava nel 1533 l'artista mentre fondeva la gran massa di metallo.

La Cassa di Risparmio di Firenze: «Offro un miliardo per la cura e la sostituzione dell'originale con una copia».

Milioni di visitatori: «Non siamo tanto grossolani da apprezzare i volgari falsi. Quello del Davide di piazza della Signoria non lo degniamo di uno sguardo. Facciamo code interminabili all'ingresso dell'Accademia pur di vedere Michelangelo nell'originale».

Paola Barocchi, la più famosa storica dell'arte di Firenze, cattedratica all'Università di Pisa: «Non ho le prove della necessità di un restauro, temo fortemente che il distacco dalla base cui è ancorato nuoccia al Perseo. E soprattutto non trovo giusto rinchiudere in un museo un'incomparabile insegna di palazzo, fatta per stare all'aperto».

Altri studiosi e critici: «I mecenati non devono pagare le copie, basta che garantiscano protezione».

Annamaria Petrioli, direttrice degli Uffizi, mano al dossier di analisi: «È una via obbligata, all'aperto la pelle del Perseo si squama come se avesse la lebbra».

La civiltà della buona tavola

secondo Giovanni Spadolini

Giovanni Spadolini negli anni in cui fu presidente del Senato, alla cerimonia della consegna del ventaglio

Due anni fa moriva lo studioso e uomo politico

Giovanni Spadolini di fronte a una tavola imbandita.

Ricorrono due anni dalla scomparsa di Giovanni Spadolini, avvenuta il 4 agosto del 1994. È un'occasione per ricordare l'uomo di Stato, lo studioso di storia, lo scrittore che occupa certamente un posto eminente nel panorama politico e culturale degli ultimi cinquant'anni. Ma anche l'occasione per rievocare certi aspetti umani di Spadolini, che ne facevano un personaggio socialmente amabile e di grande spirito.

Per esempio, Spadolini amava la buona tavola: l'amava per i cibi e per la conversazione. Dopo un pranzo con gli amici si abbandonava volentieri ad un parlare calmo e brillante, dove non mancavano mai riferimenti storici o aneddoti divertenti. Se poi c'erano delle signore, diventava un vero charmeur. Invitato, mangiava tutto con gusto anche se si trattava di portate elaborate e di dolci con crema e zabaglione, cose proibite dalle sue regole dietetiche, ma che con l'alibi di essere l'ospite, non solo gradiva ma assaporava a fondo. In parole povere, faceva onore alla tavola. Quando si accorgeva di aumentare di peso, cercava di mettersi a regime: bistecca e insalata; ma poi si ricordava delle parole di Mark Twain: «Anch'io una volta mi sono messo a dieta, e la sola cosa che ho perduto sono stati 15 giorni». Del resto non è che fosse sregolato: era così grosso per struttura naturale, per la vita sedentaria, la mancanza di moto. Una capacità di lavoro eccezionale, con orari impossibili, gli stimolava poi un grande appetito.

Gli piacevano i piatti semplici, le minestre, la carne ai ferri (filetto o bistecca) e le insalate abbondanti che condiva di persona: sale, un filino di olio e molto, molto aceto, prestando fede, immagino, alla credenza delle donne di una volta che ne facevano largo uso per mantenere la linea. Il pesce lo gradiva purché di qualità e di sicura freschezza, e a Roma o a Firenze lo mangiava spesso. Esso diventava di largo consumo d'estate al mare, nella casa di Castiglioncello: in quei giorni di riposo, Spadolini manteneva una dieta volontaria: grandi nuotate, pesce fresco, insalata e frutta.

[...]

Mangiava con gusto, ma non era un «mangione», non era certo da paragonare a Riccardo Bacchelli, più abbondante di lui in peso e in dimensioni, che sbalordiva sempre per capienza salda e felice e che, avendo ricevuto in regalo una lepre, al cuoco che gli chiedeva: «Per quanti?», riferendosi alle porzioni, rispose: «Per mangiare la lepre bisogna essere in due: io e la lepre».

Spadolini era il contrario di Bacchelli. Non ha mai mangiato molto. Quando gli porgevano un piatto per servirsi, le sue porzioni erano quelle dei «signori di buona famiglia», educati alla moderazione e alla compostezza. Gustava il cibo, questo sì, ma sapeva controllarsi. Al Senato, da solo, nella saletta da pranzo dell'appartamento privato: filetto e insalata; o trancio di pesce e insalata.

Invitatissimo com'era, non voleva imporre il menù nei posti dove andava. Ma anche lì la padrona di casa, che sapeva delle sue regole dietetiche, ne teneva conto con sobrietà: però un risotto o una minestra per primo, carne o pesce per pietanza e un dessert, meno di questo non c'era mai. Ma Spadolini quando era fuori non disdegnava, anzi gradiva, l'involontaria rottura delle regole ed era la volta buona per gustare risotti e pasta che da solo non si concedeva. Anche perché aveva la scusa che non era lui che ordinava, ma gli altri che offrivano.

[...]

Tutt'altra cosa erano i pranzi che di tanto in tanto lui dava al Senato. Pranzi con tutte le regole: menù stampato con cordoncini tricolori e segnaposto di cuoio. [...]

Il cerimoniale cominciava dal portone di Palazzo Giustiniani, in Via Dogana Vecchia, con lo sbattere dei tacchi dei carabinieri di servizio. Venivano incontro due commessi, uno accompagnava l'ospite all'ascensore, guidandolo poi fino alla camera d'ingresso dell'appartamento privato del presidente; l'altro faceva strada fermandosi alla porta in ferro battuto dopo averla aperta e richiusa. Si entrava nel grande salone degli Specchi, dove, a sinistra, c'era la saletta in cui fu firmata la Costituzione da De Nicola, allora capo provvisorio dello Stato, e De Gasperi, presidente del Consiglio. Dalla sala degli Specchi si arrivava al salotto Rosso, dove venivano serviti gli aperitivi e si conversava. Agli ospiti Spadolini dava, con dedica, l'ultimo suo libro e la «Nuova Antologia» che stava per uscire. Poi all'improvviso si spalancavano le porte della sala da pranzo, con l'apparizione del signor Arditi, il responsabile dell'alloggio del presidente, un signore alto, elegante e compito, in marsina. Quello era il segnale: ci si avviava a prendere posto a tavola.

Il ricordo di quelle sere è dolce e struggente.

Gaetano Afeltra

Corriere della Sera, 4 agosto 1996

A. Letto il brano, svolgete i seguenti punti.

- Professioni, cariche o attività svolte da Giovanni Spadolini
- Aspetto fisico (come risulta anche dalle due fotografie delle pagine precedenti)
- Personalità
- Rapporto con il cibo
- Preferenze gastronomiche

B. Completate distinguendo tra il buon gustaio e l'ingordo.

	Il buon gustaio	**L'ingordo**
1.	Assapora a fondo.	. . . .
2.	Fa onore alla tavola.	. . . .
3.	È regolato.	. . . .
4.	Gusta lentamente.	. . . .
5.	Mangia moderatamente.	. . . .
6.	Prende porzioni discrete.	. . . .
7.	Sa controllarsi.	. . . .
8.	Beve sobriamente.	. . . .
9.	Conversa amabilmente.	. . . .
10.	Si alza leggero.	. . . .

C. Se volete apparecchiare elegantemente la tavola, abbinate opportunamente.

1.	Tovaglia e tovaglioli	a.	di cristallo di Boemia
2.	Piatti e fondine	b.	di argento massiccio
3.	Posate	c.	di rose e gigli della Liguria
4.	Bicchieri	d.	di lino di Fiandra
5.	Ampolliera	e.	di porcellana di Limoges
6.	Centro tavola	f.	di argento e cristallo

D. Sistemate i verbi.

1. Con il benessere, oggigiorno mangiamo tutti più di quanto non (essere) . . . . necessario.
2. Invecchiando, Giovanni Spadolini mangiava meno di quanto non (fare) . . . . da giovane.
3. Gli piaceva il pesce tanto quanto gli (piacere) . . . . la carne.
4. Per questioni di linea, preferiva finire il pasto con un frutto piuttosto che (intingere) . . . . un biscottino in un bicchiere di vinsanto.
5. Per la stessa ragione, preferiva che il dolce – specialmente se ricco di panna e cioccolato – gli (essere) . . . . offerto dalla cameriera piuttosto che glielo (servire) . . . . la padrona di casa: a questa non poteva rifiutare.
6. Vedendolo di persona non era poi così grasso come lo si (immaginare) . . . . dalle fotografie.
7. Se mi avesse invitato a pranzo a palazzo Giustiniani mi sarei comportato con lui come (fare) . . . . con chiunque altro.
8. I saloni affrescati e damascati possono incutere timore, ma il cerimoniale è così semplice che persino uno come me lo (imparare) . . . . subito.

E. Attenti ai cibi 'vecchi'. Abbinate opportunamente (concordando l'aggettivo).

1. latte	a. putrido
2. carne	b. raffermo
3. uova	c. rancido
4. pane	d. appassito
5. insalata	e. acido
6. vino	f. guasto
7. frutta	g. marcio

F. Completate scegliendo opportunamente tra le parole date.

alimento – nutrimento – pasto – pietanza
sostentamento – vitto – vivanda

1. A Rimini, completa di . . . . e alloggio, la pensione in un albergo di terza categoria oggi costa almeno centocinquanta mila lire al giorno.
2. Senza . . . . non si può vivere.
3. Non solo nel terzo mondo, ma anche nei paesi più sviluppati c'è molta gente non non ha il . . . . necessario per vivere.
4. Il latte e le uova sono . . . . completi.
5. Il cameriere: «Dopo il risotto, signora, di . . . . preferisce carne o pesce?»
6. La mamma: «Ragazzi, anche in campeggio, vi raccomando di fare almeno un . . . . al giorno caldo».
7. La padrona di casa alla cameriera: «Gli ospiti sono tutti arrivati. Per favore, porti in tavola le . . . . e i vini».

G. Combinate le frasi usando le espressioni date.

a meno di – a meno che – eccetto – eccetto che – fuorché
salvo – salvo che – se non di – se non che
tranne – tranne che

Esempio: Mario ha perso dieci chili. Si poteva prevedere tutto, ma questo no.
Si poteva prevedere tutto tranne che Mario perdesse dieci chili.

1. Cosa? Quel matto di Giorgio è diventato un grande chef? Tutto si poteva prevedere, ma questo no.

. . . .

2. Ha sempre detto che avrebbe fatto qualsiasi cosa. «Cucinare mai» era il suo motto.

. . . .

3. Non sapevo di queste fobie, eppure ci conosciamo da tempo. Ci vediamo raramente, però.

. . . .

4. Domani voglio andare nel ristorante dove lavora. Se non è chiuso.

. . . .

5. Vengo anch'io. Allora vediamoci domani sera davanti al ristorante. Se non c'è qualche contrattempo.

. . . .

6. Cucina proprio bene. Deve perfezionarsi nei dessert, però.

. . . .

7. Sulla cena non c'era proprio niente da ridire. Il menù è ancora un po' povero.

. . . .

8. Voglio raccomandare il posto a buoni intenditori. Il prezzo è un po' salato.

. . . .

H. Completate usando variatamente le espressioni date, seguite o no dall'appropriata preposizione.

fuorché – tranne che – eccetto che – salvo che

Esempio: Mi lamento di dover stare a dieta.
Non mi lamento affatto della mia salute se non di dover stare dieta.

1. Non sono disposto a sentire il parere di un medico soltanto per seguire una dieta.
Sono disposto a tutto . . . .
2. Il dietologo non mi può costringere a saltare i pasti.
Mi può costringere a tutto . . . .
3. Non posso ammettere di avere poco appetito.
Posso ammettere qualunque cosa . . . .
4. Non prometto di evitare spaghetti e tagliatelle.
Tutto posso promettere . . . .
5. Non sono pronto nemmeno a eliminare gelati e dolciumi.
Sono pronto a qualsiasi sacrificio, ...
6. Non mi asterrò dal bere un buon bicchiere durante i pasti.
Mi asterrò da qualsiasi eccesso . . . .
7. Non oso guardare la bilancia.
Oso qualsiasi cosa . . . .
8. Non mi rassegno ad avere qualche chilo in più.
Mi rassegno a tutto . . . .

I. Sistemate i verbi.

1. Per mantenere la linea Giovanni Spadolini era disposto a seguire qualsiasi dieta tranne che (rinunciare) . . . . al pane abbrustolito.
2. Riccardo Bacchelli, scrittore altrettanto corpulento, invece, non era disposto né a fare esercizio fisico né a digiunare, a meno che non glielo (imporre) . . . . il medico.
3. Anche a Federico Fellini avevano consigliato di ridurre pasti, se non che lui (continuare) . . . . a fare di testa sua.
4. Pare che Peter Ustinov abbia dichiarato: «Per la salute sono disposto a tutto, fuorché (eliminare) . . . . gli alcoolici e le sigarette».
5. Diana, ex altezza reale d'Inghilterra, quando soffre di crisi depressive, mangia tantissimo di tutto, eccetto che poi (vomitare) . . . .
6. Nessuno può negare che adesso Claudia Schiffer abbia una linea invidiabile, salvo che in futuro (lasciarsi) . . . . andare smettendo la ferrea dieta e l'estenuante ginnastica.

– Il medico mi ha detto di rinunciare a due sole cose: cibi solidi e cibi liquidi.

L. In alcune di queste frasi il *non* è necessario (N), in altre è pleonastico (P), cioè superfluo anche se a volte elegante, e in altre ancora decisamente errato (E). Distinguete.

1. Non voglio andare mai più in quel ristorante.
2. Con tutte le volte che ci siamo andati, mai una volta che non abbiano fatto gli spaghetti al dente.
3. Non appena si entra i camerieri ti assillano con la mania di fare tutto in fretta.
4. Mi chiedo se non sia il caso di protestare con il padrone.
5. La volta scorsa non mancò poco che il cameriere non mi portasse via il piatto, prima ancora che non avessi finito il tiramisù.
6. Per poco non ho fatto una sfuriata.
7. Possibile che non possano fare a meno di non creare ansia!
8. E poi la gentaglia che non ho visto in quel locale!
9. Non ti pare che sarebbe meglio cercarne un altro?
10. A meno che tu non voglia provare un'ultimissima volta, e vedere se non cambiano i camerieri.
11. L'unica cosa che mi ha trattenuto finora è che è molto più difficile di quanto tu non pensi trovare un ristorante migliore a due passi sotto l'ufficio.
12. E vabbè, finché non ne troviamo un altro, non sei d'accordo?

– Sei una cuoca fantastica, mammina! Spero proprio che mio marito sarà bravo quanto te.

M. Abbinate alle parole date le loro definizioni in senso strettamente culinario.

1. amalgamare
2. affettare
3. arrostire
4. farcire
5. friggere
6. frollare
7. frullare
8. gratinare
9. impanare
10. lessare
11. scolare
12. stufare

a. Agitare una sostanza semiliquida con frullino o frullatore.

b. Riempire carni e verdure con ripieni preparati o fare strati di creme o marmellata in torte tagliate orizzontalmente.

c. Conservare per più giorni carni o pesci per renderli più teneri.

d. Cuocere lentamente in casseruola, con condimenti, carni o altro.

e. Mescolare diversi elementi per ottenere un composto omogeneo.

f. Cuocere in padella o tegame con olio o grasso bollente.

g. Mettere a sgocciolare una vivanda per liberarla dal liquido, brodo, acqua o altro.

h. Tagliare a fette.

i. Cuocere nell'acqua bollente.

l. Passare nell'uovo sbattuto e nel pane grattugiato carni, pesci, ortaggi o altro.

m. Cuocere in forno.

n. Coprire una vivanda con salse bianche o cospargerla di pane grattugiato e metterla in forno perché faccia crosta.

N. Rivolgetevi – anziché alla vostra sorellina riottosa – a una amica di riguardo della mamma. Quindi modificate i seguenti enunciati rendendoli meno diretti e decisamente più cortesi.

In cucina

Esempio: Dai, veloce, passami il sale!
Signora, non appena può Le spiacerebbe passarmi il sale per favore?

1. Uffa, ci sono da pelare le patate. Fallo tu!

. . . .

2. Tòh, prendi la pentola che mi sta cadendo! Ahia, che peso.

. . . .

3. Brucia eh? Ben ti sta, così impari a distrarti.

. . . .

4. Beh, svegliati, cosa aspetti, spegni il gas, non vedi che attacca tutto!

. . . .

5. Ma no! Non adesso! Aspetta che si abbrustoliscano bene.

. . . .

6. Puah, che schifo! Butta tutto in pattumiera!

. . . .

7. Macché lavarla. Non vedi che è già pulitissima.

. . . .

8. Se proprio lo vuoi, lecca tu la zuppiera!

. . . .

9. Ma lasciamene un po', se non l'assaggio come l'aggiusto il sale?

. . . .

10. Cacchio, che casino! Qua laverà tutto Piero.

. . . .

11. Qui mi son stufata, adesso son pronti: spengo e buonanotte!

. . . .

12. Alé, in tavola!

. . . .

O. Quante 'cose' si 'fanno' a tavola! Completate.

1. La carne la si . . . . con il coltello, poi la si . . . . con la forchetta.
2. Il brodo lo si . . . . di parmigiano, poi lo si . . . . con il cucchiaio.
3. L'insalata la si . . . . con sale e pepe, olio e aceto.
4. La banana la si . . . .
5. La pesca la si . . . .
6. E le noci invece le si . . . .
7. La torta la si . . . . con il coltello.
8. Il burro e la marmellata li si . . . . sul pane.
9. Lo zucchero lo si . . . . con il cucchiaino.
10. Il vino e l'acqua li si . . . . nel bicchiere.

P. Determinate la posizione migliore per il soggetto, che qui è dato in entrambe le posizioni, pre- e post-verbale.

'Sfizi' a Bagheria

«Nel 1400 a Bagheria *una sensibile trasformazione agraria* si ebbe *una sensibile trasformazione agraria – il diligente Gergenti* scrive *il diligente Gergenti. – La coltivazione dell'ulivo, dei vigneti e della canna da zucchero* venne incrementata *La coltivazione dell'ulivo, dei vigneti e della canna da zucchero.* Nel 1468 *Pietro Speciale* ottenne dal re la baronia di Ficanassi in censo *Pietro Speciale. Egli, insieme a Ludovico Del Campo e Umbertino Imperatore,* iniziò *egli, insieme a Ludovico Del Campo e Umbertino Imperatore,* la coltivazione della canna da zucchero nella plaga irrigabile dell'Eleuterio e impiantò una zuccheriera [sic] a scopo industriale nel castello che *lo stesso Speciale* aveva commissionato *lo stesso Speciale*».

Da qui *il gusto per gli 'sfizi' di zucchero* deriva *il gusto per gli 'sfizi' di zucchero* a Bagheria. Di cui *le monache* hanno conservato per secoli l'arte *le monache.* Il trionfo di gola, di cui si ragionava a lungo nel campo di concentramento in Giappone e che alla mia immaginazione bambina appariva come una delle meraviglie del paradiso perduto. «Una montagnola verde fatta di gelatina di pistacchio, mescolata alle arance candite, alla ricotta dolce, all'uvetta e ai pezzi di cioccolata, – *mia madre* diceva *mia madre* che aveva le gambe paralizzate per il beri beri, malattia della denutrizione, ma non aveva perso il grande coraggio con cui affrontava lo 'sciopero della fame' o i turni notturni per ascoltare di nascosto la radio delle guardie. – Si squaglia in bocca come una nuvola spandendo profumi intensi e stupefacenti. È come mangiarsi un paesaggio montano, con tutti i suoi boschi, i suoi fiumi, i suoi prati; un paesaggio reso leggero e friabile da una bambagia luminosa che lo contiene e lo trasforma, da gioia degli occhi a gioia della lingua. Si trattiene il respiro e ci si bea di quello straordinario pezzo di mondo zuccherino che si ha il pregio di tenere sospeso sulla lingua come il dono più prezioso degli dei. Naturalmente non se ne può mangiare più di un cucchiaino; se no ci si stucca mortalmente».

Ancora oggi a Bagheria si fanno dei gelati squisiti: piccoli fiori di cioccolata ripieni di pasta gelata molle e profumata, al gelsomino, alla menta, alla fragola, al cocco. Per non parlare del più tradizionale 'gelo di mellone' che non è un gelato come sembra ma una gelatina di cocomero dal colore corallino, disseminata di semi di cioccolata. E che dire del 'gelato di campagna' che è una specie di torrone di zucchero dai colori delicati, il cui gusto al pistacchio si mescola a quello della mandorla e della vaniglia?

Dacia Maraini, *Bagheria*

Rizzoli, Milano 1993

Q. Date una descrizione di almeno due righe in termini superlativi del vostro piatto preferito. Forse vi torna utile qualcuna delle espressioni date o usate da Dacia Maraini nel brano precedente.

appetitoso – dilettevole – ghiottoneria – ghiotto – gustoso – leccornia
manicaretto – prelibato – squagliarsi in bocca – squisito – succulento

. . . .

. . . .

. . . .

. . . .

. . . .

R. Fornite la punteggiatura adatta negli spazi che la richiedono (N.B. non tutti gli spazi la richiedono).

Prodotti italiani nei 300 ristoranti 'top'

MILANO – Spaghetti e pizza_ Superati_ Nei migliori ristoranti del mondo la gastronomia ha un nuovo protagonista italiano_ l'aceto balsamico_ Tra i nostri prodotti più utilizzati dai cuochi a cinque stelle_ che non propongono cucina italiana_ la pasta scivola_ invece_ al nono posto_ Lo rivela un'indagine_ su 300 ristoranti 'top'_ dell'agenzia di comunicazione Idea Plus_

Ai primi posti, a sopresa aceto balsamico e olio extravergine

Nei locali famosi – sono stati interpellati_ tra gli altri_ *La Tour d'Argent* di Parigi_ *Le Cirque* di New York, *Le Gavroche* di Londra_ lo *Steirereck* di Vienna – la conoscenza e l'utilizzo di materie prime «made in Italy» è abituale per l'87% degli chef_ i quali rivelano di usare in particolare_ appunto_ l'aceto balsamico (97%)_ quindi l'olio extravergine di oliva (83%)_ e il parmigiano reggiano (81%)_ Al quarto posto il tartufo bianco (67%)_ seguito dal riso (64%)_ e dai nostri grandi vini (64%)_ quindi da frutta_ verdura_ e salumi alla pari (53%)_ e infine alla pasta (50%)_ Certo_ se si considerano solo i migliori ristoranti di cucina italiana all'estero_ la pasta risale al terzo posto_ Ma_ sempre preceduta da aceto balsamico e olio_

I PRODOTTI ITALIANI PIU' USATI NEI RISTORANTI TOP	
Aceto Balsamico	97%
Olio extra vergine	83%
Parmigiano Reggiano	81%
Tartufo Bianco	67%
Riso	64%
Vini	64%
Frutta e verdura	53%
Salumi	53%
Pasta	50%

Quanto al perché della scelta_ il 94% degli intervistati_ dichiara di scegliere i prodotti alimentari italiani per la loro qualità_ Le materie prime_ che il Belpaese fornisce alla cucina internazionale_ risultano dunque «esclusive_ perché risultato di un patrimonio di abilità e conoscenza artigianali»_ Resta un problema di scarsa conoscenza_ «Spesso – lamentano i curatori dell'indagine – nelle carte dei vini_ compaiono molte etichette italiane di pregio_ ma_ poi_ i sommelier non li propongono»_

L'indagine prende in considerazione anche il fenomeno opposto_ la penetrazione dei prodotti esteri in Italia_ Da una verifica di 47 ristoranti italiani di alta qualità_ emerge che_ la gamma delle materie prime da oltrefrontiera è ristretta_ si usano_ per lo più_ foie gras (66%)_ e agnello (55%)_ e vini da Francia_ e USA (97%).

Corriere della Sera, 10 agosto 1996

S. Scambiatevi oralmente la vostra ricetta preferita.

T. Riscrivete con parole più semplici e stile più moderno l'ntroduzione di un vecchio libro di cucina.

Come posso mangiar bene?

Il titolo pomposetto del volume non lusinghi alcuno di trovare in queste pagine una mensa bell'e bandita; ma solamente indicazioni semplici, tra le semplici semplicissime, per ammannire pietanze e cibi gustosi e sani, che nella vita pratica giornalmente, o quasi, si presentano sul desco dei più; di coloro, cioè, che sono costretti a misurare tutto, a fine di non sprecare niente.

Gli epuloni, gli epicurei, i ghiottoni, se sono ricchi, non hanno bisogno di manuali per soddisfare le raffinate esigenze del ventricolo loro. Essi, i fortunati, dispongono di abili cuochi, o di valentissime cuoche, vere enciclopedie viventi della gastronomia, capaci di preparare in modo perfetto le vivande più squisite e i cibi più rari e succulenti, o più costosi.

Questo libro è dunque «Il libro per tutti» coloro che agognano a mangiar bene, o a nutrire con cibi appetitosi e sani, tanto quelli che hanno uno stomaco di ferro, come coloro che lo hanno delicato.

Se sono riuscita nell'intento, lo diranno le madri di famiglia. A loro l'ardua sentenza; poiché nutro la fiducia, ch'esse, le massaie, vorranno mettere alla prova del ... fuoco i miei suggerimenti modesti.

Un vecchio aforisma sentenzia, che il Creatore, obbligando l'uomo a mangiare per vivere, ve lo invita con l'appetito e lo ricompensa con un piacere.

Nel compilare il presente volumetto, ho cercato appunto di conciliare l'appetito con il magro borsellino di chi non è ricco; e, per non guastare con involontarie indigestioni il piacere che il cibarsi dona, tutte le volte che me n'è capitato il destro, ho accennato, meglio che ho potuto, alle proprietà dei vari cibi e alla loro influenza sull'organismo umano.

Giulia Ferraris Tamburini
Hoepli, Milano 1900

U. I giornalisti Guglielmo e Vittorio Zucconi hanno elencato cento ragioni per amare l'Italia. Eccone alcune di carattere gastronomico. Discutetele e trovatene altre da aggiungere a questa selezione.

5) Amaro dei frati. Si direbbe che non ci sia convento italiano, per di più sperduto fra monti dell'Abruzzo o nelle valli prealpine, che non abbia distillato erbe per produrre bevande alcoliche, appiccicose e multicolori, dotate di immaginari poteri digestivi e terapeutici. Oltre che rinsanguare le esauste finanze dei bravi monaci, l'amaro dei frati consente, anche alla più sobria delle persone, di indulgere al piacere dell'alcol fingendo di curarsi l'anima e il corpo. [...]

9) Artusi. *La scienza in cucina e l'arte di mangiare bene* di Pellegrino Artusi, il primo manuale gastronomico italiano noto come "l'Artusi", uscì quando la maggior parte degli italiani faticava a mangiare – male – ogni giorno. Ma i suoi menù con i primi, "entrate", molteplici secondi, contorni ipernutritivi, formaggi, dolci, frutta, immaginati per stomaci pantagruelici [...] diedero ai mangiatori di pane e cipolla la speranza di essere invitati un giorno, un giorno solo, a uno di quei pranzi e poi morire felici. [...]

10) Autogrill. Come si mangia negli autogrill delle autostrade italiane non si mangia in nessun altro posto di ristoro fast food al mondo, certo non nell'America degli infami hamburgers con ketchup. Il tasso di italianità di Guido [figlio, nato in Usa] conobbe un balzo in avanti dopo aver mangiato una focaccina calda farcita di formaggio e speck in un autogrill dalla parti di Alessandria. Il ragazzo, che in fatto di palato ha preso dal nonno, ogni tanto ne parla ancora sospirando.

65) Paste. Il *cabaret* di paste o "pastarelle" portato a casa, orgoglio per il pranzo domenicale, è stato il simbolo del successo e della felicità familiari italiani. Cannoli, sfogliatelle, bigné, frutti di marzapane, afferrati dai bambini con gli occhi fissi sui fratelli per vedere che non barassero nel conteggio, hanno insegnato precocemente l'aritmetica ai più piccoli. Lo schiaffo materno per il gocciolone di crema fuoruscito dal fondo del cannolo e finito sulla giacchettina nuova della Prima Comunione ha insegnato ai più grandicelli che la felicità dura poco.

Guglielmo e Vittorio Zucconi, *La scommessa*

Rizzoli, Milano 1993, pp. 190-215

V. Discutete.

- Carne o pesce?
- Cucina vegetariana: salute o noia?
- Spaghetti, pizza e gelato: il successo della cucina italiana nel mondo.
- Allarmi alimentari: ipocondria o timore giustificato?
- La moglie ideale? Per il 22 per cento degli italiani deve saper cucinare.

14

Nichetti: «La pay-tv ci salverà»

Maurizio Nichetti sul set di «Stefano Quantestorie»

Per il regista le sale chiuderanno e il futuro dei film sarà il piccolo schermo

A. Nella trascrizione dell'intervista a Maurizio Nichetti, per ricordarci che è il regista che sta parlando, vengono inseriti degli incisi a cui sono stati tolti i verbi. Ripristinateli scegliendo opportunamente tra i seguenti:

afferma – butta là – constata – continua – prevede – riflette – si entusiasma

Nella mente e nel cuore Maurizio Nichetti ha un delfino bianco, un «beluga» chiamato Palla di Neve, sul quale ha costruito un film che uscirà a Natale. Non è quindi all'attore, dalla comicità rarefatta e surreale, che ci si rivolge oggi: il personaggio del televisivo «Quo vadis?», infagottato in una tuta di tre misure più grande e nascosto da un enorme paio di baffi ha lasciato il posto, di questi tempi, a un regista impegnato, che si inoltra in nuove strade dopo aver debuttato con la compagnia di «Quelli di Grock» e realizzato film divertenti e stravaganti, come «Ratataplan» e «Ho fatto splash», «Domani si balla» e «Il bi e il ba», «Ladri di saponette» e «Volere volare», sino al più recente «Stefano Quantestorie», che è ancora tutto da scoprire.

Chiedere dove vada il cinema, al poliedrico Nichetti, significa scatenare un turbinio di riflessioni: prevalgono i dati e le considerazioni pratiche, di cinematografaro ben consapevole delle difficoltà di un mondo in cui si è scontrato con la esiguità dei budget italiani in confronto alla dovizia di mezzi degli americani.

Perché non tutti sanno che Nichetti, alla sua maniera felicemente artigianale, ha elaborato di suo la tecnica che ha reso celebre Robert Zumeckis, tanto per fare un esempio, nell'applicazione di quel misto tra cartone animato e presenza d'attore che ha fatto la fortuna di un film come «Chi ha incastrato Roger Rabbit?». Ma ha dovuto, per realizzare poi il suo «Volere volare» adattarsi a mezzi tecnici di ben altro peso e di costo assai minore: ottenendo risultati comunque strabilianti, questo sì, ma circoscritti a una distribuzione assai ridotta. Siamo poveri, insomma: e il nostro «Come sta il cinema, che adesso compie cent'anni?» si scontra con un pessimismo appena nascosto dalla volontà.

Ma è un riflessivo, Maurizio Nichetti, e ha l'abitudine (gli viene forse dai suoi studi di architettura) di pianificare le risposte e di articolare i passaggi, con impeccabile rigore logico. Così . . . . malinconicamente: «Il cinema in quanto tale, vale a dire per la proposta nelle sale cinematografiche, subisce un inarrestabile processo di inversione, quanto a mercato: processo che è forse irreversibile, soprattutto se si considera quello che si verifica nei piccoli centri. Sempre meno sale: perché chiudono, perché, quando resistono, non riescono tuttavia a mantenere una programmazione continuativa. Ma se per 'cinema' si intende, in senso più ampio, l'audiovisivo, vale a dire la storia raccontata per immagini – . . . . Nichetti – allora direi che sta vivendo un momento particolarmente euforico e vitale. Il consumo di storie cinematografiche sta crescendo, crescerà ancor di più in futuro. Cambieranno, questo sì – . . . . Nichetti – i mezzi di diffusione: dalla pay-tv alla diffusione via cavo».

È così sicuro, ottimista, quanto a sviluppi futuribili del cinema in versione Duemila?

Nichetti è tassativo: «C'è un grande, grandissimo desiderio di immagini, che finora non è stato soddisfatto da risposte adeguate. La gente non si abbona alle pay-tv, per esempio, perché è sommersa da un'offerta televisiva di film che propone di tutto, senza discernimento. Il cinema in tv ha dato un'idea del cinema, al grosso pubblico, proprio scadente. Neppure io – . . . . – se non facessi il mio lavoro, mi guarderei bene dall'aggiungere altre seccature, e per di più a pagamento, a quelle che i vari canali televisivi mi fanno diluviare a casa. Ma nel momento in cui la pay-tv e la via cavo offriranno programmi sempre più mirati e specializzati – . . . . Nichetti – allora ci saranno scelte motivate. Mi piace la lirica, la musica classica? Ecco il canale tutto di musica 'seria'. E così via: un canale tutto di cartoni animati, uno di film in anteprima, e pazienza se costerà di più ... La grande rivoluzione nel cinema del futuro sarà quella di fare scelte e vederle subito soddisfatte, su misura per i gusti di ognuno. In effetti all'estero i canali 'tematici', che si ricevono nelle case con 'paraboliche' poco costose, sono già assai diffusi: noi siamo ancora in ritardo».

E il cinema allora?

«Il cinema non muore, così facendo, ma cambia il suo modo di proporsi. Anzi – . . . . il regista – Amplierà il suo mercato, troverà una nuova giovinezza. Cd, videocassette, satelliti ... tutto porterà tanto cinema ovunque, con destinatari mirati, in un mercato vastissimo e articolato. Non ci saranno più neppure le barriere linguistiche: i segnali audio, come accade già ora con la pay-tv, potranno essere in varie lingue».

Tutto bene, dunque.

«Eh, no. Aumenterà la diffusione, ma aumenteranno anche i problemi produttivi. Si tratta di adattare le risorse alle possibilità, di prepararsi in tempo al cambiamento. In questo momento da noi c'è l'euforia del digitale, del Cd, degli effetti speciali sofisticati. E questo, occorre saperlo, porterà anche all'evoluzione, al cambiamento del linguaggio cinematografico. D'altra parte – . . . . Nichetti – ritardi e nostalgie possono soltanto frenare lo sviluppo. In Italia non siamo veloci. A cinquant'anni dal neorealismo stiamo ancora a rimpiangerlo: dobbiamo rendere più rapido il nostro adattamento a nuove tecniche e nuovi linguaggi, e anche a nuove forme di produzione internazionali. E ci vogliono mezzi, ormai, per realizzare film in grado di stupire. Mentre lo stupore è ancora la chiave per suscitare l'interesse dello spettatore, ora come cento anni fa, quando il pubblico si ritraeva gridando davanti allo schermo dal quale una locomotiva sembrava investire la platea. Stupore vuol dire attrazione: il cinema non può farne a meno, perché lo spettatore vuole essere scosso, commosso, divertito, coinvolto».

Mirella Poggialini

L'Avvenire, 24 agosto 1995

B. Segnate opportunamente una o più caselle.

Oggettivamente, a proposito di Maurizio Nichetti:

- Professione
  - ☐ attore cinematografico
  - ☐ attore teatrale
  - ☐ attore televisivo
  - ☐ regista
- Studi
  - ☐ lettere
  - ☐ architettura
  - ☐ arte e spettacolo
- Film realizzati
  - ☐ comici
  - ☐ drammatici
  - ☐ cartoni animati
- Tecnica elaborata
  - ☐ animazione
  - ☐ documentario
  - ☐ misto di animazione e recitazione

Soggettivamente, secondo M. Nichetti:

- Il calo delle sale cinematografiche si deve a:
  - ☐ prezzo dei biglietti
  - ☐ difficoltà a programmare
  - ☐ disinteresse alle immagini
  - ☐ concorrenza della tv
- Il consumo di immagini aumenta perché:
  - ☐ il loro bisogno è grande
  - ☐ le immagini sono molto accessibili
  - ☐ la gente non ama leggere
- La pay-tv aumenterà di utenti
  - ☐ diminuendo il prezzo d'abbonamento
  - ☐ differenziando i programmi
  - ☐ offrendo più film
- Il cinema nel futuro
  - ☐ avrà un mercato enorme
  - ☐ sarà sostituito da nuove immagini
  - ☐ cercherà nuove tecniche e linguaggi
  - ☐ avrà bisogno di nuove forme di produzione
  - ☐ deve usare mezzi capaci di stupire il pubblico
  - ☐ non saprà soddisfare l'eccessiva varietà di gusti

C. Abbinate gli aggettivi con i nomi secondo il senso in cui sono usati nell'intervista.

1. rarefatta e surreale	a. canali
2. divertenti e stravaganti	b. risultati
3. poliedrico	c. maniera
4. felicemente artigianale	d. programmi
5. strabilianti	e. spettatore
6. impeccabile	f. Nichetti

7.	irreversibile	g.	rigore logico
8.	euforico e vitale	h.	film
9.	mirati e specializzati	i.	mercato
10.	tematici	l.	momento
11.	vastissimo e articolato	m.	processo
12.	commosso, divertito, coinvolto	n.	comicità

D. Abbinate gli elementi della prima colonna con quelli della seconda rispettando il parere espresso da Nichetti.

1.	esiguità	a.	del cinema in tv
2.	dovizia	b.	a nuove tecniche e nuovi linguaggi
3.	inversione	c.	dei budget italiani
4.	euforia	d.	del linguaggio cinematografico
5.	insoddisfazione	e.	dei mezzi degli americani
6.	idea scadente	f.	nel settore degli audiovisivi
7.	cambiamento	g.	nell'uso della pay-tv
8.	adattamento	h.	nel mercato delle sale cinematografiche

E. Se avete visto un film di Nichetti, raccontatelo ai compagni di classe. Sennò, scatenate la fantasia e dite che cosa vi suggeriscono questi titoli.

- «Quelli di Grock»
- «Ratataplan»
- «Ho fatto splash»
- «Domani si balla»
- «Il bi e il ba»
- «Ladri di saponette»
- «Volere volare»
- «Stefano Quantestorie»

F. Uno scrittore particolarmente amato dai cineasti è Antonio Tabucchi. Ecco come parla del cinema. Inserite nel brano le preposizioni che mancano, articolate o meno.

Eravamo quattro amici al cinema

«Ci riunivamo . . . amici . . . un bar . . . giocare . . . biliardo. Ci piaceva molto il biliardo. E lì parlavamo . . . film.

Ogni domenica si svolgevano . . . un certo qual modo due cerimonie consecutive organizzate . . . . . . film.

La prima era la visione, . . . spettacolo . . . cinque.

. . . sala eravamo . . . gruppo, seduti comodamente . . . prima fila, . . . le gambe allungate e i piedi poggiati . . . muretto che ci separava . . . fossa dell'orchestra: una posizione particolare . . . corpo che ci permetteva . . . ricevere meglio le emozioni . . . schermo.

. . . quel momento, . . . buio, ognuno si isolava, ma il nostro sentimento collettivo si poteva misurare quando interveniva un taglio . . . pellicola – cosa che capitava piuttosto regolarmente. Un modo di protestare . . . grida

Caricatura di Antonio Tabucchi

o bisbigli più o meno sostenuti o prolungati diceva molto chiaramente la qualità . . . emozione che ci trascinava.

La seconda cerimonia era la discussione . . . . biliardo, . . . serata. Costituiva un interessante esercizio. . . . turno, ognuno doveva raccontare il film . . . modo suo, giocando . . . biliardo. Ognuno di noi aveva visto, aveva vissuto il film . . . modo diverso e ognuno raccontava diversamente. Non si trattava . . . criticare, e neppure . . . interpretare una scena o l'altra, ma semplicemente . . . riassumere, racccontare il film, . . . inizio . . . fine. Era lo stesso film, ed era sempre diverso».

Adattato da *L'Indice*, dicembre 1995

G. Combinate le frasi seguendo l'esempio.

Esempio: La crisi era acutissima. Tutti erano disperati.
La crisi era così acuta che tutti erano disperati.
La crisi era tanto acuta che tutti erano disperati.

Parliamo del film «Ladri di saponette»

primo racconto

1. La miseria è gravissima. I Piermattei mangiano tutti i giorni cavolo bollito.

. . . .

2. La fame è tanta. I bambini non si reggono in piedi.

. . . .

3. Il lavoro è scarsissimo. Antonio Piermattei, il capofamiglia, passa le sue giornate a cercare un posto.

. . . .

4. Per Maria, la madre, cantare in uno spettacolo musicale è importantissimo. Non cucina mai, non fa le faccende, né cura il figlio piccolo.

. . . .

5. La vita di Bruno, il primogenito, è pienissima. Oltre a prepara da mangiare, lavorare a una pompa di benzina, fare il chierichetto in chiesa, guardare suo fratello e montare campanelli, non ha tempo di giocare.

. . . .

6. Il piccolino è molto irrequieto. Tocca coltelli, infila le dita nelle prese elettriche, aspira il gas dal tubo.

. . . .

7. Il suo angelo custode è molto efficace. Non gli è capitato ancora niente di male.

. . . .

8. Alla fine, un infortunio colpisce Antonio in modo grave. Rimane paralitico.

. . . .

9. Le condizioni sono veramente disperate. La moglie si dà alla prostituzione.

. . . .

10. La storia è tristissima. Il pubblico piange a singhiozzi.

. . . .

H. Combinate le frasi seguendo l'esempio.

Esempio: La storia è tristissima. Fa piangere a singhiozzi.
La storia è così triste da far piangere a singhiozzi.
La storia è talmente triste da far piangere a singhiozzi.
La storia è tanto triste da far piangere a singhiozzi.

«Ladri di saponette»
secondo racconto

1. Antonio è molto ingenuo. Crede a qualsiasi sciocchezza.

. . . .

2. Maria è molto bella. Fa innamorare chiunque.

. . . .

3. Bruno è stanchissimo. Può ammalarsi.

. . . .

4. Il piccolino è molto fortunato. Passa incolume attraverso un sacco di guai.

. . . .

5. Maria sogna di avere un lampadario con le luci molto scintillanti. Le luci dovrebbero sembrare perle.

. . . .

6. A un certo punto della storia c'è un corto circuito molto forte. Fa saltare la corrente in tutta la città.

. . . .

7. Si crea un effetto molto strano. Fa incontrare i personaggi della pubblicità con quelli del film.

. . . .

8. Il cioccolato della pubblicità è squisito. Fa venire l'acquolina in bocca a Bruno.

. . . .

9. Il detersivo della lavatrice è efficacissimo. Fa gettare a Maria il vecchio secchio facendola ballare a suon di musica.

. . . .

10. L'aperitivo è molto rilassante. Combatte il logorio della vita moderna.

. . . .

11. Gli annunci sono proprio invadenti. Modificano la storia del film.

. . . .

I. Combinate le frasi con le espressioni date.

troppo ... perché (non) – troppo ... per (non)
abbastanza ... perché – abbastanza ... per

Esempi: Le leggi del mercato sono troppo dure. Nichetti non può conquistarlo.
Le leggi del mercato sono troppo dure perché Nichetti possa conquistarlo.

Le leggi del mercato sono troppo dure. Non si possono battere senza grinta.
Le leggi del mercato sono troppo dure per essere battute senza grinta.

«Ladri di saponette»

terzo racconto

1. I due coniugi Anna e Massimo guardavano la televisione perché erano stanchissimi. Non sono usciti di casa.

. . . .

2. È piuttosto presto. I loro figlioli non devono andare a dormire e possono giocare davanti alla tv.

. . . .

3. La televisione è accesa, ma tutti sono sufficientemente distratti. Non seguono le immagini sullo schermo.

. . . .

4. L'annunciatrice annuncia un film dal titolo abbastanza accattivante. Non cambiano canale.

. . . .

5. Il titolo del film è molto simile a quello del vecchio film di De Sica, «Ladri di biciclette». Fa pensare a una parodia.

. . . .

6. Viene presentato da un critico che parla in modo molto confuso. I nostri amici spettatori non prestano attenzione.

. . . .

7. Alcune scene erano tristissime. Anna non poteva guardarle a cuor leggero.

. . . .

8. Massimo era impegnatissimo nella lettura del giornale. Non si è davvero appassionato alle vicende della famiglia Piermattei.

. . . .

9. La pubblicità era decisamente prepotente. I personaggi degli spot non sono rimasti nell'intervallo pubblicitario previsto, ma sono entrati nel film.

. . . .

10. Basta, per carità! È una storia incasinatissima! Non riusciamo a seguire il filo.

. . . .

L. Sostituite opportunamente le espressioni in corsivo con una delle costruzioni date.

per + infinito – da + infinito – di + infinito

«Ladri di saponette»
quarto racconto

1. La famiglia di «Ladri di saponette» era così povera *che aveva sempre avuto* una lampadina appesa a un filo.

. . . .

2. Maria desiderava tanto un lampadario *che lo sognava* ad occhi aperti.

. . . .

3. Nella sua ingenuità avrebbe perfino speso tanto denaro *che avrebbe esaurito* presto tutte le sue risorse.

. . . .

4. Il suo desiderio era tale *che spinse* Antonio a rubarne uno.

. . . .

5. Antonio ne vide uno tanto grosso *che poteva contenere* dodici lampadine.

. . . .

6. Un oggetto così prezioso era certo adatto *che lo si appendesse* in un castello e il loro appartamento sarebbe cambiato al punto *che non si poteva riconoscere*.

. . . .

7. Maria era certamente degna, *meritava* un regalo così importante.

. . . .

8. La cosa era troppo bella *perché fosse* vera! Lui ha preso il lampadario e l'ha sistemato sul manubrio della bicicletta.

. . . .

9. Il lampadario era talmente pesante *che non poteva essere trasportato* facilmente.

. . . .

10. Nessuno sarebbe tanto ingenuo *che crederebbe* che il padrone gli aveva fatto un regalo.

. . . .

Come si sarebbe evoluto l'animale uomo se non fosse stato inventato il telecomando.

M. Sistemate i verbi.

1. Lo spettacolo è talmente bello che (valere) . . . . la pena di rivederlo.
2. Il film ci era così piaciuto che (tornare) . . . . a vederlo una seconda volta.
3. La storia si era fatta talmente noiosa che mia sorella (decidere) . . . . di andare a prendere un caffè, senza aspettare la fine.
4. Se non puoi telefonarmi, almeno scrivimi in modo che (sapere) . . . . qualcosa di te.
5. La luce si affievolì al punto che dopo un po' non ci si (vedere) . . . . più.
6. Sono così stanco che (fare). . . . . volentieri a meno di uscire stasera.
7. In questo periodo hai trascurato lo studio in modo tale che ti (essere) . . . . difficile recuperare il tempo perduto.
8. Erano arrivate tante richieste di biglietti che (prorogare) . . . . lo spettacolo per un'altra settimana.
9. Dite davvero? Queste storie sono troppo strane perché il pubblico ci (credere) . . . .
10. Fu proprio mio fratello a fare in modo che io (trovare) . . . . un biglietto per il festival di Venezia.
11. La televisione passa tanti di quei film che la gente non (andare) . . . . più nelle sale cinematografiche.
12. Il desiderio di storie e di immagini sempre crescente farà sì che la gente (continuare) . . . . a guardare film.
13. In Italia il pubblico televisivo è così bombardato dall'offerta di film proposti che non (abbonarsi) . . . . alla pay-tv per vederne altri.
14. Forse in futuro la pay-tv offrirà programmi così selezionati e mirati che il pubblico (decidere) . . . . di abbonarsi.

N. Leggete la storia, e inventatene un finale.

Avventura con il televisore

Una sera il dottor Verucci rincasava dal lavoro. Questo dottor Verucci era un impiegato, forse delle poste. Ma poteva anche essere un dentista. Noi possiamo fare di lui tutto quello che vogliamo. Gli mettiamo i baffi? La barba? Benissimo, barba e baffi. Cerchiamo di immaginare anche com'era vestito, come cammina. come parla. In questo momento sta parlando fra sé... Ascoltiamolo di nascosto:

«A casa, a casa, finalmente... *Casa mia casa mia, per piccina che tu sia*, eccetera, non ne posso più, sono proprio stanco. E poi tutta questa confusione, questo traffico. Adesso entro, chiudo la porta, signore e signori, tanti saluti: tutti fuori... Quando chiudo la porta di casa il mondo intero deve restare fuori. Almeno questo lo posso fare, toh... Ecco qua. Solo, finalmente solo... Che bellezza... Primo, via la cravatta... Secondo, pantofole... Terzo, accendere il televisore... Quarto, poltrona, sgabello sotto i piedi, sigaretta... Ah, ora sto bene. E soprattutto solo... So... Ma lei chi è? Di dove viene?

Una bella signorina sorrideva gentilmente al dottor Verucci. Un attimo prima non c'era, adesso era lì, sorrideva e si aggiustava una collana sul petto.

«Non mi riconosce dottore? Sono l'annunciatrice della televisione. Lei ha acceso il suo televisore ed eccomi qua. Le debbo dare le notizie sull'ultima ora...»

Il dottor Verucci protestò:

«Abbia pazienza, ma lei non sta dentro il televisore come dovrebbe: lei sta in casa mia, sul mio divano...»

«Che differenza fa, scusi? Anche quando sto nel televisore, sto in casa sua e parlo con lei».

«Ma come ha fatto a venir giù? Io non me ne sono accorto... Senta, non sarà mica entrata di nascosto, vero?»

«Su, non stia a pensarci troppo... Le notizie del telegiornale le vuole, o no?»

Il dottor Verucci si rassegnò:

«La cosa non mi persuade del tutto, ma insomma... faccia un po' lei».

La bella signorina si schiarì la voce cominciò:

«Dunque: *Continua in tutta l'Inghilterra la caccia al temibile bandito evaso dal carcere di Reading. Il commissario capo della polizia ha dichiarato che secondo lui il bandito si nasconde nei boschi...* »

In quel momento il dottor Verucci sentì una voce che non veniva né dal televisore né dall'annunciatrice, ma piuttosto da un punto imprecisato dietro la sua testa. Disse la voce:

«Storie!»

«Chi è? – sobbalzò Verucci. – Chi ha parlato?»

«Ma è il bandito, no? – disse l'annunciatrice, senza scomporsi. – Guardi, stava nascosto dietro il suo divano».

«Storie – ripeté la voce – dove mi nascondo, non glielo vengo a dire a lei... »

Il dottor Verucci si alzò di scatto, guardò dalla parte della voce e sbottò:

«Ma come si permette? E armato pure! Un bandito in casa mia! Roba da matti!»

«Se è lei, che mi ha invitato!» disse il bandito, uscito dal suo nascondiglio.

«Io? Questa è buona davvero. Io inviterei i banditi a farmi visita e a bere un bicchierino...»

«A proposito, ce l'ha?»

«Che cosa?»

«Il bicchierino».

«Non è solo un bandito, è anche uno sfacciato. Per prima cosa, dichiaro che io non la conosco e che lei è qui contro la mia volontà. Lei, signorina, è testimone».

«No, dottor Verucci, – disse l'annunciatrice – non posso testimoniare come vuole lei. È stato lei ad accendere il televisore... »

«Ah, perché anche il bandito... »

«Certo, è entrato in casa sua dal *televisore*, come me».

«Insomma, – disse il bandito – il bicchierino me lo offre, o no?»

«Per carità, – fece il dottor Verucci – avanti, si accomodi, faccia come fosse a casa sua. Ormai ho capito che io qua non sono nessuno. È casa mia, ma non comando niente. La porta è chiusa, le finestre sono sbarrate, ma la gente va e viene e fa i suoi comodi... »

«Quanto la fa lunga, per un bicchierino,» osservò il bandito.

«Vado avanti con le notizie?» domandò l'annunciatrice.

E Verucci: «Perché no? Sono curioso di vedere come andrà a finire questa storia... »

[...] Via via che l'annunciatrice della Tv proseguiva nella lettura delle notizie, la casa di cui il dottor Verucci era l'unico proprietario e nella quale contava di restare solo e indisturbato, si andava riempiendo di gente di ogni genere: folle di affamati, eserciti in marcia, uomini politici alla tribuna, automobilisti bloccati dal maltempo, sportivi in allenamento, operai in sciopero, aeroplani in missione di bombardamento... Voci, grida, canti, insulti in tutte le lingue si mescolavano a rumori, esplosioni, fragori di ogni genere.

«Basta! – gridava il dottor Verucci. – Tradimento! Violazione di domicilio! Basta! Basta!» [...]

Gianni Rodari, *Tante storie per giocare*

Einaudi, Torino 1977

O. Guardate alla fine del libro se il vostro finale è compreso tra le alternative proposte da Rodari. Scegliete il finale che ritenete più convincente e spiegatene le ragioni.

P. Individuate il personaggio di ogni vignetta, poi abbinatelo con il proprio "colmo" riportandone tra parentesi le due lettere. N.B. Le lettere daranno il titolo di un film del regista Ettore Scola.

Esempio: *Un attore. Qual è il colmo per un attore?*
Non avere né arte né parte.

Qual è il colmo?

1. . . . .   2. . . . .   3. . . . .

4. . . . .   5. . . . .   6. . . . .

7. . . . .   8. . . . .   9. . . . .

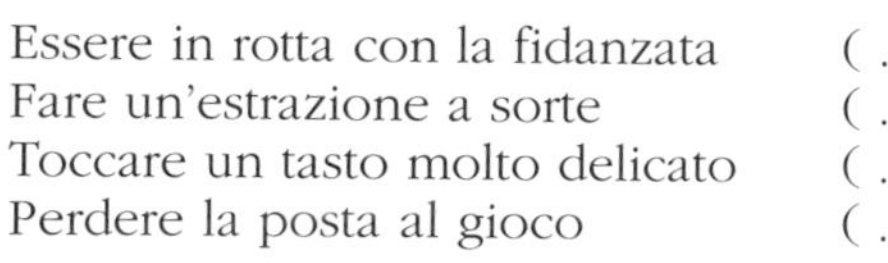

Non avere né arte né parte	(C' E)	Essere in rotta con la fidanzata	(. . .)
Avere un freddo cane	(. . .)	Fare un'estrazione a sorte	(. . .)
Avere un peso sulla stomaco	(. . .)	Toccare un tasto molto delicato	(. . .)
Dirigere un traffico illecito	(. . .)	Perdere la posta al gioco	(. . .)
Dormire come un angioletto	(. . .)		

Titolo del film di Ettore Scola: . . . .

Q. Trovate tutte le differenze e le affinità di comportamento tra i due personaggi del brano. Poi, per iscritto, descrivete il vostro modo di andare al cinema.

Lui e io

[...] Al cinematografo, non vuole mai che la maschera lo accompagni al posto. Gli dà subito la mancia, ma fugge in posti sempre diversi da quelli che la maschera, col lume, gli viene indicando.

Al cinematografo, vuole stare vicinissimo allo schermo. Se andiamo con amici, e questi cercano, come la maggior parte della gente, un posto lontano dallo schermo, lui si rifugia, solo, in una delle prime file. Io ci vedo bene, indifferentemente, da vicino e da lontano; ma essendo con amici, resto insieme a loro, per gentilezza; e tuttavia soffro, perché può essere che lui, nel suo posto a due palmi dallo schermo, siccome non mi sono seduta al suo fianco sia offeso con me.

Tutt'e due amiamo il cinematografo; e siamo disposti a vedere, in qualsiasi momento della giornata, qualsiasi specie di film. Ma lui conosce la storia del cinematografo in ogni minimo particolare; ricorda registi e attori, anche i più antichi, da gran tempo dimenticati e scomparsi; ed è pronto a fare chilometri per andare a cercare, nelle più lontane periferie, vecchissimi film del tempo del muto, dove comparirà magari per pochi secondi un attore caro alle sue più remote memorie d'infanzia.

Ricordo a Londra, il pomeriggio d'una domenica; davano in un lontano sobborgo sui limiti della campagna un film sulla Rivoluzione francese, un film del '30, che lui aveva visto da bambino, e dove appariva per qualche attimo un'attrice famosa a quel tempo. Siamo andati in macchina alla ricerca di quella lontanissima strada; pioveva, c'era nebbia, abbiamo vagato ore e ore per sobborghi tutti uguali, tra schiere grigie di piccole case, grondaie, lampioni e cancelli; avevo sulle ginocchia la pianta topografica, non riuscivo a leggerla e lui s'arrabbiava, infine abbiamo trovato il cinematografo, ci siamo seduti in una sala del tutto deserta. Ma dopo un quarto d'ora, lui già voleva andar via, subito dopo la breve comparsa dell'attrice che gli stava a cuore; io invece volevo, dopo tanta strada, vedere come finiva il film. Non ricordo se sia prevalsa la sua o la mia volontà; forse, la sua, e ce ne siamo andati dopo un quarto d'ora; anche perché era tardi, e benché fossimo usciti nel primo pomeriggio, ormai era venuta l'ora di cena. Ma pregandolo io di raccontarmi come si concludeva la storia, non ottenevo nessuna risposta che m'appagasse; perché, lui diceva, la storia non aveva nessuna importanza, e la sola cosa che contava erano quei pochi istanti, il profilo, il gesto, i riccioli di quell'attrice.

Io non mi ricordo mai i nomi degli attori; e siccome sono poco fisionomista, riconosco a volte con difficoltà anche i più famosi. Questo lo irrita moltissimo; gli chiedo chi sia quello o quell'altro, suscitando il suo sdegno. [...]

E tuttavia amo anch'io il cinematografo; ma pur andandoci da tanti anni, non ho saputo farmene una cultura. Lui se n'è fatto, invece, una cultura.

Natalia Ginzburg, *Le piccole virtù*
Einaudi, Torino 1962

R. A proposito di cinema, abbinate le parole o espressioni che hanno più attinenza tra di loro.

**campo lungo – cassiera – ciak – cineforum – comparsa
controfigura – dibattito – doppiaggio – maschera – parte – primo piano
produttore – regista – ruolo – si gira – versione originale**

. . . .
. . . .
. . . .
. . . .
. . . .

S. Scegliete l'alternativa appropriata.

1. Di giorno lavorativo, non vado mai al cinema. Programmo sempre d'andarci *al/alla* fine della settimana, poi ho paura che ci sia troppa gente e resto a casa.
2. Invece *questo/questa* fine settimana, di domenica, al primo spettacolo serale all'Astra, non c'era nessuno.
3. Veramente? Cosa davano? Hai visto qualcosa di piacevole? A me piacciono solo i film a *lieto/lieta* fine.
4. Ho visto un film che era *il/la* fine del mondo!
5. Esagerato! Dici così, *al solo / alla sola* fine di mandarmi al cinema, perché sai che sono un telespettatore incallito!
6. No, ti assicuro. È proprio da non perdere. C'è *un/una* finale imprevedibile che ti tiene con il fiato in gola.
7. Per carità, non dirmi come finisce. Invece, racconta con ordine. Lo sai che mi piace seguire le storie dall'inizio *al/alla* fine.
8. Dunque, siamo in Turchia: un'attrice, di talento ma capricciosa, gira un film prodotto dal suo fidanzato, un uomo estremamente ricco. Sono alcuni giorni che riceve telefonate anonime. Terrorizzata all'idea di fare *un gran brutto / una gran brutta* fine, interrompe le riprese.
9. Il fidanzato per distrarla decide di organizzare una festa in occasione *del/della* finale del Concorso di Miss Eleganza, ma è mosso da *un secondo / una seconda* fine ...
10. Basta così, ti prego. Sai che ti dico, che *al / alla* fin fine farò meglio a restare a casa a sentire un po' di musica.

T. Discutete.

- L'avvento delle videocassette finirà per distruggere il piacere di andare al cinema. Esprimete il vostro parere facendo riferimento alla vostra esperienza personale.
- L'industria del cinema nel vostro paese.
- Cinema europeo e cinema americano (o hollywoodiano).
- Il cinema e gli effetti speciali.
- Film gialli, film rosa, film ...
- Tv: intrattenimento o informazione?

- «So che adesso la televisione muove una dura concorrenza al cinema; per quel che può servire, la mia simpatia va al cinema, alla sua onesta disonestà, la sua adulterata schiettezza, e soprattutto al suo biglietto. Se voglio andare al cinema, devo pagare un biglietto, e dunque devo scegliere in che modo spendere quei soldi; posso anche non andarci, e andare a spasso; posso andare a vedere film impudichi, veri passaporti per l'inferno, ma almeno mi scelgo io la strada per andare in quel posto scomodo. La televisione mi sembra una proposta di "inferno porta a porta", "l'inferno a domicilio". Certo, in nessun caso si tratta di un vero inferno: è sempre una questione di effetti speciali, trucchi con le luci, e molti termosifoni: ma l'inferno cinema è autonomo, che mi sembra più distinto».

Giorgio Manganelli, *Improvvisi per macchina da scrivere*
Leonardo, Milano 1989

- 

«I tg sono addomesticati»

Il 75% degli utenti li ritiene poco credibili

Corriere della Sera, 24 ottobre 1996

15

Tre numeri al lotto

Il Lotto ieri e oggi

Come mai all'improvviso gli italiani hanno più fiducia nel terno che nel tredici? Esistono dei metodi "sicuri" per vincere? E nella corsa alla fortuna è meglio puntare sul calcolo matematico delle probabilità o sull'interpetrazione dei sogni suggeriti dall'inconscio?

Il giocatore di Dostoevskij alla fine dice così: «Domani? Domani non esiste». Il fatto è che tutti noi dobbiamo avere un giocatore dentro alla nostra anima, un folletto, un diavolo, che ne so, o semplicemente un uomo della speranza e della sconfitta, un piccolo uomo abbandonato al destino, che non crede al futuro e parla come il giocatore di Dostoevskij. Chi gioca, dice il professor Giuseppe Imbucci, storico napoletano, «trasforma il futuro in attesa, in vigilia. Ma non in programma». Sarà per questo che ne siamo tutti affascinati. Noi siamo un popolo così.

Oggi il gioco di gran lunga più diffuso è il Lotto. Nel 1995 ha coperto il 36 per cento del volume complessivo del gioco nazionale. Seguono l'Ippica con il 26 per cento, il Totocalcio con il 18, la Lotteria Istantanea con il 16. Adesso, si gioca nelle tabaccherie e c'è persino chi lo sfida con i computer. Solo all'inizio degli Anni Novanta, era il totocalcio che arrivava al 35 per cento. Nel 1995, pensate un po', per il Lotto si sono spesi la bellezza di circa 5 mila 600 miliardi, oltre 110 miliardi la settimana. Come dire, i soldi di una delle nostre grandi manovre finanziarie.

Difficile spiegare il segreto di tanto successo. È un gioco che ha sicuramente un'attrattiva particolare: è semplicemente numerico. Il fascino dei numeri è un fascino antico e misterioso da sempre legato alla pura casualità. Quanti di noi hanno un numero che considerano fortunato e un altro portasfiga?

Un convegno tenuto poco tempo fa a Praga fra gli organizzatori di scommesse di tutto il mondo ha puntato l'attenzione proprio su questo. La conclusione è stata che in un momento storico come questo nel quale si cerca di affidare l'intera vita alla certezza (le pensioni, l'investimento nei mattoni, le assicurazioni su tutto e tutti), i giochi di pura casualità smuovono in noi il fascino nascosto dell'incertezza. È il giocatore che è dentro di noi. È la democrazia del caso. Di fronte al destino, in fondo, siamo davvero tutti uguali, ricchi e poveri, deboli e forti.

[...]

In fondo, questo è il successo dell'uomo senza qualità, non un aristocratico del gioco, ma l'uomo che si illude, come dice il professor Imbucci, «di avere una vita diversa attraverso il colpo di fortuna». Che poi davvero lo voglia è un altro discorso. Chi gioca non guarda il futuro, lo trasforma in vigilia, in attesa messianica. E inoltre la psicologia del giocatore è caratterizzata da due grosse connotazioni, come spiega ancora il professor Imbucci: «Il divieto interno di vincere. E la coazione a ripetere». Così, anche quando vince, continua a giocare fino a quando non ha perso di nuovo tutto.

Eppure, nella ricerca spasmodica dei numeri che ti cambiano la vita, non tutto e non sempre viene affidato al caso. Si sa come funziona. Nel Lotto ci sono dieci ruote, che sono le dieci città in cui vengono estratti cinque numeri su ciascuna di queste ruote. Il giocatore deve puntare i numeri, ma anche la ruota. Le città sono Bari, Cagliari, Firenze, Genova, Milano, Napoli, Palermo, Roma, Torino, Venezia. Si vince con un ambo 250 volte quello che giochi, con un terno 5.125 volte e con la quaterna ottantamila.

E al Lotto, sono tre i criteri fondamentali che seguono i giocatori. Il primo, certamente, è quello della fortuna. Uno si ispira a dei numeri a caso, magari basta una bolletta del telefono, una targa, una data particolare.

Il secondo criterio è quello cabalistico. L'interpretazione dei sogni, degli oroscopi. Nel Sud tutte le settimane, raccontò una volta il giornalista Gaetano Afeltra, «il giovedì e il venerdì le donne si raccontavano dai balconi quello che avevano sognato. Una vera antologia popolare della più sfrenata fantasia. E correvano al botteghino. Il ricevitore – ad Amalfi si chiamava Nicola Ingenito – ascoltava come un rudimentale dottor Freud: pensava, spiegava e scioglieva. Dopo un attimo di seria riflessione, Nicola interpretava il significato del sogno e assegnava a ogni situazione il numero corrispondente, così nasceva il terno secco o terno e quaterna».

Nicola non c'è più. Ma la cabala si rifà alla Smorfia, il libro magico del sapere dell'inconscio, dove ogni cosa ha un suo numero, come se fosse una sua verità, e per questo forse non muore mai. Quanto fa il piacere? 4, era la risposta. E la malafemmina? 78. Persino il desiderio della donna e dell'uomo hanno un numero preciso: 6 per lei, 29 per lui. La paura fa 90, il morto che parla 47. E poi, 63 per gli sposi, 51 per l'innamorata, 39 l'impiccato, 2 gli sbirri di notte, 26 l'ammalato.

Ma c'è un terzo criterio di gioco, ed è quello legato alle probabilità. Uno gioca in base ai ritardi dei vari numeri sulle diverse ruote, e le probabilità si cercano con una serie di elaborazioni al computer. Ad esempio, il 33 non esce sulla ruota di Milano da 134 settimane e il 22 ritarda a Venezia da cento.

In fondo, a leggerli bene, sono tre modi diversi di forzare il destino. A volte ci si riesce, come quello che bussò all'uscio di maghi e veggenti e raccontò il suo sogno di un cavaliere vestito di nero che perdeva la staffa. La maga, Annarita Amore, di Napoli, gli dette i tre numeri, 12-25-38, e lui vinse sessanta milioni. La ringraziò tutta la vita, quella maga. Ma non bisogna illudersi troppo. I sogni che fanno vincere al Lotto grazie alle interpretazioni della Smorfia, spiega il professor Aldo Carotenuto, psicoterapeuta, non esistono: «In genere tutti fanno sogni. Qualcuno li ricorda qualcuno no. E per un calcolo statistico può darsi che un sogno faccia vincere al Lotto. Ma si tratta di un puro caso. Uno su un milione. La Smorfia serve solo alle persone semplici, credulone. Diverso è il discorso che va fatto sui sogni premonitori, come Jung insegna. Se in sogno appare qualcuno che detta precisamente uno, due, tre numeri da giocare al Lotto, può darsi che, per il fenomeno chiamato 'sincronicità', questo sogno possa davvero anticipare quello che accadrà nella realtà: ma sono casi molto rari, per quanto non possano essere esclusi».

I sogni, dunque, sono un mezzo casuale per cercare fortuna. Quella volta, Annarita Amore riuscì a trovarla, pescandola così, in quel marasma strano che ci consegna il destino. Era tanti anni fa, quando i facchini un po' svogliati rotolavano i sacchi gonfi di matrici lungo un corridoio dell'Intendenza di Finanza e li facevano scomparire nella cassaforte a tre chiavi. Erano le 11 e tre quarti di un sabato qualunque, quando arrivavano i custodi della fortuna, i delegati del sindaco, del prefetto, il banditore e il bambino bendato che doveva estrarre i numeri dall'urna.

Di tutto questo, il Lotto ha conservato il suo mistero, quel suo fascino della speranza e della sconfitta. [...]

Il fatto è che il Lotto è un po' come la vita, con le sue ironie, le sue fortune, le sue beffe. Come nella storia di quel signore, che giocava sempre gli stessi numeri 7, 77, 70, 79, solo sulla ruota di Cagliari. Era alto, corpulento. Un giovedì arrivò a puntare 5 milioni e 800 mila lire, tanti anni fa, quando questa era una gran somma. Ma la quaterna non uscì. Non ebbe la forza di smettere e diventò magro e scavato come un fantasma. Continuò a giocare fino alla fine, quando fu costretto a fermarsi perché non aveva più una lira. Quella era la sua vita, il suo destino. Quattro settimane più tardi la quaterna uscì, sulla ruota di Cagliari. Era la vendetta del futuro, a pensarci bene. Dev'essere per questo che i giocatori pensano tutti così, che non esiste domani.

Pierangelo Sapegno
Specchio della Stampa, 24 febbraio 1996

A. Letto l'articolo, indicate se le seguenti affermazioni sono vere (V) o false (F), spiegando il motivo della scelta.

1. Gli italiani hanno più fiducia nel terno che nel 13. . . . . .
2. È da poco che il Lotto esercita una grande attrattiva. . . . . .
3. I numeri esercitano un fascino misterioso. . . . . .
4. Nel Lotto non tutto e non sempre viene lasciato al caso. . . . . .
5. La Smorfia è una carta che rappresenta una donna dall'aspetto spiacevole. . . . . .
6. L'interpretazione dei sogni suggeriti dall'inconscio garantisce la fortuna. . . . . .
7. Ancora oggi i pacchi gonfi di matrici sono tenuti in cassaforte nel corridoio dell'Intendenza di Finanza. . . . . .
8. Il Lotto è un po' come la vita con le sue ironie, le sue fortune e le sue beffe. . . . . .

B. Indicate il contrario delle parole che seguono (N.B. Qui basta aggiungere il prefisso giusto.)

1. fortuna . . . .
2. ventura . . . .
3. felicità . . . .
4. successo . . . .
5. possibilità . . . .
6. probabilità . . . .
7. piacere . . . .
8. consigliare . . . .
9. illudere . . . .
10. comporre . . . .
11. lecito . . . .
12. reale . . . .
13. regolare . . . .
14. credulone . . . .
15. attento . . . .
16. razionale . . . .

C. Alle seguenti parole abbinatene una che ne rappresenti una contrapposizione abituale. (NB. Qui bisogna cambiare l'intera parola.)

1. anticipo	. . . .	9. debito	. . . .
2. ombra	. . . .	10. fantasia	. . . .
3. arricchirsi	. . . .	11. inizio	. . . .
4. azzeccare	. . . .	12. ragione	. . . .
5. benessere	. . . .	13. morte	. . . .
6. forza	. . . .	14. paura	. . . .
7. vincere	. . . .	15. dispari	. . . .
8. alzarsi	. . . .	16. aumento	. . . .

D. Cancellate da ogni gruppo di parole quella che per significato è più diversa dalle altre.

1. accidente, alea, rischio, azzardo, avventura . . . .
2. attrattiva, fascino, gusto, allettamento . . . .
3. attesa, aspettativa, sabato, vigilia . . . .
4. caso, destino, sorte, fortuna, fatto . . . .
5. botteghino, estrazione, oroscopo, ricevitoria, vincita . . . .
6. incubo, interpretazione, numero, sogno . . . .

E. Abbinate opportunamente le cifre alle parole.

1. 1.000.000.000.000	(12 zeri)	a. 1 migliaio
2. 1.000.000	(6 zeri)	b. 1 miliardo
3. 1.000	(3 zeri)	c. 1 bilione italiano, francese o USA
4. 1.000.000.000	(9 zeri)	d. 1 bilione tedesco o inglese
5. 1.000.000.000	(9 zeri)	e. 1 milione

P.S. Nei primi mesi del 1996, il debito pubblico italiano ha passato il traguardo dei due milioni di miliardi. Di quanti zeri è composta la cifra?

F. Riempite ogni spazio vuoto con una sola parola.

La bolletta della fortuna

1. Il gioco del lotto è oggi automatizzato: questa è una bolletta . . . . Con ogni tagliando non si può . . . . più di un miliardo, quindi non vengono accettate . . . . che permetterebbero di superare quella . . . .

2. Solo la presentazione della bolletta . . . . il ritiro della vincita.
3. I giocatori indicano, cioè 'puntano' i numeri sulla schedina durante la . . . .
4. Al massimo ne scrivono cinque sulle . . . . di diverse città italiane.
5. Al sabato e al mercoledì c'è l' . . . . dei numeri vincenti.
6. Ci sono . . . . scientifici che seguono l'uscita dei numeri di settimana in settimana e puntano calcolando le . . . .
7. Ma il modo più tradizionale e popolare è quello di . . . . numeri visti o sentiti durante i sogni notturni.
8. Non è indispensabile sognare direttamente i . . . . ; infatti, secondo il libro della Smorfia a cose, persone, animali . . . . dei numeri: per . . . . , 90 rappresenta la paura, 69 l'onda del mare, 13 l'uomo che rema.
9. Perciò, se sognate un uomo che rema tra le onde del mare così alte da far paura, correte al botteghino a puntare . . . . – . . . . – . . . .

RUOTA DELLA GIOCATA Qui c'è l'indicazione della città (o «ruota») su cui è stata effettuata la giocata. Le ruote possibili sono 10.

DATA DI ESTRAZIONE I numeri giocati sono validi solo per l'estrazione che avviene nel giorno qui indicato.

SOMMA GIOCATA Qui c'è la cifra complessiva giocata. È data dalla somma delle puntate sulle varie combinazioni.

DATA DELLA GIOCATA Qui sono indicati il giorno e l'ora in cui è stata effettuata la giocata.

CINQUINA Somma giocata sull'uscita di cinque numeri. Ne sono stati giocati solo 4, la casella è vuota.

TERNO Qui c'è la somma puntata sul terno: si vince se escono almeno tre dei numeri giocati.

AMBO Qui c'è la somma puntata sull'ambo. Ossia sull'uscita di almeno due numeri fra quelli giocati.

QUATERNA Qui sappiamo quanto è stato puntato sull'uscita dei quattro numeri.

Specchio della Stampa, 24 febbraio 1996

G. Date il termine che comprende tutte le parole di ogni serie.

1. Lotto, Ippica, Totocalcio, Gratta e Vinci, poker . . . .
2. telefono, targa automobilistica, data particolare . . . .
3. giovedì, venerdì, sabato, domenica, lunedì . . . .
4. Bari, Cagliari, Firenze, Genova, Milano . . . .
5. ambo, terno, quaterna, cinquina . . . .
6. numeri, cabala, Smorfia, calcolo delle probabilità . . . .

H. Ordinate le seguenti parole.

1. miliardo, mille, milione, centomila

. . . .

2. raddoppiare, moltiplicare, triplicare, quintuplicare

. . . .

3. undicesimo, quattordicesimo, ennesimo, decimo

. . . .

4. triplo, semplice, quintuplo, mezzo, doppio, quadruplo

. . . .

5. semestre, bimestre, quadrimestre, trimestre

. . . .

6. tutto, poco, tanto, altrettanto, parecchio, molto, troppo, abbastanza

. . . .

7. quintale, microgrammo, grammo, tonnellata, etto, chilo, decigrammo, milligrammo

. . . .

I. Scegliete la parola giusta tra quelle in corsivo.

Vincitori e perditori

Porfirino aveva sentito dire dai genitori che lo zio Melchiorre si era rovinato al gioco. Anche Mosconi, commerciante di vini, si era rovinato al gioco e Bietoloni aveva dovuto vendere un podere per pagare i debiti di gioco. Ogni tanto sentiva dire di qualcuno che aveva perso un palazzo ai dadi e lo zio Amedeo aveva perso *poco/tutto/troppo* giocando a mosca cieca.

Anche sui libri e sui giornali ogni *poco/tanto/molto* Porfirino leggeva di qualcuno che si era rovinato o addirittura si era sparato un colpo di rivoltella o si era buttato nel fiume sempre a causa di perdite al gioco. In tutto questo c'era *qualcosa/parecchio/tanto* che non quadrava, secondo lui.

Se c'è *qualche/tanta/poca* gente che perde al gioco ci sarà *altrettanta/ poca/tutta* gente che vince, si diceva. Perché non si sente mai dire di qualcuno che è diventato ricco o che si è comprato un palazzo con i soldi vinti al gioco? Da *molti/parecchi/tutti* i discorsi che sentiva si sarebbe detto che i vincitori non esistevano proprio. Ma questo non era possibile. E allora dove stanno, dove si nascondono i vincitori? Perché *tutti/troppi/pochi* parlano solo dei perditori? Quando sarò grande voglio diventare un giocatore e voglio vincere al gioco pensò Porfirino, ma si guardò bene dal confidare questo proposito ai genitori.

Quando fu adulto Porfirino si fece insegnare il gioco del poker e incominciò a giocare con gli amici. I vecchi genitori vennero a saperlo e lo rimproverarono come facevano quando era piccolo.

«Ti rovinerai, – dicevano, – perderai *tutto/tanto/altrettanto* quello che hai».

Porfirino non aveva quasi niente e quindi correva *alcuni/pochi/molti* rischi e poi, disse ai genitori, se c'è *tanta/poca/qualche* gente che perde dovrebbero essere disponibili *molti/ pochi/tutti* posti di vincitori. Infatti Porfirino incominciò a vincere, giocava e vinceva, vinceva quasi sempre, prima piccole somme e poi somme sempre più consistenti.

Ai vecchi genitori Porfirino fece *molti/pochi/qualche* regali e ogni volta diceva:

«Questo regalo l'ho comprato con i soldi vinti a poker, questo con i soldi vinti a baccarà e questo con i soldi vinti alla roulette».

I genitori accettavano i regali senza fare più commenti e vissero *molti/pochi/altrettanti* anni felici e contenti.

Luigi Malerba, *Storiette e storiette tascabili*

Einaudi, Torino 1994

L. Leggete il brano e individuate i punti che seguono.

- sentimento prevalente di chi parla
- trasformazione della persona di cui si parla
- effetti delle vincite
- metodo di gioco

Non lo sopporto! È troppo fortunato! Quando la buon'anima di mio padre lo fece venire a lavorare nel nostro banco lotto aveva le pezze ai piedi e moriva di fame. Cominciò a giocare, e da allora non c'è sabato che non azzecchi un ambo, un secondo estratto, un terno... E a poco a poco s'è fatto il corredo, si è equipaggiato, e adesso non si fa mancare nulla. Con una vincita riscattò tutti i pegni della zia, poi si fece degli abiti, della biancheria...

Non basta: due anni fa io lasciai la mia casa al primo piano, quella con il balcone che si affacciava sopra al banco del lotto, e me ne andai: era morto mio padre e mi faceva impressione restare là. E quello non vince un terno e se l'affitta? Poi ne acchiappò un altro e si fece pure la ristrutturazione. E oggi sogna la mamma e domani sogna il papà, la sorella, il fratello, il nipote, il cognato, la nonna. Li ha sepolti tutti quanti... È rimasto vivo solo lui. Come mette la testa sul cuscino sogna qualcosa... Quando s'addormenta inizia la Settimana Incom...

Eduardo de Filippo, *Non ti pago* (dal napoletano)
in *I capolavori di Eduardo*, Einaudi, Torino 1958

M. Completate scegliendo fra tra gli elementi dati.

ambo – coppia – entrambe – paio – duo – duetto
terno – terzetto – terzina – trimestre – triplicare
cinquina – lustro
decina – decade – decennio

Sogni e incubi

1. Che incubo: ho sognato che l'anno scolastico, anziché tre . . . . ne durasse addirittura tredici, e che dovessi riscrivere tutto l'*Orlando Furioso* in . . . . !
2. Non ho studiato, se nel prossimo compito in classe azzeccassi la risposta giusta sarebbe un . . . . al lotto.
3. Mi auguro che nell'appartamento accanto al mio il bambino della giovane . . . . appena arrivata – meraviglia delle meraviglie – non pianga mai.
4. Poiché io amo la montagna e mio marito il mare, sogno che sia vero questo proverbio: ogni . . . . si cambia gusto (ma solo per lui!).
5. Nell'incubo avevo fatto . . . . su Torino con tutti e cinque i numeri, ma avevo perso la ricevuta.
6. Ho visto in sogno una vecchia con . . . . le mani deformate dall'artrite.
7. Portava un . . . . di pantalonacci rossi. Ora, le gambe sono due: che dite, che mi possa vincere almeno un . . . . ?
8. C'era anche una prigione con uno strano . . . . : tre uomini barbuti dietro le sbarre). E nel cortile suonava un . . . . di viola e violino e due ragazze cantavano in . . . . "Arrivederci Roma".

9. Nello stesso sogno ho visto (o sentito?) tre morti che parlavano: . . . . le mie possibilità di vincita?
10. Claudio fa sempre sogni bellissimi. Ieri era contadino e felice: le sue dieci galline facevano regolarmente una . . . . di uova al giorno, quindi ogni . . . . aveva 100 uova da vendere al mercato, che nello spazio di un anno ammontavano a 3.650 e di un . . . . a ben 36.500!

N. Inserite le esclamazioni che ritenete più adatte. Qui ne trovate elencate qualcuna che può esservi utile.

Andiamo! Animo! Coraggio! Dai! Forza!
Bene! Evviva!
Accidenti! Caspita! Cavolo! Mamma mia! Oddio! Santo cielo!
Basta! Diamine! Male! Peccato! Vergogna!
Ma va' là! Per carità!

1. Non è possibile! . . . . ! Ha vinto anche questa volta. È proprio nato con la camicia!
2. Vince sempre tutto lui! . . . . ! Io non gioco più.
3. . . . . ! Abbiamo vinto noi! Era ora!
4. . . . . ! Avevo fatto tredici e mi sono dimenticato di giocare la schedina!
5. . . . . ! Non te la prendere! Prova un'altra volta, vedrai che andrà meglio.
6. Hai perso un'altra volta. . . . . ! Se proprio un buono a nulla!
7. . . . . , come siete noiosi: state sempre al tavolo da gioco e non dite mai una parola!
8. . . . . , raccontami quello che ti è successo e vedrò cosa fare per te.

O. Sostituite gli elementi in corsivo con espressioni numeriche equivalenti.

Date i numeri!

1. Sono cadute *alcune* gocce e poi è tornato il sole, così siamo andati a fare *una breve passeggiata*.

. . . .

2. Ti faccio *tante* scuse.

. . . .

3. Al concerto c'erano solo *poche persone*.

. . . .

4. Ero *lontanissimo* dal pensare una cosa simile.

. . . .

5. «Che *confusione!*» dice sempre Laura entrando nella mia stanza.

. . . .

6. Il meccanico mi ha riparato la macchina *immediatamente* e *velocemente*.

. . . .

7. Mi sono fatto un *bello strappo* ai pantaloni.

. . . .

8. La mia segretaria è proprio servizievole: *fa sempre tutto il possibile* per aiutarmi.

. . . .

9. Se incontro quell'odiosa di Ornella, *le dico proprio quello che penso*.

. . . .

10. Fate attenzione quando giocate a carte all'aperto. Basta un colpo di vento per mandare tutto *all'aria*.

. . . .

11. Si vede che avevano proprio fame perché hanno mangiato *tanto e avidamente*.

. . . .

P. Inserite le preposizioni, se necessario.

Trentatré

Trentatré non ne poteva più . . . andare tutto il giorno chiuso dentro la scomoda valigetta del medico condotto. Il medico arrivava nella casa del malato, faceva . . . entrare Trentatré nei suoi polmoni e poi accostava l'orecchio alla schiena mentre Trentatré veniva sputato fuori. Trentratré doveva entrare in certe caverne piene di catarro, di polvere, di incrostazioni di tabacco. Un giorno aveva corso il rischio . . . morire avvelenato dallo zolfo nei polmoni di un poveraccio che lavorava in una solfatara. Gli sembrava . . . essere un minatore e se aveva resistito fino allora era proprio per bontà d'animo, perché sapeva che con il suo aiuto il medico riusciva . . . guarire molti malati. Adesso però si era stancato e aveva deciso . . . cambiare vita anche perché quell'odioso di Termometro lo prendeva in giro e Stetoscopio sosteneva che quando c'era lui Trentatré non serviva più a niente.

Un bel giorno Trentatré abbandonò il medico e se ne andò . . . cercare un altro lavoro. Si presentò a un capocomico . . . avere un posto da ballerino, ma gli dissero che aveva le gambe troppo storte. Si presentò a un teatro lirico . . . cantare, ma gli risero in faccia perché aveva la voce troppo rauca. Cercò lavori più modesti pur . . . non rimanere disoccupato. In un'agenzia di viaggi non lo assunsero perché volevano soltanto impiegati con l'erre moscia che secondo loro erano più distinti. Trentatré andò al mercato . . . mettere su una bancarella di frutta e verdura, ma cadde nelle mani di due mafiosi e riuscì . . . cavarsela soltanto perché quello che voleva impiccarlo si mise . . . litigare con quello che voleva affogarlo.

Il medico condotto intanto si trovava molto male senza l'aiuto di Trentatré. Aveva provato . . . chiedere aiuto a Quarantaquattro, ma non era la stessa cosa. Provò con Cinquantacinque e Sessantasei, ma i malati invece . . . guarire peggioravano. Termometro e Stetoscopio adesso erano soli e facevano le bizze e gli confondevano le idee. Il povero medico mise un annuncio sul giornale . . . pregare Trentatré . . . tornare da lui.

Trentatré si era ridotto proprio male. Si sarebbe adattato anche . . . fare lo spazzino, ma in Comune avevano i loro raccomandati e assumevano solo quelli. . . .

non morire di fame Trentatré andava in giro per le campagne . . . rubare qualcosa . . . masticare. Una notte un contadino lo sorprese . . . rubare una pannocchia di granturco e gli corse dietro con la roncola. Nella fuga, mentre saltava sopra una siepe, Trentatré perse l'accento e diventò Trentatre. Così quando lesse l'annuncio sul giornale e si presentò al medico condotto . . . ritornare . . . lavorare con lui si trovò di nuovo in difficoltà. Senza accento Trentatre non serviva a niente, era come Quarantaquattro e Cinquantacinque.

Termometro e Stetoscopio questa volta furono molto gentili con lui. Andarono insieme a Trentatre vicino a quella siepe dove aveva perso l'accento, passarono il terreno palmo a palmo e alla fine riuscirono . . . trovarlo. Era un po' arrugginito ma lo ripulirono per bene e lo lucidarono, così Trentatre tornò . . . essere Trentatré e riprese il suo lavoro insieme al medico condotto che per l'occasione si comprò una valigetta nuova e confortevole imbottita con velluto e pelle di coniglio.

Luigi Malerba, *Storiette e storiette tascabili*
Einaudi, Torino 1994

Q. Discutete sulle seguenti osservazioni tratte dall'articolo all'inizio di questa lezione.

- Tutti noi dobbiamo avere un giocatore dentro alla nostra anima.
- Il fascino dei numeri è un fascino antico e misterioso.
- Di fronte al destino siamo tutti uguali, ricchi e poveri, deboli e forti.

Inoltre, nelle parti tagliate dell'articolo si sostengono i seguenti fatti o opinioni.

- Il successo del gioco di alea riguarda tutto il mondo, non solo l'Italia. Infatti vanno benissimo anche la lotteria inglese *Camelot* e quella francese *Loto.*
- Fra Napoli e Milano ci sono reazioni diverse. A Milano quando c'è crisi smettono di giocare, e aumentano in condizioni di maggior benessere. Hanno un rapporto con il gioco che è prevalentemente economico, quindi. A Napoli, è l'inverso. Nel 1973, nel periodo dell'austerity, triplicarono. Nel 1980, quando ci fu il terremoto, le puntate quintuplicarono. Negli Anni Sessanta, gli anni del miracolo economico, quasi smisero. È come se i napoletani facessero un uso esistenziale del gioco. "Certo è – aggiunge Imbucci – che giocano di più, ma si suicidano di meno".

E ancora, il Porfirino del racconto di Malerba, come tanti altri giocatori, nutre la seguente convinzione.

- Se c'è tanta gente che perde al gioco, ce ne sarà altrettanta che vince.

Infine c'è anche la realtà della vignetta qui a fianco.

- La matematica non è un'opinione.

© *La Settimana Enigmistica*, 19/6/93

R. Scrivete un breve articolo di commento alle cifre riportate qui sotto.

Indagine su dieci capoluoghi:
il 55,3% degli abitanti è a casa

Città a Ferragosto
Milano la più vuota

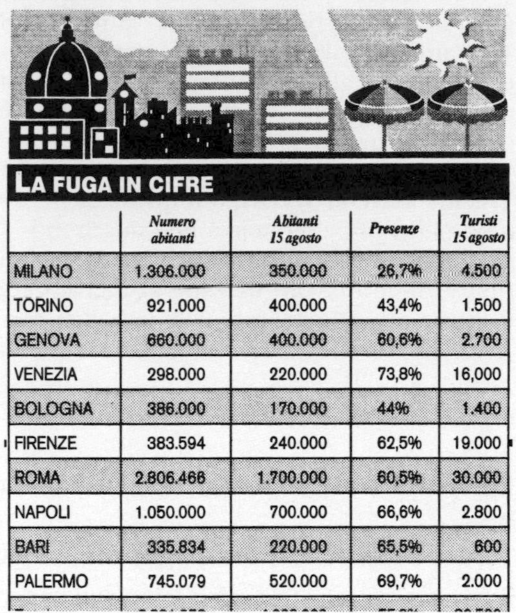

LA FUGA IN CIFRE

	Numero abitanti	Abitanti 15 agosto	Presenze	Turisti 15 agosto
MILANO	1.306.000	350.000	26,7%	4.500
TORINO	921.000	400.000	43,4%	1.500
GENOVA	660.000	400.000	60,6%	2.700
VENEZIA	298.000	220.000	73,8%	16,000
BOLOGNA	386.000	170.000	44%	1.400
FIRENZE	383.594	240.000	62,5%	19.000
ROMA	2.806.466	1.700.000	60,5%	30.000
NAPOLI	1.050.000	700.000	66,6%	2.800
BARI	335.834	220.000	65,5%	600
PALERMO	745.079	520.000	69,7%	2.000

La Repubblica, 15 agosto 1996

S. Rispondete brevemente a una di queste due lettere.

Indro Montanelli

Troppo facile da realizzare

Caro Montanelli,

anche se la nostra lira, rispetto allo scorso anno, ha guadagnato terreno rispetto alle principali monete, permane il grosso handicap dei numerosi zeri con i quali dobbiamo misurarci, sia trascrivendo le cifre in un bilancio, sia contabilizzando una spesa consistente.

Ma anni fa non si era ipotizzato, in attesa di salutare la nascita della moneta unica europea, di varare finalmente la tanto auspicata «lira pesante»? Perché il progetto originale non è mai andato in porto? Ora, di lira pesante, si parla soltanto quando dal droghiere o dal salumiere riceviamo un abbondante resto di monetine che, in mancanza del borsellino, finiscono inevitabilmente per rovinarci le saccocce dei pantaloni...

Carlo Radollovich (Milano)

Corriere della Sera, 22 agosto 1996

La suggestione dei numeri

Caro Montanelli,

leggo di organizzazioni che, a prezzi non certo stracciati, offrono viaggi per assistere all'inizio del terzo millennio nei posti più incredibili del pianeta la notte del 31 dicembre 1999; osservo pubblicità di orologi commemorativi con un «count-down» regolato anche lui alle fatidiche ore 24 del 31 dicembre 1999. Caspita, ma la matematica non è un'opinione! Il terzo millennio comincerà il primo gennaio 2001. Visto che siamo sommersi da comitati vari ho pensato, con alcuni amici, di fondarne uno. Si chiamerà Csitm (Comitato Salvaguardia Inizio Terzo Millennio) con la speranza (temo infondata) di fare proseliti e di salvare il mondo da questa bufala.

Claudio Ruocco (Legnano, MI)

Corriere della Sera, 16 luglio 1996

T. Commentate, e poi rispondete.

- Luciano Pavarotti, il tenore, ha in tasca i chiodi a ogni recital.
- Alberto Tomba, il campione di sci, prima di una gara non si sbarba mai.
- Claudio Abbado, il direttore d'orchestra, si porta sempre dietro un vecchio cappello.
- Fabrizio Frizzi, il presentatore, sfida i rischi della diretta tv con i poteri del corno.
- Antonella Bevilacqua, la saltatrice in alto, gareggia con un anello di rame della nonna.
- Mara Venier, la presentatrice, si affida all'energia del lapislazzuli.
- Due francesi su tre vanno dal mago, un italiano su tre crede che il gatto nero porti sfortuna.
- E voi?

La Stampa, 23 ottobre 1996

Ripasso

Ripasso 1-8

A. Scegliete l'alternativa giusta.

1. Ho letto *il bando / la banda* di un concorso letterario: bisogna scrivere in poche righe un racconto originale con una storia e un senso compiuti.
2. Forse a voi piacciono *i romanzi / le romanze* brevi, ma io vado pazza per *quelli lunghi / quelle lunghe* e commoventi.
3. Sto leggendo una storia che mi ha fatto scoppiare in *un pianto dirotto / una pianta dirotta.*
4. Frequentando *un corso / una corsa* di danze afroamericane, una ragazza incontra il compagno della sua vita.
5. Si innamorano e, nell' *arco/arca* di pochi giorni, decidono di andare a vivere insieme.
6. Insomma è stato proprio *un colpo / una colpa* di fulmine!
7. Ma il loro amore a *primo visto / prima vista* è ostacolato dai genitori di lui che lo cacciano di casa.
8. I due innamorati vanno ad abitare in *un soffitto / una soffitta* che pare una tana di topi.
9. Sono felici, ma non sanno come pagare l'affitto: gli hanno tagliato anche *il filo / la fila* del telefono.
10. La loro condizione diventa disperata quando anche la malattia bussa *al porto / alla porta* ...

B. Trasformate le seguenti frasi come nell'esempio.

Esempio: Non dimenticare che all'inizio tutto sembra difficile.
All'inizio – non dimenticare – tutto sembra difficile.

Vacanze e brutto tempo

1. Nel periodo delle vacanze si sa che il maltempo può danneggiare non solo gli albergatori ma anche i turisti.

   . . . .

2. È chiaro che non si possono occupare le giornate con le attività del tempo libero che prevedono sole ed aria aperta.

   . . . .

3. È molto probabile che i bambini tenuti in albergo o tra le pareti di un appartamento siano irrequieti e creino una spiacevole tensione.

   . . . .

4. Ricordate che l'anno scorso ha piovuto tutta la prima metà di agosto sia al mare sia in montagna?

. . . .

5. Le previsioni metereologiche avevano predetto che agosto sarebbe stato piovoso.

. . . .

6. Un albergatore di Cortina ha proposto che i clienti paghino di tasca propria il soggiorno per le giornate di sole, e che quelle di cattivo tempo siano coperte da una polizza.

. . . .

7. È necessario che i clienti si assicurino contro nuvole e pioggia.

. . . .

8. Alcuni pensano che i titolari d'albergo dovrebbero organizzare giochi, feste ed altre attività per intrattenere i propri ospiti.

. . . .

9. Sembra certo che qualche compagnia assicurativa abbia subito dichiarato la propria disponibilità a studiare le condizioni per la «Polizza Salvaturisti».

. . . .

10. Sono convinto che in caso di maltempo prolungato, avrei fatto le valige e sarei tornato a casa, con o senza assicurazione.

. . . .

C. Usando alcune delle espressioni date, commentate la tabella.

Indagine Istat sulle nostre abitudini alimentari

Sconfitto il fast-food

Casa, mensa, ristorante, trattoria o bar: ecco dove pranza la gente che lavora

DOVE PRANZA CHI LAVORA

	Dirigenti, imprenditori, liberi professionisti	Lavoratori in proprio e coadiuvanti	Operai	Direttivi, quadri, impiegati	Totale
Casa	73,4	84,6	68,4	67,7	71,9
Mensa	5,1	0,8	16,0	14,8	11,6
Ristorante, trattoria, tavola calda	7,7	4,4	4,2	5,8	5,1
Bar	5,9	2,8	1,5	5,0	3,4
Altro	4,1	4,5	6,9	4,0	5,2
Non pranza	2,5	1,6	1,8	1,7	1,8
Non indicato	1,2	1,3	1,1	1,1	1,1
Totale	**100,0**	**100,0**	**100,0**	**100,0**	**100,0**

La Repubblica, 24 agosto 1996

così ... come
tanto ... quanto
tale ... quale
più/meglio ... di quanto (non)
più/meglio ... che
più/meglio ... di come
più/meglio ... di quello che
meno/peggio ... di quanto (non)
meno/peggio ... che
meno/peggio ... di come
meno/peggio ... di quello che

D. Sistemate i verbi.

L'ora di chiusura delle discoteche

Spesso si parla della necessità che leggi precise (regolare) . . . . le discoteche. Qualche anno fa molti gestori e proprietari di sale da ballo si sono opposti che una legge (introdurre) . . . . severe restrizioni per i loro locali.

Erano convinti che il loro giro d'affari (dimezzarsi) . . . . e, a detta loro, le discoteche (perdere) . . . . decine di migliaia di posti di lavoro. Nessuno di loro voleva assolutamente che ciò (avvenire) . . . . Era nata perciò un'onda di protesta.

La proposta di legge prevedeva che i locali (chiudere) . . . . alle 3 di notte; solo durante le feste sarebbe stato permesso che (rimanere) . . . . aperti fino alle 4. Ordinava inoltre che i gestori (limitare) . . . . l'utilizzo delle luci e (vendere) . . . . alcolici a partire da due ore prima della chiusura. I gestori volevano soprattutto che non (entrare) . . . . in vigore quest'ultima restrizione.

E. Cambiate il discorso indiretto in discorso diretto.

Laura & Gaetano

1. Laura disse che quel giorno non poteva fare programmi perché aspettava i suoi amici e non sapeva a che ora sarebbero arrivati.

   . . . .

2. Telefonò a Gaetano pregandolo di andare a casa presto e di portarle qualcosa da mangiare.

   . . . .

3. Lui rispose assicurandola che avrebbe comprato un pollo alla rosticceria lì vicino.

   . . . .

4. Ma una volta arrivato, le spiegò che non aveva potuto comprare nemmeno una pizza.

   . . . .

5. Si scusò dicendo che se fosse uscito dal suo ufficio un minuto prima, non avrebbe trovato i negozi chiusi.

   . . . .

6. Parlando d'altro, Laura gli raccontò che le sarebbe piaciuto andare al Teatro Comunale il giorno dopo, ma che non aveva potuto trovare i biglietti perché lo spettacolo era tutto esaurito.

   . . . .

7. Gaetano le promise che il giorno dopo avrebbe provato lui a cercare i biglietti qualora all'ultimo momento si fossero liberati dei posti, come spesso succede.

   . . . .

8. Laura si domandava se avesse potuto fidarsi di quella promessa o avrebbe fatto meglio ad andarci di persona.

   . . . .

F. Riscrivete in forma implicita le espressioni in corsivo.

Esempi: Il fatto *che siamo* tutti qui dimostra la nostra amicizia.
Il fatto di essere tutti qui dimostra la nostra amicizia.

Se lo si vuole davvero, si muovono le montagne.
Volendolo davvero, si muovono le montagne.

Scendendo le scale

1. *Se si scende* a piedi e *si evita* di chiamare l'ascensore, si consuma meno elettricità ma si rischia la vita – come adesso vi racconterò.

. . . .

2. Mi stupisco io stesso *che io sia* ancora vivo.

. . . .

3. *Siccome scendevo* le scale con il naso in aria, non ho visto la buccia di banana (accidenti a chi ce l'aveva messa!) sull'ultimo scalino della rampa e sono scivolato come un cretino.

. . . .

4. Non è stata completamente colpa mia perché, *per quanto riguarda l'illuminazione*, le luci erano spente.

. . . .

5. Non c'era nessuno *a cui potessi chiedere* aiuto.

. . . .

6. In un primo momento non ho gridato: piangevo *più di quanto non mi lamentassi.*

. . . .

7. Finalmente ho trovato il sistema *con cui ho potuto farmi sentire.*

. . . .

8. *Se ci penso,* la situazione era proprio ridicola.

. . . .

9. Mi sono salvato *perché mi sono messo a cantare*: qualcuno infastidito dai miei acuti ha chiamato il 113.

. . . .

10. Così ho trovato il mezzo *con cui sono potuto andare in ospedale.*

. . . .

G. Completate con le espressioni figurate che mancano.

Il condominio

1. Adesso basta con le discussioni e le vecchie polemiche! È meglio dare un . . . . ai nostri contrasti passati e cominciare da capo.
2. È ora di darsi da fare. Siamo stati troppo tempo passivi, con le . . . . , senza far niente.

3. Bisogna trovare un nuovo segretario che faccia discorsi chiari e brevi, non come quello sconclusionato dell'anno scorso che faceva sempre interventi senza . . . .
4. Proponiamolo all'avvocato del terzo piano: è una persona influente e affidabile che ha molte conoscenze e che ha le . . . . in tutti gli uffici del comune.
5. È anche una persona molto . . . . , cordiale e affabile con tutti.
6. Dovremmo domandare il parere degli altri. Se avete . . . . l'elenco di tutti gli inquilini, li avviso io.
7. Calma! Bisogna evitare che la convocazione abbia l'aria di un . . . .
8. Mi fate fare un . . . . a casa per avvertire mia moglie che arriverò più tardi?

H. Passate alla forma esplicita.

Esempio: Siamo soddisfattissimi di aver comprato un telefonino, dopo tante esitazioni.
Siamo soddisfattissimi perché abbiamo comprato un telefonino, dopo tante esitazioni.

Il telefonino

1. Per costare, non costa troppo, e ti evita infinite arrabbiature.

. . . .

2. Quante volte ho perso la pazienza per non aver trovato una cabina telefonica funzionante!

. . . .

3. Non eri proprio tu a essere decisamente contrario?

. . . .

4. A pensarci bene, penso proprio di sì.

. . . .

5. Poi ho cambiato idea e sono convinto di aver speso bene i miei soldi.

. . . .

6. A dirvi la verità, in certi casi lo tengo spento.

. . . .

7. Ancora mi sembra strano poter ricevere telefonate mentre vado a 140 km all'ora in autostrada, per esempio.

. . . .

8. Prevedi di prendere presto un apparecchio più sofisticato?

. . . .

I. Unite le seguenti frasi.

Esempio: Abbiamo lavorato troppo. Siamo stanchi.
Siamo stanchi perché abbiamo lavorato troppo.
Siamo stanchi per aver lavorato troppo.

Sergio, il cameriere

1. Sergio ha lavorato per molto tempo in un piccolo ristorante. Avrebbe voluto lavorarci per un periodo più breve.

. . . .

2. Ne aveva abbastanza di servire tra tavoli e cucina. Si è licenziato.

. . . .

3. All'inizio non era abituato. Non sapeva trattare con i clienti.

. . . .

4. Lui dice così. Alla fine era un cameriere perfetto: pronto, preciso e premuroso.

. . . .

5. Certe sere guadagnava proprio bene. Talvolta le mance erano generose.

. . . .

6. Una volta perfino lui ha trattato male un cliente difficile. Aveva proprio perso la pazienza.

. . . .

7. Aveva fatto aprire due bottiglie. Sapevano di tappo.

. . . .

8. Di mancia, gli aveva dato due lire. Si aspettava di più.

. . . .

9. Sergio ha protestato. Mi sarei aspettato da lui che protestasse.

. . . .

10. «Lo ammetto. Ho esagerato».

. . . .

L. Se opportuno, aggiungete il pronome soggetto nella posizione migliore.

Lavori antichi: ogni giorno 187 gradini

CESANO MADERNO – Il suo vero mestiere oggi è il meccanico di precisione. Ma, oltre a questo lavoro, ... coltiva . . . . . come hobby un antico mestiere. Tutti i sacrosanti giorni, anche con questo caldo, ... si arrampica in cima alla torre di Palazzo Borromeo: 187 gradini per salire, altrettanti per scendere. Una bella faticaccia! Che . . . . . . , Roberto Bizarri, 30 anni, rinnova puntualmente ogni 24 ore, seguendo un ritmo immutabile. Immutabile come il tempo battuto dall'orologio, al quale . . . . . si è preso la briga di dare . . . . . il moto.

Quello issato sull'antico monumento è infatti un raro esemplare a pendolo, datato 1835, in grado di funzionare solo con la carica manuale.

Così alle 13.15, l'addetto all'orologio, sfruttando la pausa di pranzo, si avventura lassù, ... raggiunge . . . . . la cabina contenente il meccanismo a ingranaggi, e . . . . . inizia . . . . . a girare la manovella che permette il sollevamento delle corde cui sono agganciati i pesi. «Ormai . . . . . ho imparato a essere veloce . . . . . – spiega sorridente il giovane. – In cinque minuti . . . . . faccio . . . . . tutto. Ogni volta che . . . . . sento . . . . . il tic-tac del bilanciere provo una sensazione di gioia, di pace incredibile».

Il meccanismo dell'orologio
(Foto Vismara)

Adattato dal *Corriere della Sera*, 30 giugno 1996

M. Scegliete l'alternativa appropriata.

Lavori emergenti: professione "gentleman"

A volte il soggiorno in Italia può essere meno divertente *in quanto / per quanto / di come* avessero sperato turiste desiderose di scoprire le bellezze del paese, ma infastidite dalle attenzioni dei locali.

Ma adesso, *per quanto / secondo / siccome* riguarda 'pappagalli' e borseggiatori, le turiste di ogni provenienza potranno compiacersi dell'iniziativa dell'«Associazione Gentleman».

Per quello / Quanto a / A quanto scrive la «Repubblica» del 5 maggio 1995, questa associazione opera lungo la costa amalfitana, ma chissà, potrebbe ampliare il proprio raggio d'azione, *quando / se / nel caso* avrà il successo che si aspetta.

L'associazione promette *di/–/a* mettere a disposizione di tutte le turiste sole che lo richiederanno dei 'gentlemen' *che/chi/cui* le accompagneranno dovunque consigliando loro negozi, discoteche, ristoranti tipici e luoghi particolari da visitare.

Quanto / In quanto / Secondo quanto afferma l'animatore dell'associazione, il servizio sarà completamente gratuito, e in tre anni aderiranno all'iniziativa mezzo milione di turiste. Inoltre, *a/se/per* sentir lui, gli accompagnatori saranno presto tremila e si creeranno ben mille posti di lavoro.

Volete sapere *perché / come/ quando* si diventa 'gentleman'? In apparenza è abbastanza facile. L'agenzia propone un corso del costo di cinquantamila lire, *cui / che / a che* si potrà accedere conoscendo almeno una lingua straniera.

Gli accompagnatori sono già un centinaio e le richieste aumentano ogni giorno. A fine estate, *nel caso / se / chi* vince il premio «gentleman dell'anno» riceverà una somma di cinque milioni.

N. Scegliete la miglior posizione per gli aggettivi in corsivo.

L'erba è troppo alta
Il Comune affitta venti pecore

BERGAMO – *Poveri* spazzini *poveri*. Prima hanno creduto di storpiarne il *comune* nome *comune* in «*ecologici* operatori *ecologici*»; adesso pensano di sostituirli addirittura con le pecore. No, non è una *nuova* battuta *nuova*: da qualche settimana due gruppi di *giovani* ovini *giovani*, ognuno composto da 20 *affamatissimi* esemplari *affamatissimi*, batteranno a tappeto una serie di *pubbliche verdi* aree *verdi pubbliche* della città. Addio quindi all'*assordante* ronzio *assordante* dei tagliaerba.

Al *loro* posto *loro* entreranno in azione le *silenziosissime* mandibole *silenziosissime* delle *nuove* pecore *nuove*. Tutt'al più si sentirà qualche belato di troppo, ma di questi tempi potrebbe servire ad addolcire gli stress della *moderna* vita *moderna* con un *nostalgico* ritorno *nostalgico* al passato.

L'idea di sostituire gli spazzini con le pecore è di due *bergamaschi* pastori *bergamaschi*, che alcuni mesi fa hanno bussato alla porta del Comune di Bergamo per chiedere se vi era la possibilità di tentare l'esperimento.

La proposta, per la verità, non era originalissima. Le pecore-spazzino hanno già dato *brillante* prova *brillante* di sé in alcune città svizzere e olandesi. A Palazzo Frizzoni, sede del Municipio, la *comunale* Giunta *comunale* ha preso alcune settimane di tempo per riflettere, finché l'assessore ai Lavori Pubblici, alle prese con *sempre più insufficienti* risorse *sempre più insufficienti*, ha deciso di convocare i due pastori. L'accordo di massima è già stato raggiunto e verrà perfezionato nei *prossimi* giorni *prossimi*.

Come detto, saranno utilizzati due mini-greggi composti da venti pecore ciascuno. A loro saranno affidate alcune *impervie* aree verdi *impervie*, come le scarpate delle *ferroviarie* linee *ferroviarie* Bergamo-Lecco e Bergamo-Treviglio, o gli *scoscesi* terreni *scoscesi* posti sotto le *venete* mura *venete* che cingono l'*Alta* Città *Alta*.

Le pecore dovrebbero entrare in servizio dai primi di giugno. «L'esperimento, che al Comune non costa una lira, se darà *buoni* risultati *buoni*, verrà sicuramente riproposto, e su *più ampia* scala *più ampia*, il *prossimo* anno *prossimo*,» ha commentato l'assessore Ghisleni.

Cesare Zapperi

Corriere della Sera, 9 maggio 1996

Ripasso 9-15

A. Sostituite opportunamente le parti in corsivo con le espressioni date.

A proposito di mani

a man salva – allungano le mani – ci abbiamo preso la mano
dalle mani lunghe – ha le mani bucate – hanno fatto man bassa
mangerei le mani – mettermi le mani nei capelli – prenderti la mano
sono venuti alle mani

1. All'inizio non sapevamo come girare in metropolitana, ma poi *ci siamo abituati.*

. . . .

2. Attenzione quando viaggiate in metropolitana! Ci sono passeggeri *ladri* che potrebbero soffiarvi il portafoglio.

. . . .

3. Attenzione anche a quelli che vi *toccano.*

. . . .

4. Ieri dopo parole e insulti, due passeggeri *si sono perfino picchiati.*

. . . .

. Se penso che avrei potuto comprarmi una gran macchina se avessi giocato la schedina, mi *arrabbio.*

. . . .

6. Questa tua passione per il gioco può *prenderti il sopravvento* e resterai senza camicia.

. . . .

7. Dovrò *disperarmi,* come quel disgraziato del mio vicino di casa a cui hanno svaligiato l'appartamento.

. . . .

8. Hanno messo tutto sottosopra e gli *hanno rubato* tutto.

. . . .

9. Hanno rubato proprio *senza la minima preoccupazione di venire puniti.*

. . . .

10. Tanto sarebbe rimasto ugualmente senza camicia perché *spende con eccessiva facilità.*

. . . .

B. Completate con gli elementi dati.

addirittura – anzi – infine – infatti – in fondo
innanzitutto – invece – poi – solamente

Videomania

Secondo i patiti della tv, guardarla non è un'occupazione passiva, ... può essere un'attività creativa. Sostengono tre punti: . . . . con tutti i canali esistenti il telespettatore 'inventa' meglio i propri spettacoli con il piccolo schermo di quanto non faccia con il cinema o il teatro. Il successo dei programmi, ... , è nella loro qualità. . . . . , anche gli spot pubblicitari spesso sono piccoli veri e propri gioiellini.

Secondo i detrattori della tv, ... , gli spot, anche quando parlano di grandi temi sociali, hanno un segreto messaggio negativo, ... pericoloso. È naturale! – sostengono i detrattori – . . . . più i registi sono artisti famosi, più sono abili nel sublimare il messaggio consumistico.

Noi concludiamo che esagerano tutti e due: . . . . la maggior parte dei programmi non è né creativa né pericolosa. È . . . . una perdita di tempo.

C. Indicate a fianco delle seguenti frasi il significato di *pure*, scegliendo tra quelli dati.

al solo fine – anche – ma – perfino – *pleonastico & rafforzativo*
prego – proprio – sebbene – ugualmente

Cittadini all'attacco

Piazza Navona
Il Messaggero, 4 novembre 1996
(Foto M. d'Ilio)

1. Posso mostrarvi una foto di piazza Navona? Mostracela pure! . . . .
2. L'immagine è pure autentica, anche se sembra un fotomontaggio. . . . .
3. Il degrado sembra incredibile, pure è vero. . . . .
4. Pure se la piazza è uno dei posti più belli del mondo, nella foto sembra semplicemente una specie di bazar orientale. . . . .

5. La zona è assediata dai venditori, a volte pure coperta di cartacce e lattine. . . . .
6. Pur di cambiare la situazione, i residenti non so cosa farebbero! . . . .
7. I turisti scrivano pure lettere al sindaco per denunciare la rovina dell'ambiente. . . . .
8. I cittadini non hanno chiesto aiuto al Pronto Intervento Centro Storico. Pure, glielo darà. . . . .
9. Pur essendo istituito da poco, è un organismo piuttosto efficiente. . . . .
10. Volete vedere con i vostri occhi? Vediamoci in piazza stasera, alle sei. Ci verrà pure un rappresentante dell'Associazione Residenti. . . . .

D. Completate opportunamente con le esclamazioni date.

Basta! – Brava! – Coraggio! – Evviva! – Insomma! – Ma va' là!
Mamma mia! – Per carità! – Senta! – Vergogna!

Piazza San Marco

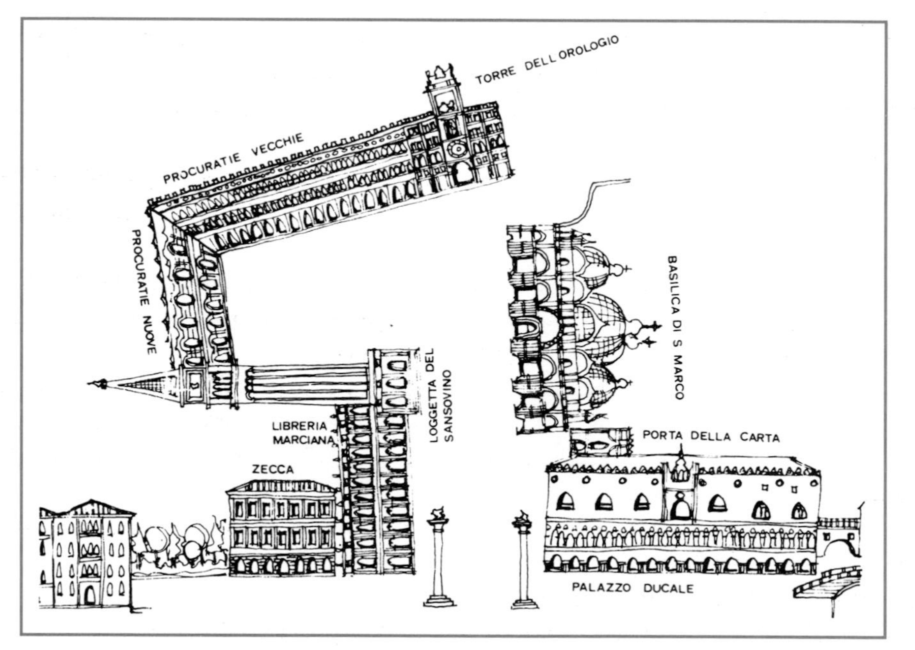

1. «Lo sapete che hanno ripulito le Procuratie dai graffiti e finalmente fermato il degrado di piazza San Marco?» «Era ora! . . . . !»
2. Sì, ma avete visto com'è ancora ridotta la Libreria Marciana? . . . . ! Che spettacolo avvilente! È in condizioni disperate!
3. . . . . ! Sei sempre il solito esagerato!
4. Non te la prendere! . . . . ! Vedrai che presto il problema sarà risolto e tutto andrà meglio.
5. Il Comune non interviene. La polizia non controlla. Ognuno fa come gli pare. . . . . ! Bisognerebbe fare qualcosa! Occorre più vigilanza!

6. Una mia amica ha scritto una lettera durissima per denunciare sporcizia, rumori, furti e atti di vandalismo. . . . . !
7. Non è possibile! I cittadini del centro storico protestano sempre! . . . . non ne posso più delle loro lamentele! Che vadano a vivere a Mestre!
8. . . . . signor sindaco, la sua reazione è assurda! La vuole smettere di ignorare i nostri problemi? Vuole organizzare una manifestazione?
9. . . . . ! Ho appena istituito un ente a cui potete fare tutte le vostre segnalazioni.
10. . . . . , Lei! Scusi, può spostare la sua roba che vorrei fare una fotografia?

E. Riempite ogni spazio vuoto con una sola parola.

C'era una volta piazza Navona

1. Basta guardare le . . . . scattate dai turisti con la famosissima fontana dei Fiumi del Bernini coperta dalle borse, le cinture, i portafogli e quant'altro ancora affidato alla . . . . degli ambulanti per reclamare un pronto . . . . da parte del Comune di Roma.
2. La ricetta Trinità de' Monti ha dimostrato come sia possibile trasformare il sogno in . . . . : il degrado non è più di casa sulla celebre . . . . e probabilmente scomparirà presto . . . . dalla zona di piazza della Rotonda.
3. A giudicare da quanto . . . . il *Messaggero* del 4 novembre 1996 non è da escludere che l' "immondizia" . . . . dalle zone risanate sia finita a piazza Navona.
4. Il colpo d'occhio è deludente, anzi . . . . , con la fontana letteralmente . . . . dai venditori, impossibile per i turisti da fotografare . . . . la barriera di merce che si erge dai tappetini.
5. Non c'è . . . . libero per ritagliarsi una posa decente. I turisti ci provano lo . . . . , armano le macchinette, puntano l' . . . . verso il loro caro che arretra attento a non . . . . soprammobili e cianfrusaglie.
6. Anche le panchine sono . . . . e usate come vetrine o laboratori per mettere le treccine colorate ai ragazzi.
7. Gli artisti di strada trasformano la piazza in una . . . . di Covent Garden nostrano. Poi ci sono, purtroppo, anche gruppetti di ragazzi, ... qua e là, che strimpellano e . . . . malamente le canzoni di Pino Daniele e dei Beatles.
8. Tutti . . . . fare tutto. Sporcare, stonare, vendere . . . . e stracci colorati.
9. «Questo è l'ombelicolo del mondo», ... un giovane che con il tamburello esegue l'ultima canzone di Jovanotti.
10. È così? Sicuramente è piazza Navona. . . . . lo era.

F. Scegliete l'alternativa giusta.

Veleggiando

1. La barca di Giovanni ha già spiegato *i veli / le vele* al vento.
2. A che *punto/punta* siamo?
3. Beh, facciamo *il punto / la punta* della situazione.
4. Ormai siamo arrivati in *porto/porta.*
5. Meno male, perché non c'è più *un filo / una fila* d'aria e siamo a *un punto morto / una punta morta.*
6. Non riesco a vedere: mi fa *velo/vela* la foschia.
7. Il mare si estende a *vista/visto* d'occhio.
8. Meglio non mangiare *frutti/frutta* di mare, se non si è sicuri della provenienza.

G. Riscrivete in forma implicita le espressioni in corsivo.

Esempio: Voglio andare al mare, dopo *che ho finito* di scrivere questa lettera.
Voglio andare al mare dopo aver finito di scrivere questa lettera.

In mare aperto

1. Nel 1996 Giovanni Soldini ha vinto il traguardo della Quebec-Saint Malo con l'equipaggio, *dopo che aveva vinto* la regata transoceanica in solitario alcuni mesi prima.

   . . . .

2. Anni fa, *dal momento che aveva vinto* due tappe, Soldini era giunto secondo al Giro del mondo in solitario.

   . . . .

3. Aveva perso velocità *perché era stato frenato* da una balena che gli aveva strappato i due timoni.

   . . . .

4. «Ho perso un sacco di ore *perché dovevo fare* la riparazione».

   . . . .

5. *Prima che avesse* questo contatto ravvicinato, non aveva mai visto una balena da vicino.

   . . . .

6. È arrivato al traguardo così stanco *che sembrava* ubriaco.

   . . . .

7. Quattro anni fa, in questa stessa gara, *mentre era ormai certo* di vincere, ha avuto un'avaria.

   . . . .

8. È rimasto a mollo, appollaiato sulla chiglia *fino a quando non è arrivata una nave.*

   . . . .

9. «Non potevo far nulla *salvo che dovevo aspettare*».

   . . . .

10. *Anche se aveva perso,* si è dichiarato soddisfatto della sua imbarcazione.

    . . . .

H. Mettete gli aggettivi dati nella forma e nella posizione (pre- o post-nominale) appropriate.

alcuno – buono – diverso – drammatico – duro – fine
francese – grande – grazioso – lungo – maschile – nuovo – primo
primo – primo – raffinato – solitario – sospeso – terribile

Donna in mare

Isabelle Autissier & Antoine le Seguillon
Appuntamento con il mare
Mursia, Milano 1996
(trad. dal francese con illustrazioni di Lucia Pozzo)

La francese Isabelle Autissier, ... navigatrice . . . . , è entrata di diritto nel novero più ritretto dei . . . . velisti . . . . d'altura di oggi. In questi mesi sta preparando la . . . . barca . . . . per il giro del mondo in solitario e senza scalo che partirà a novembre di quest'anno. Se sarà assistita dalla . . . . sorte . . . . , potrà anche risultare vincitrice, perché ha già dimostrato di averne tutti i numeri.

Il libro racconta la storia di questa . . . . parigina . . . . di quarant'anni, riservata e determinata, dalle . . . . uscite . . . . in mare dell'adolescenza fino a oggi. Racconta anche, naturalmente, la sua . . . . avventura . . . . di fine '94 nell'Oceano Indiano, quando la barca da lei condotta in solitario, già messa a . . . . prova . . . . dalla rottura dell'albero, poi fortunosamente riparata, venne scoperchiata e resa ingovernabile da una . . . . burrasca . . . .

Isabelle Autissier

Isabelle dovette attendere per . . . . giorni . . . . la salvezza in elicottero, lasciando il mondo intero con il . . . . fiato . . . . , come molti ricorderanno dalle . . . . pagine . . . . dei giornali del tempo. La sfortuna aveva iniziato a colpirla quando era in testa alla regata con . . . . giorni . . . . di anticipo sui più agguerriti rivali di . . . . sesso . . . . di tutto il mondo.

Appuntamento con il mare non è in realtà un'opera dell'Autissier in . . . . persona . . . . , ma è una . . . . intervista . . . . di Le Seguillon. È un po' un peccato, perché la Autissier è anche una . . . . scrittrice . . . . e di . . . . sensibilità . . . . , come dimostra la rubrica che tiene regolarmente sulla . . . . rivista . . . . di nautica *Bateaux*.

I. Passate alla forma esplicita, se possibile.

Esempio: Voglio dormire. Ho sonno da non vederci più.
Voglio dormire. Ho sonno che non ci vedo più.

Alla spiaggia

1. Papà, mi compri un gelato? Ho una fame *da morire.*

. . . .

2. Puoi chiedermi tutto, *tranne che comprarti* un gelato a quest'ora.

. . . .

3. Tu mi avevi detto che potevo mangiare *dopo aver fatto* il bagno!

. . . .

4. *Invece di stare* qui a lamentarti, perché non fai un bel castello di sabbia con i tuoi amichetti?

. . . .

5. Fa troppo caldo *per giocare* al sole.

. . . .

6. Perché *per rinfrescarti un po'* non vai a mettere i piedi in acqua o a fare un altro bagno?

. . . .

7. Non so perché me lo domandi, *sapendo* benissimo che non mi piace nuotare, quando ho fame.

. . . .

8. Non fare tante storie. *Per insistere che tu faccia,* non mi convincerai.

. . . .

9. Metti il salvagente al sicuro sotto l'ombrellone *per non farlo volare* al vento.

. . . .

10. *Per non sentire* le tue lagne io vado in acqua.

. . . .

L. Unite le seguenti frasi.

Esempio: Andrea è un bambino molto tranquillo. Dorme tutta la notte.
Andrea è un bambino così tranquillo che dorme tutta la notte.

Gli scacchi

1. Angelo è appassionatissimo di scacchi. Passa ore intere davanti alla scacchiera.

. . . .

2. Tempo fa gli hanno regalato una scacchiera elettronica. Fa tre, quattro partite al giorno.

. . . .

3. Si allena. Ha intenzione di iscriversi a un torneo internazionale.

. . . .

4. Giorni fa sono andata a trovarlo. Stava giocando con suo nonno.

. . . .

5. Il nonno ha più di novant'anni. È molto vivace e arzillo.

. . . .

6. In gioventù era campione di ciclismo. Ha avuto un incidente.

. . . .

7. Quei due hanno continuato a giocare come se niente fosse. Non mi hanno rivolto la parola.

. . . .

8. Ad Angelo perdono qualsiasi sgarbo. Ma non sopporto che non mi parli.

. . . .

9. Dovevo dargli una notizia importante. Me ne sono andata.

. . . .

10. Non andrò a trovarlo. Aspetto che finisca il torneo.

. . . .

M. Inserite le congiunzioni e preposizioni che mancano.

Morbidezza e spaziosità

Per me parlare degli uomini grassi significa giocare in casa . . . . io sono grasso. Non pretendo, con ciò, di qualificarmi . . . . tecnico della pinguedine, ma semplicemente . . . . un tale che parla di cose che conosce non . . . . le ha sentite dire, ma . . . . espone la propria esperienza.

Vi è di più: . . . . essere grasso, io sono stato magro, anzi micro. Ho fotografie di trent'anni fa, nelle quali appaio . . . . una decorosa imitazione di un verme con abbozzo di scheletro.

Ora sono un cuscino, un sofà, un piumino. Sono morbido e spazioso. Infatti, il grasso occupa più spazio . . . . magro; ma non lo fa . . . . sia arrogante, ma per una naturale tendenza ad espandersi.

. . . . manifesto l'intenzione di dimagrire – cosa che tutti i grassi fanno, e in genere disattendono –, non di rado i miei selezionati amici manifestano una tal quale apprensione, ... dessi segno di patente disordine mentale.

Nel paesaggio italiano, io mi innalzo . . . . un dignitoso monumento adiposo, che l'Associazione Italia Nostra non consente . . . . venga modificato. Il Colosseo non può, non deve essere quadrato, né il Duomo di Milano può emettere cupole da moschea.

adattato da **Giorgio Manganelli,** ***Improvvisi per macchina da scrivere***

Leonardo, Milano 1989

N. Sistemate i verbi.

Il giocatore che puntò sul 37

Forse non tutti sanno che i numeri della roulette (andare) . . . . da 0 a 36. Questo è il motivo per cui quella fatidica sera il croupier (rimanere) . . . . esterrefatto quando qualcuno alle sue spalle gli (porgere) . . . . un mucchietto di fiches chiedendo che gliele (puntare) . . . . sul 37.

Gli altri giocatori (bloccarsi) . . . . , il croupier (voltarsi) . . . .

. . , tutti (fissare) . . . . l'uomo che (volere) . . . . scommettere sul 37. E (chiedersi) . . . . come (potere) . . . . non averlo notato prima, con quella giacca turchese, il papillon argentato ... Tutti (guardare) . . . . come se (vedere) . . . . un pazzo, un marziano.

Lo chef du table (ordinare) . . . . che si (accettare) . . . . quella strana puntata. Il giocatore, (deporre) . . . . le sue fiches sul tavolo verde, le (osservare) . . . . compiaciuto; poi, nel silenzio generale, dalle tasche (tirare fuori) . . . . un mucchietto di cose scintillanti (dire) . . . . che (volere) . . . . giocarsi anche quelle.

«*Rien ne va plus*». Che sorpresa quando la pallina, dopo una corsa impazzita (schizzare) . . . . via dalla roulette (rotolare) . . . . sul pavimento!

Una elegante donna bionda sulla soglia la (fermare) . . . . con la punta della scarpetta bianca. «Scusi, che numero porta?» «37!» E il fortunato giocatore (incassare) . . . . la vincita dopo che lo chef du table (dichiarare) . . . . solennemente «*Trente-sept, blanche*».

O. Scegliete la posizione migliore per il soggetto.

Sorpresa: italiani in orario

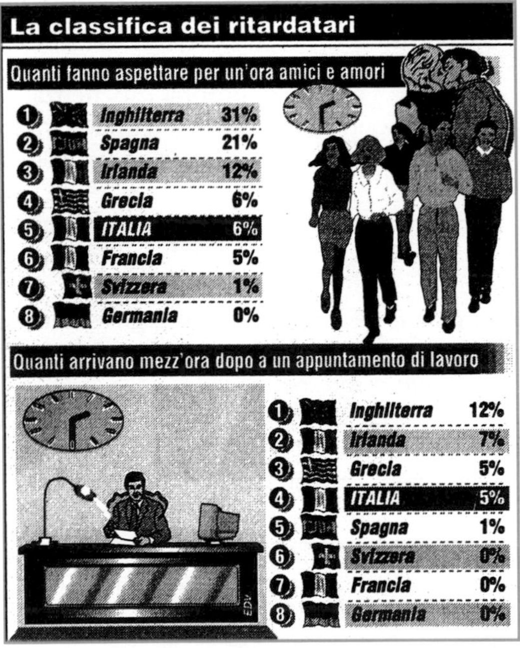

Corriere della Sera, 16 settembre 1996

MILANO – Addio «puntualità britannica». *La flemma inglese* domina *la flemma inglese*, prima degli incontri di lavoro e degli appuntamenti amorosi. Nella classifica dei ritardatari cronici *l'Inghilterra* arriva prima in Europa *l'Inghilterra*: *l'incrollabile mito della precisione teutonica* resiste *l'incrollabile mito della precisione teutonica* mentre *gli italiani*, fortemente sospettati di mediterraneo lassismo assieme a spagnoli e greci, *gli italiani* si mostrano in qualche caso addirittura più scrupolosi degli svizzeri *gli italiani*.

Il primo censimento delle abitudini «orarie» nelle diverse nazioni è stato realizzato grazie a Internet *il primo censimento delle abitudini «orarie» nelle diverse nazioni*. *Settecento persone in tutta Europa, suddivise poi per nazionalità, sesso, età,* sono state contattate nel cyberspazio dal mensile Focus, che nel numero di ottobre pubblica i risultati dell'indagine, *settecento persone in tutta Europa, suddivise poi per nazionalità, sesso, età*. A tutti è stato chiesto di definire il ritardo tollerabile in diverse circostanze.

Il risultato è stato visualizzato in una cartina europea della puntualità *il risultato* che vede in testa i tedeschi. *I britannici* si dimostrano invece in media i meno puntuali in assoluto *i britannici* battuti anche dai popoli neolatini.

[Ma saranno tutti sinceri?]

Chiavi per gli esercizi

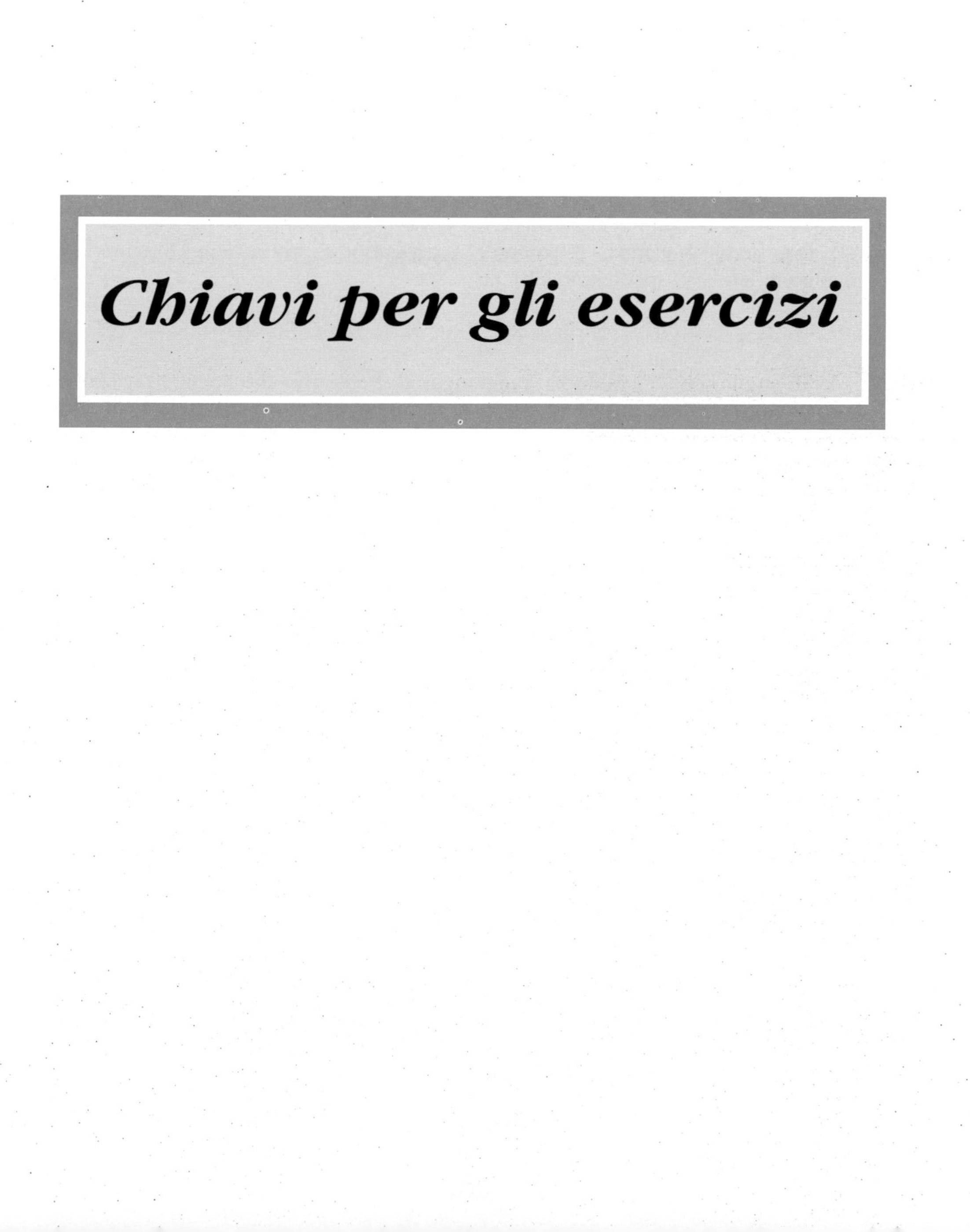

1

1/B. 1. ricorrenza; 2. borghesia; 3. velleitarismo; 4. patrimonio; 5. policromia; 6. indicativo; 7. turistico; 8. generico; 9. cartografico; 10. associativo

1/D. 1-c; 2-f; 3-a; 4-a; 5-d; 6-b; 7-a; 8-e

1/E. 1. forestiero; 2. viatico; 3. patente; 4. progetto; 5. in crociera; 6. eliminarlo; 7. guida; 8. vagone letto; 9. spedizione; 10. far sosta

1/F. 1. –; 2. –; 3. –; 4. –; 5. di; 6. di; 7. –; 8. –; 9. di, –; 10. –

1/G. 1. Mi auguro che anche lo zio raggiunga; 2. Pensiamo che anche i ragazzi viaggino; 3. Promettiamo che ognuno di noi sarà; 4. Ammetterete che tutti voi vi siete sbagliati. 5. Vi giuro che io stesso non viaggerò; 6. Molti scrittori tedeschi dichiarano che la gente del loro paese ama; 7. Mio fratello afferma che anche sua moglie non vuole; 8. Abbiamo scoperto che non solo noi, ma anche i nostri genitori stanno

1/H. 1. Sì, mi piace viaggiare per mare. 2. No, non mi piace che mi svegli lo squillo della sveglia. 3. Sì, mi piace stare in campagna. 4. No, non mi piace andare all'ostello della gioventù. 5. No, mi piace che tutti i giorni i pasti li prepari un cuoco. 6. No, mi piace che lo faccia l'autista di un autobus. 7. No, non mi piace prendere a nolo la macchina. 8. No, non mi piace che gli autostoppisti chiedano un passaggio. 9. Sì, non mi piace che li scrivano gli altri

1/I. 1. Si sa che viaggiare è diventato; 2. Si legge che una volta pellegrinaggi, cultura e salute erano; 3. È noto che anche i mercanti viaggiavano; 4. Anche i bambini lo sanno che strade, ferrovie, linee aeree e marittime sono; 5. Si sa che le ferie e vacanze scolastiche complicano; 6. È cosa risaputa che una buona guida deve; 7. Capita spesso che le riviste di turismo ricche di fotografie e di articoli informati facciano; 8. È risaputo che il Touring è; 9. Abbiamo appena letto che nel 1994 il Touring ha compiuto

1/L. 1. È noto a tutti che Cristoforo Colombo era caparbio. 2. Molti non volevano che l'avventuriero partisse; 3. È risaputo che il navigatore si è impegnato personalmente; 4. Isabella di Spagna confermò di essere interessata; 5. Centinaia di marinai dichiararono di essere pienamente disponibili; 6. Colombo era certo che i saggi di Salamanca lo appoggiavano. 7. Era necessario che i sovrani spagnoli investisssero una somma ingente; 8. Occorreva assolutamente che tutti i soci firmassero il contratto. 9. Si temeva che i navigatori scomparissero

1/M. 1. conduce; 2. siano; 3. possa; 4. si godono; 5. avevano; 6. deprimevano; [*nascondano*]; 7. decidessimo; 8. si covertissero

1/N. 1. sia tornata; 2. aveva chiesto; 3. era rimasta; 4. si sia fatta; 5. avesse preso; 6. abbia fatto; 7. fosse andato; 8. abbiamo parlato

1/O. 1. avremmo passato; 2. avreste aspettato; 3. avreste mantenuto; 4. crederò; 5. sareste partiti; 6. porteranno; 7. durerà

1/P. 1. richiedono; 2. si informi; 3. trovi; 4. abbiano trovato; 5. prenotiate; 6. decidete; 7. riusciranno; 8. visiterai; 9. comporti; 10. abiterà

1/R. 1; 4; 6; 10; 11; 3; 7; 5; 8; 9; 2

1/S. viaggiatori esasperati; mura domestiche; affranti e esausti; vacanza esotica; solenne promessa; buon libro; libro provocatorio; dilagante frenesia; martellante propaganda; l'ultimo volume; collana unica; vecchia maniera; grafica raffinatissima; produzione corrente; prestigiosa collana; peggiori viaggi; scrittori celebri; dotati di humour; disastrosi; viaggiatori più impavidi e ostinati; l'infinita noia; drammatico safari; tranquilla serata; proprio nome; Roma appare desolata, addirittura lugubre; poeta abbastanza noto; splendida Villa Massimo; città eterna

2

2/A. 4

2/B. Ore 8. Manca più di un'ora all'appuntamento, ma la fila è già notevole: nella luce grigia del mattino, pare la versione paninara del limbo dantesco nelle illustrazioni di Doré. Il serpentone umano si snoda da largo Corsia dei Servi attraverso il corso, fino ad arrivare al cinema Astra. Occhi rossi per il sonno e per il freddo pungente. «Saremo già più di 300,» scuote il capo un ragazzo in giubbetto blu e cappellino da baseball. «E continuano ad arrivare,» gli fa eco una biondina pochi metri più avanti. «Io avevo detto alla mamma che sarei arrivata a casa alle 11-11.30 massimo».
Ore 9,30. Dovrebbero iniziare i colloqui: tutti guardano in cima alla scala che porta al Burghy. Scende un uomo sui trentacinque, l'espressione seria: per tutta la mattina sarà il caronte dei dannati dell'hamburger. Tocca a lui regolare il flusso degli aspiranti friggitori di patate: decide chi sale sulla scala di cemento grigio e chi resta, mestamente, giù. Ad aspettare. «Colpa del *Corriere* che ha pubblicato l'annuncio – mi dice un gigante di un metro e novanta, quasi una controfigura di Schwarzenegger – altrimenti saremmo qui in quattro gatti. Io i giornalisti non li posso vedere. E tu?». Lasciamo perdere.
Ore 11. La ressa ormai è incontenibile. A due ore e mezza dalla nascita della coda arriva la Celere. Due camionette, e qualche agente per cercare di regolare il flusso dei passanti.
Ore 12. Primi sintomi di fame. La coda è sempre più ferma, e c'è chi si lamenta. Nascono le prime discussioni. Ma anche le prime amicizie. Argomenti preferiti dalla ragazze: astrologia, collant, la vacanze di Pasqua, settimanali femminili, Fiorello. Dai ragazzi: la Coppa dei Campioni, Anna Falchi, Tomba, e ancora Anna Falchi.
Ore 14. Finalmente, eccoci in cima alla scala. Ma stiamo sempre all'aperto. Bisogna compilare un questionario: dati anagrafici, precedenti impieghi. Poi, come Minosse, una signora decide la "destinazione" dei dannati. Distribuisce cartellini gialli con un numero sopra. Come un supermercato. Ho il 558: stanno "servendo" adesso il 400.
Ore 17. Tocca a noi. Entriamo. Il locale è riscaldato, probabilmente al minimo. «Ma a me sembra il Kenya,» dice Alberto Rapetti, 19 anni. Il selezionatore è ragionevolmente cortese. Dopo una raffica di domande più o meno insensate («Cosa vuol fare della sua vita? E se le chiedessi di tagliarsi la barba? Ha la macchina?») ecco la conclusione che ha afflitto tutti e seicento noi dannati, dopo ore di attesa all'aperto: «Le faremo sapere».

2/C. 1-i; 2-f; 3-a; 4-c; 5-g; 6-h; 7-d; 8-b; 9-e; 10-l

2/D. compenso, paga, remunerazione, salario, stipendio; curriculum vitae, esperienza, qualifica, referenza, titolo di studio; attività, impiego, occupazione, posto, professione; aspettativa, congedo, ferie, malattia, permesso

2/E. 1-h; 2-e; 3-a; 4-g; 5-d; 6-b; 7-c; 8-f

2/F. 1. Se non mi fate respirare, soffoco. 2. Se non ci fate entrare, ci bagniamo come pulcini. 3. Se non mi fate spazio, finisco schiacciata come una sardina. 4. Se non la piantate di dire cretinate, mi arrabbio. 5. Se non fate un passo avanti, qualche altro aspirante s'infiltra. 6. Ragazzi, se non vi muovete, nessuno può passare. 7. Senta Lei, se mi tocca, chiamo il vigile!

2/G. 1. pubblicasse, si presenterebbero; 2. comprasse, leggerei; 3. trovassi, telefonerei; 4. ci fosse, presenterei; 5. offrissero, potrebbe; 6. si tagliasse, troverebbe; 7. prendessero, pagherei; 8. costasse 800.000 lire, lo stipendio mensile finirebbe

2/H. 1. si sarebbe bagnato; 2. avreste trovato il frigorifero sempre occupato; 3. un ciclista, se avesse percorso la strada delle Dolomiti; 4. perché i fantasmi vi avrebbero dato colpi in testa; 5. sarebbero scoppiate a piangere se ci fossero stati troppi binari morti; 6. avreste osservato il gran digiuno

2/I. 1. Se andiamo avanti di questo passo; 2. Se l'avessi previsto; 3. Se fosse sbarbato; 4. Se lo vedessi; 5. Se vi spostaste; 6. Se avessi visto; 7. Se ci volessimo vedere; 8. Se avessi saputo; 9. Se non avesse gli occhiali; 10. Se fossi sincera, penso che gli occhiali dovresti metterli tu.

2/L. 1. a patto che poi mi diate; 2. Qualora qualcuno volesse prendere; 3. sempre che sia; 4. Caso mai arrivasse; 5. Nel caso ci intervistassero; 6. purché non mangiamo; 7. solo qualora mi garantisca; 8. solo a patto che non mi porti; 9. caso mai mi dessi un passaggio in macchina divideremmo; 10. qualora avessi previsto

2/M. Se non mi trovate in ufficio, lasciate un messaggio. Se non mi trovaste in ufficio, lasciate un messaggio. Qualora non mi troviate in ufficio, lasciate un messaggio. Qualora non mi trovaste in ufficio, lasciate un messaggio. Nel caso che non mi troviate in ufficio, lasciate un messaggio. Nel caso che non mi trovaste in ufficio, lasciate un messaggio.

2/N. 1. «Mamma arriverò a casa alle 11-11,30 al massimo». 2. «Avrai successo in campo professionale». 3. «Arriva presto perché ci saranno un sacco di ragazzi a fare la coda». 4. «Magari venissi assunta!» 5. «Nella mia pizzeria cercano un addetto alle pulizie». 6. «Che non mi convenga presentarmi alla pizzeria?» 7. «Il selezionatore mi ha intimato di tagliarmi la barba e vestirmi meglio!» 8. «Meno male che mi sono messa il tailleurino nuovo con la camicetta azzurra fresca di bucato». 9. «Papà, sono stata assunta!» 10. «Peccato, speravo che non ti assumessero».

2/O. 1. Un giovane vegetariano, durante l'attesa, ragiona tra sé che se lo assumessero gli farebbe impressione stare in mezzo ai panini alle polpette, poiché pensa schifato che lui la carne non la mangia mai. Però sa che lo stipendio, anche se è un contratto part-time e di formazione lavoro, gli farebbe comodo: non è neanche 800 mila lire al mese, ma per lui è meglio di niente. 2. Una ragazza che critica sempre tutto e tutti getta la colpa sul *Corriere Lavoro* che ha pubblicato l'annuncio, dicendo che se non l'avesse fatto sarebbero lì in quattro gatti, e che lei i giornalisti non li può vedere. Poi rivolgendosi alla sua vicina di coda le chiede se anche lei era dello stesso parere. 3. Alla fine del colloquio, l'intervistatrice conclude dicendo al ragazzo che gliene avrebbero fatto sapere l'esito. 4. L'intervistatrice informa una delle aspiranti che si tratta di un lavoro delicato, che richiede impegno e dedizione, ma aggiunge anche che le possibiltà di carriera sono decisamente buone. 5. Un ragazzo in coda sconsolato stima che tutti insieme saranno già più di trecento. 6. Un negoziante con il negozio accanto a Burghy in corso Vittorio Emanuele grida ai ragazzi in coda di fare largo perché i negozi devono aprire e ordina loro di lasciare passare i clienti. 7. La Celere ordina ad alcuni ragazzi di mostrare il documento d'identità, poiché non tollera schiamazzi in pieno centro, aggiungendo perentoriamente che lì non erano in discoteca. 8. Un ragazzo sicuro di sé commenta sconsolato che non avrebbe mai supposto che il posto se lo prendesse quella ragazzetta mogia tutta per bene. Gli pareva più ovvio che scegliessero qualcuno più spigliato, più 'in'. Come lui, per esempio. 9. Un direttore, lusingato dal servilismo dell'aspirante segretario, non esita a comunicargli immediatamente di averlo assunto quando questi si prostra a terra in segno di saluto entrando nell'ufficio.

2/P. La responsabile del corso, Karen Shaffer, ha dichiarato che per il momento si trattava di un progetto pilota, ma che, visto il successo, altre città americane stavano pensando di organizzare iniziative analoghe. / Karen Shaffer sottolinea che gli anziani sono molto più affidabili dei ragazzi, e che molti giovani cercano un impiego provvisorio per pagarsi gli studi e mollano il lavoro senza preavviso quando trovano un'occasione migliore. / Karen Shaffer conclude che per abituarli al frenetico ambiente di lavoro hanno dovuto ricostruire l'interno di un tipico fast food. L'unico problema per i loro allievi è stato l'impatto con i registratori di cassa computerizzati: erano ancora abituati a fare le addizioni a mente. Ma per quel che riguardava voglia di lavorare e affiatamento andava tutto a meraviglia. L'entusiasmo era alle stelle. Certo, per i servizi ai tavoli esterni non li avrebbero costretti a 'volare sui pattini a rotelle anche se qualcuno si era dichiarato disposto a farlo. Tutti d'accordo invece per quel che riguardava l'abbigliamento: colori vivaci e cappellini avrebbero resistito, tanto per dare un aspetto più giovanile.

2/Q. ~~(Io)~~ Lavoravo; ~~(Io)~~ Andavo; ~~(io)~~ facevo; ~~(io)~~ scendevo; ~~(io)~~ stavo; ~~(Io)~~ Riuscivo; ~~(esso)~~ era; ~~(Io)~~ Vedevo / ~~(lui)~~ cercava; ~~(io)~~ sbagliavo; ~~(Lui)~~ Mi inseguiva; ~~(Lui)~~ Doveva; ~~(io)~~ non avevo; ~~(Lui)~~ Era / ~~(Io)~~ Pescavo; ~~(Io)~~ Cercavo / ~~(lui)~~ sapeva; ~~(io)~~ non ero; ~~(lui)~~ mi portava; ~~(essa)~~ se la poteva cavare; ~~(Loro)~~ La perseguitavano; ~~(loro)~~ la guardavano; ~~(loro)~~ la mettevano / ~~(Lui)~~ Conduceva; ~~(lui)~~ le faceva; ~~(Questi)~~ Frugavano; ~~(questi)~~ scoprivano; ~~(questi)~~ ne ordinavano; ~~(Questi)~~ Mangiavano; ~~(questi)~~ cercavano; ~~(Questi)~~ Pretendevano; ~~(questi)~~ cercavano; ~~(questi)~~ dicevano; ~~(Questi)~~ Insistevano / ~~(io)~~ ho cominciato; ~~(Io)~~ Guadagnavo / ~~(loro)~~ leggevano; ~~(loro)~~ diffondevano / ~~(essi)~~ erano impermeabili; ~~(Essi)~~ Erano larghi; ~~(Io)~~ Li guardavo / ~~(questa)~~ creava; ~~(essi)~~ erano stravolti; ~~(loro)~~ si immalinconivano; ~~(loro)~~ ciondolavano; ~~(loro)~~ scuotevano / ~~(io)~~ distendevo; ~~(io)~~ le sovrapponevo; ~~(io)~~ distribuivo; ~~(Io)~~ Mi sentivo; ~~(io)~~ correvo; ~~(io)~~ giuravo; ~~(io)~~ non sarei tornato; ~~(io)~~ contavo; ~~(io)~~ pensavo

3

3/B. 1. inciviltà; 2. scortesia; 3. malcreanza; 4. scostumatezza; 5. indisciplina; 6. indiscrezione; 7. maleducazione

3/C. 1. malgoverno; 2. malcostume; 3. cattivo contegno; 4. malasorte; 5. malaventura; 6. malavita; 7. malomodo; 8. cattiva condotta; 9. malagrazia; 10. malafede

3/D. 1-d; 2-g; 3-h; 4-a; 5-c; 6-b; 7-f; 8-e

3/E. *Minore intensità*: disagio, dispetto, disturbo, fastidio, noia; *media intensità*: cruccio, irritazione, sdegno, seccatura; *maggiore intensità*: angoscia, collera, esasperazione, furore, ira, rabbia

3/F. *Parigi* – ha lanciato; è scesa; costa; si telefona; *Tokyo* – è; vanno; vuol; producono; *Berlino* – sono; mancano; costa; offrono

3/G. 1. Per me è un vero piacere! 2. È un vero godimento. 3. È un genuino interesse. 4. Ma se per me è un gran divertimento! 5. È una cosa che mi lascia del tutto indifferente. 6. È un gran disturbo. 7. È una piacevole distrazione. 8. È una preziosa comodità.

3/H. 1. Nessuno vieta che la gente si esprima; 2. In alcuni casi è d'obbligo che le persone rispettino; 3. In chiesa è vietato che i fedeli indossino; 4. Nelle scuole francesi non è permesso che le ragazze islamiche mettano; 5. Durante un funerale si suggerisce che i fedeli abbassino; 6. Nei treni locali italiani è vietato che i passeggeri fumino; 7. Negli ospedali non è permesso che i parenti dei ricoverati restino; 8. Nei musei non è permesso che i visitatori scattino; 9. Sugli autobus è vietato che i passeggeri parlino; 10. Si dovrebbe suggerire che le case produttrici facciano

3/I. prima classe; giacca bleu; doppi bottoni; prima vista; perfetto rampantino; certo punto; mio diritto; mio posto; suo cellulare; mezzi termini; merdosa Cracovia; sua Liuba; sue telefonate; sua volgarità; povera polacca; tanta volgarità; semplice episodio; tanta volgarità; tanta aggressività; tanta isteria; tanta arroganza

3/L. 1-e; 2-a; 3-l; 4-m; 5-b; 6-h; 7-d; 8-c; 9-i; 10-g; 11-f

3 M. 1994Ø Roma, anno, tennisØ Italico. importante, calcio, ciclismo. giornali. / sbagliato, atleti, No, tennis – aristocratico, popolarità, accadono. silenzio, scambi. regola. rispettarla, mondo, portatile, / accadutoØ sportivoØ Ormezzano, *Stampa* – / pagina – domenicaØ / ancora», cronista. Courier, cellulari – attivi – spettatori, avversario, Dosedel, / bastavano, posa. taluni, inopportuni, impensati. posa. "cellulare"Ø lunga, telefonataØ lui. Assumendo – cronista – classica, gamba, e, ancora, / simile – sportivoØ Ormezzano – accadutoØ TorinoØ Abbado. Italia, fame, arrivoØ preso – lì, corsa – Cipollini, ciclisti. ScalaØ / tardiØ luglio), telefonica, settimanaleØ *Panorama*Ø «Italiani, / esageratoØ portatileØ esibizionisticaØ Forse. sabatoØ 1995Ø Genova, funzioneØ officiandoØ cellulareØ altare. esagerato.

3/N. 1. sedeva accanto non permetteva che Tabucchi fumasse nonostante fossero; 2. tollerava che un giovanotto sul treno offendesse; 3. faticava a tollerare che il viaggiatore dicesse ... erano rivolte; 4. ha vietato che il giovanotto mettesse; 5. impediva che i passeggeri fumassero; 6. permetteva che i viaggiatori fumassero; 7. imponeva che gli utenti del telefonino osservassero; 8. avvertivano che non si gettassero; 9. esigeva che un ragazzo seduto accanto a lui spegnesse; 10. hanno permesso che il ragazzo ascoltasse

3/O. 1. fiatasse; 2. facesse; 3. disattivassero; 4. interrompesse; 5. fulminasse; 6. avesse impedito; 7. interferissero; 8. avesse squillato; 9. avesse colpito; 10. espellesse

3/P. 1. e ha concesso agli automobilisti in coda di usare; 2. imporre agli 'utenti' di rimborsargli; 3. ha dovuto anche raccomandare subito agli automobilisti di osservare; 4. ha consentito a chiunque di usare; 5. permetto alla gente di restare; 6. ha imposto di telefonare al massimo per un minuto; 7. È consentito ad ognuno di fare; 8. era vietato alla gente di rifare; 9. ha intimato al signore di andare

3/Q. 1. ha vietato; facessero uso dei telefonini; 2. ha richiesto; indicassero; 3. hanno sollecitato ; esaminassero; 4. consigliavano; usassero; si servivano; 5. raccomandavano; tenessero; alternassero; facessero; 6. avvertivano; osservassero; 7. volevano; assicurassero; 8. chiedevano; garantissero

3/R. 1. proibisca; 2. soffrisse; 3. prenda; 4. escano; 5. fumasse; 6. limitassi; 7. siano; 8. capisse; 9. prevalga

3/S. 1. astenesse; 2. revocasse; 3. interrompa; 4. abbandoni; 5. usino; 6. ricevano; 7. correggesse; 8. nascesse; 9. interrompesse; 10. continuasse; 11. facesse

4

4/A. addiaccio, esemplari, vendita; persone, bivaccare; ingresso, stabilisce, foglietto; dare, possesso, orologino, cassa, ritornando, regalato, estetici, riuscendo, ripose, tracce; eccezionale, serie, custodia; aumentata, a, ritengono; eccezionale, orologio, per, iscriversi, causa

4/B. 1. stupito, anzi di sasso; 2. enorme, anzi madornale; 3. notevole, anzi sfacciata; 4. correrò, mi fionderò anzi; 5. mi piace, anzi adoro; 6. pieni, zeppi anzi; 7. cercare, perquisire anzi; 8. una grande differenza, anzi un abisso; 9. altissimi, esorbitanti anzi; 10. brutti, o meglio orrendi

4/C. 1. rosse, gialle, verdi, azzurri, neri, bianchi; 2. verde, rosso, giallo; 3. neri; 4. verdi, azzurro, bianco; 5. gialla, giallo, azzurra; 6. bianca, rosso; 7. rosa, celesti, neri; 8. bianco, neri

4/D. 1. testo (testa); 2. quadrato (quadrante); 3. vetrata (vetrina); 4. saldatura (saldi); 5. cronico (cronaca); 6. filo (fila); 7. campionato (campione); 8. casinò (casino)

4/E. 1-b; 2-g; 3-e; 4-f; 5-c; 6-d; 7-i; 8-h; 9-a

4/F. 1. circa la metà; 2. più del doppio; 3. sei volte di meno; 4. nove volte di più; 5. tra la metà e un terzo

4/G. perché, come; quanto; come; siccome, perché, perché; siccome, come, come; perché

4/H. 1. si sentono tutti in difetto; 2. mettersi in fila; 3. guardando furtivamente; 4. ha avuto un prolungamento; 5. erano sconclusionate; 6. tutto avvilito

4/I. 1. la fila; 2. filo; 3. un filo; 4. fila; 5. fila; 6. il filo; 7. il filo; 8. un filo

4/L. 1. quanto; 2. come; 3. come quando; 4. tanti quanti; 5. tali e quali; 6. tanto, quanto; come; come, tanti, quanti; tanti, quanti; così, come

4/M. 1. Piuttosto che tagliarci i capelli rinunciamo; 2. Piuttosto che metterci dei pantaloni a righe, giriamo; 3. Più che tingermi i capelli, porterei; 4. Piuttosto che tagliarmi il codino, mi metto; 5. Più che fare due chiacchiere con il regista, vorrei vedere; 6. Più che essere pagata con un abbonamento, vorrei ricevere; 7. Piuttosto di mangiare un panino al formaggio e cetriolo, preferisco stare; 8. Io preferisco andarmene a casa, piuttosto che ripetere

4/N. 1. è successo; 2. avevano fatto; 3. hanno scritto; 4. fosse; 5. fosse; 6. fa; 7. animasse; 8. trattasse; 9. considerasse; 10. fosse

4/O. 1. come se vivessero; 2. come se niente li preoccupasse; 3. quasi steste complottando; 4. come se non ci sentissimo; 5. quasi volessero pigliarmi; 6. come se mi conoscessero; 7. come se fossero fantasmi; 8. quasi che io avessi bevuto

4/P. 1. di; 2. attirino; 3. più; 4. quanto; 5. avessero, quanto; 6. di quanto; 7. costi; 8. meno, quante; 9. permettesse, di quanto

4/R. appena; subito; ancora; probabilmente; già; per bene; adesso; di grosso; mai; solo; decisamente; ormai; avidamente; anche; perfino; puntualmente

5

5/C/ii. 1-d-vii; 2-g-iii; 3-a-iv; 4-e-ii; 5-b-vi; 6-f-v; 7-c-i

5/C/iii. 1-d; 2-h; 3-e; 4-g; 5-l; 6-a; 7-b; 8-f; 9-c; 10-i

5/C/iv. 1. imbianchina; 2. tabaccaia; 3. avvocata; 4. poliziotta; 5. pilota; 6. orafa; 7. barbiera; 8. ingegnera; 9. attrice; 10. elettricista; 11. muratora; 12. maggiordonna; 13. fabbra; 14. colf

5/E. 1. Secondo ciò che sostiene la Fumagalli la lingua gioca; 2. E non è sola; anche per quanto afferma un opuscolo ... si può modificare; 3. Secondo ciò che ritiene il vicesindaco non è; 4. Per quello che mi risulta i problemi ... sono; 5. A quanto diceva un filologo fiammingo, le parole sono femmine, i fatti restano; 6. Secondo quello che pensano parecchi cittadini il filologo ha; 7. Secondo ciò che sostiene un avventore del bar per lui la sindaca ha compiuto... la presidente Jotti era; 8. Secondo quanto dice un altro l'ordinanza è

5/F. ~~1.b~~; ~~2.e~~; ~~3.b~~, ~~e~~; ~~4.e~~; ~~5.c~~; ~~6.e~~; ~~7.e~~; ~~8.c~~; ~~9.a~~, ~~b~~; 10. –

5/G. 1. la vecchia donna ; 2. uno scrittore, un giurista, un'editrice, una regista e un'imprenditrice; 3. nobildonna napoletana, giovane docente universitaria; 4. operaia, ma anche studentesca, disoccupata e pensionata; 5. Tentato rapimento di Yoko Ono; 6. La maternità di quest'opera; 7. La scrittrice e il professor Bianchi

5/I. 1. restia a modificare; 2. abituati a usare; 3. riluttante ad adottare; 4. favorevoli a modificare; 5. inclini a introdurre; 6. temerari nell'inventare; 7. mi adatto a capire; 8. imbattibili per fare discorsi; 9. non mi adatterò mai né a dirle, né a sentirle; 10. facile da dire ma non da fare

5/L. non è femminista la prima cittadina; È però determinata e preparata in italiano Amalia Fumagalli; ricostruisce il "caso" la professoressa Amalia; Lo ha spiegato bene la stessa «prof»; prevale l'uso del maschile; esistono le forme al femminile; Commenta il vicesindaco Giacomo Savoldelli; Non è il caso; Sono stati proprio loro; come diceva un filologo fiammingo; Così la pensano parecchi cittadini; Parla bene quella lì; bofonchia l'uomo; Rincara un vicino di tavolo; interviene a mettere pace un terzo avventore

5/M. 1-b; 2-b; 3-b; 4-a; 5-b; 6-a; 7-a; 8-b; 9-a; 10-b

5/P. Sostituzione...

5/Q. 1. V; 2. F; 3. V; 4. F; 5. F; 6. V; 7. F

5/R. *nomi comuni*: biro, cellophane, pre-maman, paglia-fieno, pinguino; *nomi propri*: Pennarello, Oransoda, Nutella, Jacuzzi, Cynar, Ideal Standard, olio Cuore

5/S/i. 1. guida turistica, dal famoso oratore latino; 2. donna eccezionalmente bella, dalla dea greca; 3. custode, guardiano arcigno, dal mostro canino a tre teste custode dell'Ade; 4. compressa antipiretica, analgesica e antireumatica, dal nome commerciale di queste compresse; 5. motore a combustione interna, a iniezione di nafta o olio pesante, dal nome dell'inventore; 6. buffone, dal nome di una famosa maschera con l'abito a losanghe multicolori; 7. penna a sfera, dal nome dell'inventore; 8. grande seduttore, dal famoso avventuriero veneziano

5/S/ii. 1. Berretta; 2. Po; 3. Belpaese; 4. Gucci; 5. Vesuvio; 6. Magli; 7. motoretta; 8. fazzoletti di carta; 9. vasca con idromassaggio; 10. cioccolata da spalmare; 11. giaccone con cappuccio chiuso da alamari e bottoni in legno; 12. bevanda analcoolica contenente caffeina

5/S/iii. 1. persona estremamente ricca; 2. persona alta e formosa, prosperosa ma armonica; donna gelosa e superba; 3. persona nobile e genorosa ma troppo idealista, ridicolmente priva di contatto con la realtà; 4. persona pavida, paurosa, timida, vile, codarda, opportunista, vigliacca; 5. luogo di confusione, disordine, trambusto, baraonda e chiasso; 6. luogo immaginario dell'abbondanza, dove si mangia e beve senza pagare; 7. luogo remoto dove ci si reca per soddisfare aspirazioni impossibili; 8. luogo qualsiasi, insignificante e remoto

5/T. di generazione in generazione; per norma; di andar; con che intendevano; delle modenesi; delle "ragazze; nel grande serbatoio; davanti allo sviluppo; dalle gengive sporgenti, con infilati dentro; nello sceglierle; dopo un conveniente tirocinio, imparavano a servirsi con la massima disinvoltura dei dadi Maggi

6

6/A. 8; 7; 5; 1; 6; 4; 2; 3

6/B. 4; 3; 2; 1; 5

6/C. 1-d; 2-e; 3-f; 4-c; 5-a; 6-b

6/D. 1. chiudersi nel proprio bozzolo; 2. patate da divano, ovvero chi passa in casa la maggior parte del tempo libero; 3. vendita diretta; 4. abbigliamento per stare in casa; 5. contratto mediante il quale un'azienda concede il diritto di usare il proprio marchio e vendere i propri prodotti; 6. attività aziendali dirette a vendere; 7. festa, ricevimento; 8. tecnica di vendita che riduce al minimo l'impiego dei commessi; 9. commissioni, spese; 10. servizio di consegna a domicilio che si serve di fattorini che nel traffico cittadino si muovono veloci su motorini; 11. contratto con cui è possibile utilizzare un bene per un tempo determinato, dietro pagamento a intervalli regolari

6/E. 1. le; 2. il; 3. lo; 4. il; 5. il; 6. il; 7. il; 8. lo; 9. il

6/F. *beni durevoli per la casa*: contenitori per alimenti, pentole, posate, robot da cucina, aspirapolveri; *biancheria per la casa*: lenzuola, coperte; *abbigliamento*: vestiti, mutande, reggiseni; *altro*: bigiotteria, profumi

6/H. *stoviglie*: piatto, tazza, scodella; *pentolame*: pentola, padella, casseruola; *vasellame*: vaso, zuppiera, vassoio; *posate*: forchetta, coltello, mestolo; *calzature*: scarpe, sandali, scarponi; *materiale per l'igiene personale*: spazzolino da denti, deodorante, sapone; *elettrodomestici*: lavapiatti, frullatore, ferro da stiro; *materiale da pulizia*: scopa, strofinaccio, pattumiera

6/L. 1. ferramenta; 2. drogheria; 3. tabaccheria; 4. merceria; 5. modisteria; 6. pescheria; 7. pasticceria; 8. salumeria; 9. fiorista; 10. coltelleria; 11. vivaio; 12. farmacia

6/M. 1-c; 2-b; 3-g; 4-e; 5-d; 6-a; 7-h; 8-i; 9-l; 10-f

6/N. 1. Dimmi se ti piacciono le vendite dirette. 2. Vorrei sapere se hai comprato qualcosa. 3. Ti posso domandare quanto l'hai pagato? 4. Ti hanno detto come si deve pagare? 5. Dimmi se dovrai mandare l'assegno. 6. Sono curiosa di sapere chi ci fosse. 7. Mi domando come fossero stati selezionati gli invitati. 8. Dimmi se c'era pressione per comprare. 9. Vorrei sapere se ci saranno altre occasioni. 10. Fatemi sapere come potrò farmi invitare. 11. Mi chiedo se come alternativa al negozio funzioni davvero.

6/O. 1. Vorrei sapere; 2. Le sarei grata se mi dicesse; 3. Mi interessa sapere; 4. Mi dica; 5. Mi sa dire; 6. Scusi, potrebbe dirmi; 7. Chiederò più avanti; 8. Mi sono dimenticata di chiedere; 9. Non ho chiesto; 10. Avrei dovuto chiedere; 11. Non ho domandato; 12. E adesso infine vorrei tanto sapere;

6/P. 1. volessimo; fossimo; 2. si trova; 3. risponde; 4. va; 5. avesse messo; 6. ha spinto; 7. ha inventato; 8. funzioni; 9. riuscisse; 10. avremmo fatto; 11. avrei sistemato; 12. servono; 13. avevo partecipato; 14. sappia

6/Q. 1. Perché si è fermato improvvisamente? Mi chiedo se sia saltata la corrente. 2. Chi è? Mi domando se sia il vicino che è rimasto senza chiavi. 3. Perché la coperta è bollente? Mi chiedo se qualcuno abbia toccato inavvertitamente l'interruttore. 4. Chi sarà stato? Mi domando se qualcuno sull'autobus non mi abbia rubato i soldi. 5. Chi può essere? Mi chiedo se Chicca e Guido dal Canada abbiano sbagliato un'altra volta a calcolare i fusi orari. 6. Cosa può essere? Che sia finalmente arrivato il pullover che avevo ordinato per corrispondenza? 7. Da che può dipendere? Chissà se ho sbagliato ad avvolgere il rullino. 8. Perché? Mi chiedo se non sia ora di svuotare il sacchetto della polvere. 9. Dove saranno? Che le abbia lasciate in macchina?

6/R. 1. riceve; sono; 2. comprino; 3. deve; 4. ha; 5. può; 6. pagherà; 7. siano nate

6/S. 1. se andare al cinema o restare; 2. per quale motivo farlo. 3. se parlare o tacere. 4. dove sbattere; 5. come rispondere. 6. se prendere; 7. quando partire; 8. perché partire; 9. dove trovare

6/T. Vi; Vostra; Le; mio; suo; mi; Le; la Sua; al loro; Vi; io; Vostro

6/V. «Io ho; / Ø è pazzo; / Ø è napoletano; Lui stesso ; Ø Dice; lui *tomo tomo* va; Ø le dice; Ø vorrei comprare; lui insiste; Ø lo so; / io chiami; Lei non può; lui le racconta; io a casa ce l'ho; Ø sono andato; quello mi ha detto; Ø ho deciso; Ø trovo che voi intanto avete aumentato; io vi domando: che faccio Ø? Compro quello nuovo; Ø accomodo; Ø le dica, Ø faccia; Ø Si faccia accomodare; noi alla Rinascente abbiamo; Ø non possiamo; voi dovete sapere che io sono; voi non lo sapete; / Ø si compera; / ha guadagnato Ø?; Ø entra

7

7/A. 1. La scena si svolge a Napoli in uno stabile situato in via Petrarca 58 e costruito in posizione panoramica da cui si vedono Capri e il Vesuvio. 2. *Luigino*, che scrive poesie che fanno dimenticare tutti i guai, era il bibliotecario del barone. *Il barone*, che è scapolo, senza eredi e troppi quattrini, una volta aveva una biblioteca fornitissima in cui lavorava Luigino, ma che adesso ha venduto per questioni economiche. *Il prof. Bellavista*, che è sposato, padre di una figlia e professore di filosofia, in pensione, è capace di rispondere (quando non ha bevuto) a qualsiasi domanda storica e geografica su Napoli, città che conosce dentro e fuori. *De Crescenzo*, che è nato a Napoli, risiede a Milano, dove fa l'ingegnere elettronico, professione che alterna a quella di giornalista-filosofo-scrittore. *Salvatore* è vicesostituto portiere del palazzo di via Petrarca 58 in cui abita. *Saverio*, che è sposato e ha tre figli, non ha un lavoro fisso, per cui è sempre a disposizione, come dice lui. *Assuntina*, che è moglie di Saverio e fa la sarta a domicilio, nel mondo creato da De Crescenzo è un personaggio minore.

7/B. 1-a; 2-b; 3-b; 4-b; 5-b; 6-a; 7-b

7/D. ~~Erode~~, ~~Ponzio Pilato~~, ~~Santa Lucia~~, ~~San Nicola~~, ~~Babbo Natale~~, ~~Don Camillo~~, ~~Angelo Custode~~, / ~~cavallo~~, ~~colomba~~, ~~orso~~, / ~~macellaio~~, ~~monaco~~, ~~pizzaiolo~~, ~~vinaio~~, / ~~cactus~~, ~~ciliegi~~, ~~gerani~~, ~~garofani~~, ~~gramigna~~, ~~pomodori~~

7/E. che; che; cui; che; che; che; che; che; / che; che; che; cui; / che; cui; che; che; cui; che; / che; / che

7/F. 1. la mangiatoia nella quale/in cui/~~che~~/dove; 2. il carretto del quale/di cui/~~di chi~~; dalla barba grigia ~~a chi~~/a cui/al quale; 3. delle oche che/~~chi/la quale~~; sua figlia, il cui/~~la di cui/la cui~~; 4. il pastore ~~delle quali/il cui~~/le cui; un cagnaccio da ~~chi~~/cui/~~che~~; 5. la casetta dietro la quale/~~che/cui~~, i pezzi ~~i quali/chi~~/che; 6. i cammelli su cui/i quali/~~chi~~; 7. l'asinello al cui/~~a cui/di cui~~; 8. il pezzo per cui/a ~~cui/al che~~; tetto di stuoia dove/~~che~~/in cui, i porcellini ~~chi~~/che/~~cui~~; 9. il pollaio a cui/in cui/dove, tre gallinelle ~~chi~~/che/~~le quali~~; 10. accanto a cui/~~cui/il cui~~, la venditrice ~~ø/chi~~/che; l'anno in cui/~~dove/quando/che~~

7/G. 1. a-C, b-E, c-S, d-S; 2. a-C, b-E, c-S, d-C/E; 3. a-C, b-E, c-S, d-S; 4. a-S, b-C/E, c-S, d-C/E; 5. a-S, b-C/E, c-S, d-S; 6. a-C, b-S, c-E, d-S, e-S; 7. a-C, b-E, c-S, d-C/E; 8. a-S, b-S, c-C/E, d-S; 9. a-C, b-E, c-E, d-S

7/L. 1. sale; 2. mi fa addormentare; 3. continua a parlare; 4. divertirmi; 5. intrattenermi; 6. lavorare; 7. chiarirmele; 8. legge

7/M. 1. si accomodi; 2. beva; 3. fa; si distrae; 4. mi dia; 5. si fidi; 6. mi scusi; Le voglio; 7. si ricordi; sia; 8. mi faccia; venga; 9. ha; me lo dica; 10. sta

7/N. 1. chi crede; 2. Offende… chi si fa; 3. di chi usa; 4. per chi ama; 5. tra chi vuole; 6. chi vuole; 7. non c'è sempre chi abbia; 8. c'è sempre chi ha; interrompe e disturba

7/O. 1. che si devono seguire; 2. che vanno macinati; 3. che deve essere tenuta; 4. che va evitato; 5. che si deve rimescolare; 6. che deve essere gustata; 7. che va anche bevuta e non va zuccherata; 8. che non va mai riscaldata

7/P. 1. a-C, b-E, c-S; 2. a-C, b-E, c-S; 3. a-C/E, b-S, c-S; 4. a-C, b-E, c-C/E; 5. a-C, b-E, c-S; 6. a-C, b-E, c-S; 7. a-C, b-E, c-S; 8. a-C, b-E, c-E; 9. a-C, b-E, c-S

7/R. 1. amante della tranquillità, dei grandi spazi e della filosofia; 2. l'unico ad avere; il solo ad averli messi; 3. a cui affidare; 4. i consigli dati dall'esperto; 5. quadri raffiguranti; 6. Oggigiorno sono in pochi a disporre di un bagno grande come il suo in cui possano ascoltare la musica e riflettere con agio; 7. problemi economici di cui preoccuparsi; 8. denaro vinto; 9. ad ostacolare l'aggiunta; 10. in cui poter perfino offrire

7/S. 1. con cui ci potessimo distrarci; 2. che è stata registrata; 3. che ha composto Domenico Modugno; 4. che ha scritto; 5. che sono state trovate; 6. che va cantato; 7. che piange; 8. che raffigura; 9. che vi impedisco

8

8/C. 1. persona che è senza lavoro, senza occupazione; 2. lavoratore dipendente che temporaneamente, pur non lavorando, percepisce parte del salario da una cassa statale di integrazione dei salari, a seguito della riduzione o sospensione dell'attività dell'azienda; 3. lavoratore dipendente che aspetta di essere trasferito a altro posto o lavoro; 4. giovane disoccupato per non aver mai lavorato, non per licenziamento; 5. normalmente giovane in attesa di prima occupazione che nel frattempo – appunto – frequenta un corso di formazione professionale; 6. uomo che vive alle spalle di un'amante, usato spregiativamente; 7. chi riceve una pensione dello Stato o della Previdenza Sociale; 8. chi ha mezzi propri sufficienti per non dover lavorare; 9. chi non può svolgere attività lavorativa a causa di malattia o infortunio; 10. fannullone e scansafatiche che non vuole lavorare

8/D. 1. la temperatura; 2. la pressione di un fluido; 3. la pressione atmosferica; 4. la velocità; 5. l'altitudine; 6. il tempo; 7. la lunghezza o lo spessore di oggetti, con molta precisione; 8. la durata e la lunghezza (e quindi il costo) di una corsa in taxi; 9. la durata del parcheggio di una macchina, e quindi l'importo da pagare

8/F. 1. poiché ... sommerso; 2. Per ... libro; 3. Essendo ... recente; 4. Poiché ... (Istao); 5. Siccome ... scomparendo; 6. dato ... lavoro; 7. Visto ... proprio; 8. in quanto ... massimo; 9. considerando ... finanziarie

8/G. 1. rifiutano il posto perché dicono; 2. La «Polti», ... , offre cento nuovi posti poiché ha aperto; 3. solo venti operai dal momento che l'offerta di un milione; 4. lavoro intellettuale, visto che giovani disoccupati; 5. fortemente specializzati poiché il forte esubero è di colletti; 6. Siccome all'estero è più facile assumere, gli imprenditori; 7. la delusione essendo enormi i problemi dello spostamento. 8. forte dal momento che il vantaggio

8/H. 1. comaschi; 2. veneziani; 3. palermitani; 4. genovesi; 5. londinesi; 6. parigini; 7. moscoviti; 8. Ginevra; 9. dell'Alto Adige; 10. dell'Istria; 11. Urbino; 12. del Friuli; 13. Cosenza; 14. dell'Austria

8/I. 1. Poiché agli italiani lavorare nelle stalle non piacerebbe; 2. poiché il problema sarebbe gravissimo; 3. poiché interesserebbe almeno tre province; 4. sia per la puzza che rimarrebbe addosso 5. dal momento che, secondo dati ufficiosi, alcuni extracomunitari lavorerebbero; 6. Poiché avrebbero richiamato spesso un fratello o un nipote in Padania; 7. Dal momento che vivrebbero spesso in cascina con tutta la famiglia e farebbero parecchi straordinari; 8. poiché le cifre indicherebbero

8/L. 1. rifiutino (più colloquiale: rifiutano); vogliono; 2. sapevano; fossero (più colloquiale: erano); 3. tenesse (più colloquiale: teneva); si basava; 4. vanno; sia (più colloquiale: è); 5. si portano

8/M. 1. passo la notte in bianco; 2. ho carta bianca; 3. vendo sul mercato nero; 4. avere il bilancio in rosso; 5. sono rimasto al verde; 6. vedo nero; 7. ha firmato in bianco; mettere nero su bianco

8/O. 1. mi sono messa le mani nei capelli; 2. è alla mano; 3. andavo contro mano; 4. ho sotto mano; 5. ha il cuore in mano; 6. stavano con le mani in mano

8/P. 1. per essere percepito; 2. –; 3. –; 4. capendo; 5. essendo il mercato; 6. essendo ardito e capace; 7. –; 8. dispiacendogli; 9. –; 10. –

8/Q. bellezza del prodotto; costo basso; confezione su misura; consegna rapida

8/R. 1. stipata > stereotipata; 2. accingendo > accorgendo; 3. selezionato > scelto; 4. flessione > flessibilità; 5. Oppure > Eppure; 6. intraprendenti > imprenditori; 7. conoscenza > coscienza; 8. economato > economia; 9. prelibano > previlegiano; 10. procedere > produrre

9

9/B. 1. casa dove si esercita la prostituzione; 2. numero di utenti che guardano un programma televisivo; 3. non ci si deve stupire; 4. trasmissione serale costituita unicamente di sketch pubblicitari diffusa un tempo dalla tv italiana; 5. preservativo, che previene la fecondazione; 6. sdolcinate, sentimentali, innocue; 7. e simili, dello stesso tipo; 8. facendo esplodere; 9. il giornaletto parrocchiale

9/C. *Spot*: Carosello (5); spot profilattico della Levi's (5); le campagne di O. Toscani (5); la pubblicità del Mulino Bianco (2); *programmi*: "Domenica in" (2); "Amici" (2); "Beautiful"(1); i video di Mtv (4)

9/D. 1. diseducativo; 2. basso; 3. odiato; 4. preceduto; 5. al minimo; 6. meglio; 7. dannoso; 8. per scherzo; 9. bruttissimo; 10. a monte

9/E. 1. anzi; 2. anziché; 3. innanzitutto; 4. poi; 5. infatti; 6. in fondo; 7. addirittura; 8. al massimo

9/F. 1. Per garantire al massimo il successo; 2. per promuovere i suoi prodotti; 3. per migliorare la resa del loro impegno; 4. adatta a lanciare la Famiglia Star; 5. per informarvi; 6. per essere precisi; 7. per proteggersi dagli schizzi; 8. Per preparare rapidamente le minestre; 9. per cenare; 10. Per salvarsi

9/G. 1. affinché sappiano; 2. affinché si rivolga; 3. affinché i consumatori scelgano; 4. a preferire; 5. ad acquistare ; 6. per rafforzare; 7. Affinché i compratori ricordino; 8. per attrarre; 9. per convincere; 10. per catturare

9/H. 1. per vendere di più; 2. a far risparmiare; 3. per mostrarvi; 4. a fare; 5. per andare; 6. per ascoltare; 7. per sapere; 8. per sentire; 9. di ripensare; 10. per cambiare

9/I. 1. perché voi ne aveste; 2. affinché la gente si appassioni allo sport. 3. affinché i consumatori provino; 4. perché il sole glieli illumini. 5. affinché le persone generose aiutino; 6. Affinché i raggi solari non vi diano fastidiose scottature, usate; 7. Affinché zanzare e altri insetti non ci mangiassero vivi, abbiamo; 8. Affinché anche il nostro gatto abbia un regime dietetico equilibrato, compreremo; 9. Perché una pensione integrativa lo faccia vivere senza preoccupazioni, un signore; 10. Affinché la vostra auto diventi un bene immobile, comprate

9/L. 1. per farli aumentare; 2. per fargli conoscere; 3. per farle scoprire; 4. per restare; 5. per indicare; 6. per farvelo vedere; 7. per farvi scoprire; 8. per non farli ridere; 9. per farli mangiare; 10. per non farmi sentire

9/M. scomparisse; lanciare; invogliasse; suggerire; richiamare; ottenesse; si risolvessero; rimuovessero; offenda; toccasse

9/N. 1. purché il Guiness dei Primati menzioni; 2. pur di avere assolutamente; 3. pur di dichiarare; 4. purché lei leggesse; 5. pur di evitare; 6. pur di conseguire; 7. pur di avvicinarsi; 8. Le ditte committenti non esitano ... pur di aumentare gli incassi

9/O. bella / lunghi; sgualciti; pubblicitaria / postali; gratuiti / seguenti; stesso / prima; comune / qualche / prescritti / nuova / lunga / diverse / molti; ansiosi / supplementari; molte; perfetto / quei; varie; nuova; fruttuosa / piena / certi; stesso; frequenti; rubata; regolare / pericoloso

9/Q. 2. foglietti; 3. campioncini; 4. i tre fratellini; 5. i loro amichetti; 6. pacchetti di fogli; 7. un affarone; 8. i monellucci; 9. i tagliandini omaggio; 10. le bollicine; 11. le bustine con la polverina

10

10/A. 1. la vita di terra; 2. la calma; 3. le nuvole; 4. la prigionia; 5. il motoscafo; 6. la folla; 7. l'ansia; 8. la vanità; 9. la morte; 10. la predivibilità

10/B. 1. L; 2. M; 3. L; 4. M; 5. L; 6. L. 7. M; 8. M

10/C. nasce, C'erano, lavorava, ha mostrato, ha fatto, è, fai, è, era, c'erano, ha deciso; ho lasciato, sono partito, sono andato, prende, continua, Ho capito, volevo; aveva, potevo, volevo, mi sono fermato, ho preso, mi sono iscritto; era, acquistavo, riuscivo, Avrei finito, ha, frega, porta, resta, è, c'è, ha, è, vive

10/D. 1. bisogna; 2. ci vogliono; 3. occorrono; 4. ci sono voluti; 5. bisogna; 6. occorrono; 7. bisogna, ci vogliono; 8. occorrono; 9. bisogna; 10. ci vuole

10/E. 2. naviga; 3. rema; 4. nuota; 5. vola; 6. cammina; 7. pedala; 8. pattina; 9. scia; 10. slitta

10/F. 1. calma ; 2. brezza; 3. vento; 4. burrasca; 5. tempesta; 6. uragano

10/G. aragosta & gambero; arena & sabbia; baia & golfo; balena & delfino; bonaccia & maretta; gabbiano & pinguino; litorale & spiaggia, nettuno & sirena

10/H. 1. forse; 2. volentieri; 3. perfino; 4. forse; 5. anche; 6. oh se fosse vero; 7. anche se; 8. forse; 9. oh se fosse vero

10/I. 1. mettersi da parte; 2. si è arricchito molto; 3. minacciare il fallimento; 4. condividiamo tutti la stessa sorte; 5. dare una mano; 6. muovermi fra posizioni contrastanti

10/L. 1. punta; 2. il punto più bello; 3. la punta; 4. punto per punto; 5. sulla punta;

6. un velo; 7. le vele spiegate; 8. un velo; 9. nessun velo; 10. vele; 11. gonfie vele; 12. il punto

10/M. 1. leggo poco i giornali mentre sarebbe; 2. le informazioni interessanti sono poche, mentre invece le pagine sono; 3. fanno concorrenza ai campioni della vela mentre al contrario i calciatori si riposano. 4. Ricordo solo qualche risultato quando la mia memoria dovrebbe essere; 5. Molti apprezzano Soldini soprattutto per il suo coraggio, quando invece dovrebbero stimarlo; 6. Le previsioni metereologiche avevano preannunciato burrasca quando al contrario le giornate del torneo di tennis sono state; 7. i colletti bianchi stanno sulla spiaggia ad abbronzarsi, laddove invece i colletti blu ... rimangono; 8. Il mondo occidentale altamente industrializzato può permettersi le vacanze, laddove al contrario il terzo mondo ... non ha; 9. I ricchi sono indifferenti quando invece basterebbe poco

10/N. 1. Era meglio affittare una casetta al lago anziché fare; 2. Perché sei titubante invece di fare; 3. Ascoltami anziché ridere; 4. Sbrighiamoci invece di perdere; 5. Più che nuotare, agito; 6. E me lo dici adesso, anziché confessarmelo; 7. Cerchiamo qualche rimedio più che pensare; 8. porterai il giubbotto di salvataggio invece di goderti; 9. ti bagnerai vicino alla barca anziché allontanarti; 10. è invitato a iscriversi a un corso di nuoto in luogo di prendere; 11. reclamizzare uno sport contro l'altro in luogo di esaltare

10/O. Infatti; anche; a tutti gli effetti; E; ma; in effetti; Però; invece

10/P. 1-b; 2-e; 3-h; 4-a; 5-c; 6-f; 7-g; 8-d

10/R/i. 1. acquoso; 2. acquatici; 3. idrico; 4. acquoso, acqueo

10/R/ii. 1-e; 2-h; 3-b; 4-g; 5-a; 6-c; 7-d; 8-f

10/R/iii. 1-c; 2-b; 3-d; 4-a

11

11/B. esprimeva, periodo, paure; voci, storie, femminili, epoca; preoccupa, effetti; libretti, pericolose, accompagnato, contrastanti; conclude, fiorire, romanzo

11/C. 1. scrittore; 2. drammaturgo; 3. giornalista; 4. libretti d'opera; 5. romanziere; 6. poeta; 7. testi di canzoni; 8. saltuariamente per giornali e riviste

11/D. DRAMMA: convinzione, discrezione, intensità, misura, moderazione, passione, sentimento, serietà, teatro; MELODRAMMA: esagerazione, ostentazione, passionalità, pretensione, sentimentalità, teatralità

11/E. *tipi di spettacoli*: balletto, lirica, prosa, varietà; *persone che lavorano in teatro*: guardarobiere, suggeritore, tecnico delle luci, truccatore; *parti del teatro riservate agli spettatori*; loggione, platea, palco; *parti del teatro legate alla recita*: palcoscenico, quinte, scenario, sipario

11/G. 1. quando aveva 28 anni; 2. mentre partecipava a una festa; 3. nel momento in cui la vide ballare; 4. al tempo in cui vivevano insieme; 5. Quando gli giunse la notizia; 6. Mentre Dumas viaggiava all'estero; 7. Come ritornò a casa; 8. come fu pubblicato; 9. mentre soggiornava; 10. mentre componeva

11/H. 1. suona; 2. suona; 3. muore; 4. era; 5. brindavano; 6. colse; 7. confessava; 8. sta, appassirà; 9. attaccava, ho alzato

11/I. 1. pensando; 2. leggendo; 3. per cominciare; 4. vedendo; 5. sentendo; 6. esprimendo; 7. tacendo; 8. nel percepire; 9. nel passare; 10. Tornando

11/L. 1. finché il custode non ha lanciato; 2. fino a quando è crollato; 3. fino al momento in cui non sono stati evacuati; 4. finché non erano stati trasferiti; 5. fino a quando qualcuno si accorse; 6. finché, dopo soli sette mesi non riaprì; 7. fino a quando siano raccolti; 8. fino al momento in cui gli esperti non garantiscano; 9. finché ci consegneranno; 10. fino a quando il mitico uccello ... non tornerà

11/M. 1. fino al momento in cui; 2. fino al momento in cui; 3. fino al momento in cui; 4. per tutto il tempo che; 5. per tutto il tempo che; 6. per tutto il tempo che; 7. fino al momento in cui; 8. fino al momento in cui

11/N. 1. Quando; 2. quando, mentre; 3. mentre; 4. mentre; 5. durante; 6. Mentre, quando; 7. durante

11/O. 1. dal momento in cui; da quando; 2. da allora che; 3. da quando; 4. dal tempo in cui; 5. dal giorno in cui

11/P. 1. aver scelto; 2. finiti, avrà apprezzata; 3. aver frequentato, aveva superato; rientrerà; 4. aver lasciato, aveva terminato; si era diplomata; 5. aver studiato, è raggiunta; 6. permette

11/Q. 1. Arrivati; 2. Dopo aver letto; 3. Una volta fatti gli studi; 4. Dopo aver studiato; 5. Non appena scritta; 6. Accorsi; 7. Superata; 8. Non appena rientrerà; 9. Finito; 10. Andati

11/R. 1. Prima che ripartisse; 2. prima di partire; 3. prima che iniziasse; 4. Prima di entrare; 5. prima che iniziasse; 6. prima che si scatenasse; 7. prima che iniziasse; 8. prima di commentarlo; 9. prima di discuterne; 10. prima che il treno ci riportasse

11/S. 1. abbiano indicato; 2. salirà; 3. si saranno seduti; 4. abbia avuto; 5. spegnerà; 6. sarà terminato; 7. abbiano chiamati; 8. darà

11/T. 1-a. cond & elev; 1-b. fatt & coll; 2-a. fatt & coll; 2-b. fatt & elev; 3-a. fatt & coll; 3-b. fatt & elev; 4-a. cond & elev; 4-b. fatt & coll; 5-a. cond & elev; 5-b. fatt & coll; 6-a. fatt & coll; 6-b. fatt & elev; 7-a. cond & elev; 7-b. fatt & coll; 8-a. cond & elev; 8-b. fatt & coll

12

12/B. teppisti – tranquilli; vandali – costruttivi; maleducati – beneducati; postmoderni – tradizionalisti; giovinastri – giovinetti; bravacci – timidi; manigoldi – disciplinati; ignoranti – colti; ragazzotti – ragazzetti; nullafacenti – impegnati; orde – individui singoli o in coppia; hippies – yuppies; punk – conformisti; masnada – gruppetto; ubriachi – sobri; perditempo – occupati

12/D. 1. «Teste rasate» che hanno preso possesso di una balaustra per sdraiarsi al sole; 2. particolare delle scritte che imbrattano il celebre monumento

12/E. 1. acceso; 2. brioso; 3. esuberante; 4. versatile; 5. animata

12/F. 1. silenzio; 2. mangiano di tutto; 3. è argomento risaputo; 4. l'avevo già considerata acquisita; 5. ascoltavano con attenzione; 6. sono rimasta delusa; 7. manifestiamo gran soddisfazione per; 8. è stato ricompensato

12/G. 1. perfino; 2. anche; 3. prego; 4. *pleonastico & rafforzativo*; 5. al solo fine; 6. ugualmente; 7. anche se; 8. sebbene; 9. ma; 10. proprio

12/H. 1. li; che; la; la; 2. di cui; ne; 3. -lo; in cui; 4. a cui; mi; 5. gli; lo; ne; 6. la; -la -la; 7. -ti; la; gli; -li; ne; li; noi; la; 8. mi; -mi; ne; tu; -lo; in cui

12/I. 1. Nonostante avessimo la piantina della città, ci siamo persi 2. Sebbene il cielo fosse nuvoloso ho voluto fotografare 3. Benché in centro ci sia il divieto di circolazione ci sono 4. Io mi sforzo di controllarmi, nonostante la confusione mi faccia 5. Per quanto il natale fosse ancora ben lontano un gran via vai di persone già animava 6. Anche se era una normale giornata di scuola molti ragazzi occupavano 7. Un ragazzo mi ha chiesto i soldi per le sigarette, con tutto che era 8. Malgrado l'avessi invitato a rivolgersi a qualcun altro, l'avevo 9. Alcuni lampioni sono ricoperti di graffiti, pur essendoci 10. Sebbene chiuderanno la piazza anche ai pedoni, ci saranno

12/L. 1. fosse; 2. fosse; 3. fosse; 4. facessero; 5. fossero; 6. fosse; 7. fosse; 8. facesse

12/M. 1. avevano ragione a lamentarsi, non dovevano; 2. volevano; 3. Pur non essendo ... , capivo; 4. si amassero appassionatemente, gli innamorati non avrebbero dovuto; 5. avesse vinto la partita, i tifosi accaniti avrebbero dovuto; 6. volessero mangiare all'aperto godendosi il cielo di Roma, avrebbero potuto; 7. stendevano la loro merce sui gradini, benché ci fossero norme che lo vietavano. 8. Erano molti gli episodi di vandalismo, sebbene da anni si cercassero; 9. volesse fare gravi danni, un ragazzo non ha resistito; 10. si fosse deciso, il degrado sarebbe aumentato

12/N. 1. Pur andando al cinema; 2. La ragazza, benché appena arrivata; 3. Benché corteggiata da molti ammiratori; 4. Pur essendo straniero il giornale presso cui lavorava; 5. Pur appartenendo a una famiglia; 6. Pur girando per la città; 7. Lei, benché innamorata; 8. nemmeno a supplicarci

12/O. 1-c; 2-f; 3-a; 4-l; 5-h; 6-e; 7-g; 8-i; 9-d; 10-b

13

13/B. 1. ingoia in fretta; 2. disonora la tavola; 3. è sregolato; 4. non gusta affatto; 5. si abbuffa smoderatamente; 6. prende porzioni enormi; 7. non si controlla; 8. si ubriaca; 9. Non tace mai; 10. si sdraia appesantito

13/C. 1-d; 2-e; 3-b; 4-a; 5-f; 6-c

13/D. 1. sia; 2. avesse fatto; 3. piaceva; 4. intingere; 5. fosse; servisse; 6. immaginava; 7. avrei fatto; 8. imparerebbe

13/E. 1-c; 2-a; 3-g; 4-b; 5-d; 6-e; 7-f

13/F. 1. vitto; 2. sostentamento; 3. nutrimento; 4. alimenti; 5. pietanza; 6. pasto; 7. vivanda

13/G. 1. Tutto si poteva prevedere tranne che quel matto di Giorgio diventasse un grande chef. 2. salvo cucinare. 3. se non che ci vediamo. 4. a meno che non sia chiuso; 5. salvo che non subentri; 6. se non che deve; 7. eccetto che il menù era; 8. se non che il prezzo è

13/H. 1. tranne che a sentire; 2. fuorché a saltare; 3. salvo avere; 4. eccetto di evitare; 5. tranne che ad eliminare; 6. fuorché dal bere; 7. salvo che guardare; 8. eccetto che ad avere

13/I. 1. rinunciare; 2. imponesse; 3. continuò; 4. eliminare; 5. vomita; 6. si lasci

13/L. 1. N; 2. E; 3. P; 4. P; 5. E, P, E; 6. N; 7. N, E; 8. P; 9. N; 10. P, P; 11. P; 12. P, E

13/M. 1-e; 2-h; 3-m; 4-b; 5-f; 6-c; 7-a; 8-n; 9-l; 10-i; 11-g; 12-d

13/N. 1. Ci sarebbero da pelare le patate, signora, potrebbe farlo Lei per piacere? 2. Signora, per favore, prenda la pentola che mi sta cadendo! Stia attenta anche Lei però, perché è molto pesante. 3. Oh, come mi dispiace, si è bruciata? Posso andare a prenderle qualcosa? 4. Oh signora, forse è il caso di spegnere il gas, credo che si stia attaccando tutto! Lo può fare Lei per piacere? 5. Forse sarebbe meglio aspettare che si abbrustolissero un po' di più. 6. Temo che non sia molto buono: che ne direbbe se lo buttassimo via e ricominciassimo da capo? 7. Signora, grazie, ma non occorre lavarla, è già stata pulita accuratamente. 8. Provi ad assaggiarlo, prenda con la spatola quanto è rimasto nella zuppiera! 9. Me ne lasci solo un minimo perché possa aggiustare il sale, a me ne basta pochissimo. 10. Temo che abbiamo creato un po' di confusione! Ma non si preoccupi, lasci stare tutto così com'è, sono sicura che lo laverà Piero. 11. Signora penso che ormai siano pronti: spengo e li serviamo! 12. È pronto in tavola!

13/O. 1. taglia; infilza; 2. cosparge; raccoglie; 3. condisce; 4. sbuccia; 5. pela; 6. schiaccia; 7. affetta; 8. spalma; 9. mescola; 10. versa

13/P. si ebbe una sensibile trasformazione agraria – scrive il diligente Gergenti; venne incrementata la coltivazione dell'ulivo, dei vigneti e della canna da zucchero; Pietro Speciale ottenne dal re la baronia. Egli, insieme a Ludovico Del Campo e Umbertino Imperatore, iniziò; aveva commissionato lo stesso Speciale; / deriva il gusto per gli 'sfizi' di zucchero; le monache hanno conservato; diceva mia madre

13/R. pizza? Superati. italiano: balsamico. stelleØ italiana, scivolaØ inveceØ posto. indagineØ 'top'Ø Plus. / interpellatiØ altriØ Parigi, New York, Londra, chef, particolare, appunto, (97%), (83%)Ø (81%). (67%), (64%)Ø (64%), frutta, verduraØ (53%), (50%). Certo, estero, posto. MaØ olio. / scelta, intervistatiØ qualità. primeØ internazionaleØ esclusive, artigianali». conoscenza: viniØ pregio, maØ poiØ propongono». / opposto: Italia. qualità, cheØ ristretta: si usanoØ per lo piùØ (66%)Ø (55%), FranciaØ USA (97%)

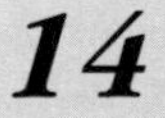

14/A. afferma; continua; constata; butta là; prevede; si entusiasma; riflette

14/C. 1-n; 2-h; 3-f; 4-c; 5-b; 6-g; 7-m; 8-l; 9-d; 10-a; 11-i; 12-e

14/D. 1-c; 2-e; 3-h; 4-f; 5-g; 6-a; 7d; 8-b

14/F. tra amici; in un bar; per giocare; a biliardo; di film / in un certo qual modo; attorno ai film / allo spettacolo; delle cinque / In sala; in gruppo; in prima fila; con le gambe; sul muretto; dalla fossa; del corpo; di ricevere; dello schermo / In quel momento; nel buio; nella pellicola; attraverso grida; dell'emozione / attorno al biliardo; in serata; A turno; a modo suo; a biliardo; in modo; di criticare; di interpretare; di riassumere; dall'inizio; alla fine

14/G. 1. La miseria è così grave che i Piermattei; 2. La fame è tanta che i bambini; 3. Il lavoro è tanto scarso che Antonio; 4. Per Maria, la madre, cantare in uno spettacolo musicale è così importante che non cucina; 5. La vita di Bruno, il primogenito, è tanto piena che oltre; 6. Il piccolino è così irrequieto che tocca; 7. Il suo angelo custode è tanto efficace che non gli è capitato; 8. in modo così grave che rimane; 9. Le condizioni sono tanto disperate che la moglie si dà; 10. La storia è così triste che il pubblico piange

14/H. 1. così ingenuo da credere; 2. tanto bella da fare innamorare; 3. talmente stanco da poter ammalarsi. 4. così fortunato da passare; 5. con le luci talmente scintillanti da sembrare; 6. un corto circuito tanto forte da far saltare; 7. un effetto così strano da far incontrare; 8. talmente squisito da far venire; 9. tanto efficace da far gettare; 10. così rilassante da combattere; 11. talmente invadenti da modificare

14/I. 1. troppo stanchi per uscire; 2. troppo presto perché i loro figlioli vadano; 3. abbastanza distratti per non seguire; 4. abbastanza accattivante perché non cambino; 5. troppo simile ... per non far pensare; 6. in modo abbastanza confuso perché nostri amici spettatori non prestino; 7. troppo tristi perché Anna potesse guardarle; 8. troppo impegnato nella lettura del giornale per appassionarsi davvero; 9. troppo prepotente perché i personaggi degli spot rimassero nell'intervallo pubblicitario previsto, e non entrassero; 10. troppo incasinata perché riusciamo

14/L. 1. da aver sempre avuto; 2. da sognarlo; 3. da esaurire; 4. da spingere; 5. da contenere; 6. da appendere ... di non riconoscerlo. 7. di meritare; 8. per essere; 9. da non poter essere trasportato; 10. da credere

14/M. 1. valeva; 2. siamo tornati; 3. ha deciso; 4. sappia; 5. vedeva; 6. faccio; 7. sarà; 8. hanno prorogato; 9. creda; 10. trovassi; 11. va; 12. continui; 13. si abbona; 14. deciderà

14/O. *Primo finale*

Improvvisamente si udì un energico squillo di campanello.

«Chi è?»

«La forza pubblica!»

Lode al cielo erano i carabinieri. Li aveva chiamati un vicino allarmato dalle esplosioni.

«Fermi tutti! Mani in alto! Documenti!»

«Grazie, – sospirò il dottor Verucci, accasciandosi sul suo amato divano. – Grazie, portate via tutti. Non voglio vedere nessuno! È tutta gente sospetta.»

«Anche la signorina?»

«Anche lei. Non aveva nessun diritto di portarmi in casa questa baraonda.»

«D'accordo, dottor Verucci, – disse il comandante dei carabinieri, – lei ha diritto alla sua vita privata. Porterò tutti in prigione. Vuole che le faccia anche un caffè?»

«Grazie, me lo faccio da solo. Ma senza caffeina, altrimenti non mi lascia dormire.»

Secondo finale

Improvvisamente, il dottor Verucci pose termine alle sue esclamazioni. Gli era balenata un'idea, ma un'idea... una di quelle idee che vengono una sola volta nella vita.

Il dottor Verucci si avvicinò quatto quatto al televisore, sorridendo ai numerosi presenti che lo osservavano con curiosità. Con un ultimo sorriso si assicurò che nessuno fosse in grado di interrompere la sua manovra, poi con un gesto brusco e preciso, tac, spense il televisore.

La prima a sparire, insieme alle luci del video, fu l'annunciatrice. Al suo seguito, uno dopo l'altro, sparirono banditi e generali, cantanti e atleti, eserciti e popoli. Semplice, no?

Basta chiudere il televisore, e il mondo è costretto a scomparire, a restare fuori della finestra, a lasciarti solo e tranquillo...

Il dottor Verucci, rimasto padrone del campo, sorrise a se stesso e si accese la pipa.

Terzo finale

Improvvisamente ... il dottor Verucci smise di gridare come un insensato.

Aveva capito?

Sì, aveva capito.

Che cosa?

Che non basta chiudere la porta di casa per chiudere fuori il mondo.

Che nessuno può veramente godere le gioie della vita quando sa, e basta un televisore a farglielo sapere, che c'è chi piange, soffre e muore, vicino o lontano ma sempre su questa terra, che è una sola per tutti, la nostra casa comune.

14/P. 1. attore; 2. gatto; 3. sollevatore di pesi; 4. vigile; 5. diavolo; 6. marinaio; 7. dentista; 8. pianista; 9. postino. C'eravamo tanto amati

14/R. campo lungo – primo piano; cassiera – maschera; ciak – si gira; cineforum – dibattito; comparsa – controfigura; doppiaggio – versione originale; produttore – regista; parte – ruolo

14/S. 1. alla; 2. questo; 3. lieto; 4. la; 5. al solo; 6. un; 7. alla; 8. una gran brutta; 9. della, un secondo; 10. alla

15

15/A. 1. V; 2. V; 3. V; 4. F; 5. F; 6. F; 7. F; 8. V

15/B. 1. sfortuna; 2. sventura; 3. infelicità; 4. insuccesso; 5. impossibilità; 6. improbabilità; 7. dispiacere; 8. sconsigliare; 9. disilludere; 10. scomporre; 11. illecito; 12. irreale; 13. irregolare; 14. incredulo; 15. disattento; 16. irrazionale

15/C. 1. ritardo; 2. sole; 3. impoverirsi; 4. sbagliare; 5. malessere; 6. debolezza; 7. perdere; 8. abbassarsi; 9. credito; 10. logica; 11. fine; 12. torto; 13. vita; 14. coraggio; 15. pari; 16. calo

15/D. 1. avventura; 2. gusto; 3. sabato; 4. fatto; 5. oroscopo; 6. incubo

15/E. 1-d; 2-e; 3-a; 4-b; 5-c. 2.000.000.000.000.000 = 15 zeri

15/F. 1. normale; vincere; puntate; cifra; 2. consente; 3. settimana; 4. ruote; 5. estrazione; 6. giocatori; probabilità; 7. giocare; 8. numeri; corrispondono; esempio; 9. 90–69–13

15/G. 1. giochi d'azzardo; 2. serie di numeri; 3. giorni della settimana; 4. ruote del lotto; 5. vincite del lotto; 6. metodi di gioco

15/H. 1. mille, centomila, milione, miliardo; 2. raddoppiare, triplicare, quintuplicare, moltiplicare; 3. decimo, undicesimo, quattordicesimo, ennesimo; 4. mezzo, semplice, doppio, triplo, quadruplo, quintuplo; 5. bimestre, trimestre, quadrimestre, semestre; 6. poco, abbastanza, altrettanto, parecchio, tanto, molto, tutto, troppo; 7. microgrammo, milligrammo, decigrammo, grammo, etto, chilo, quintale, tonnellata

15/I. perso tutto; ogni tanto; qualcosa che non quadrava; tanta gente; altrettanta gente; tutti i discorsi; tutti parlano; perderai tutto; pochi rischi; tanta gente; molti posti; molti regali; molti anni

15/M. 1. trimestri, terzine; 2. terno; 3. coppia; 4. lustro; 5. cinquina; 6. entrambe; 7. paio, ambo; 8. terzetto, duo, duetto; 9. triplicherò; 10. decina; decade, decennio

15/N. 1. Caspita! 2. Basta! 3. Evviva! 4. Accidenti! 5. Dai! 6. Diamine! 7. Per carità! 8. Forza!

15/O. 1. due gocce, quattro passi; 2. mille scuse; 3. quattro gatti; 4. mille miglia; 5. quarantotto; 6. sui due piedi, in quattro e quattr'otto; 7. un bel sette; 8. si fa sempre in quattro; 9. gliene dico proprio quattro; 10. ai quattro venti; 11. a quattro palmenti

15/P. di andare; Ø; di morire; di essere; a guarire; di cambiare; a cercare; per avere; per cantare; di non rimanere; per mettere; a cavarsela; a litigare; / a chiedere; di guarire; per pregare; di tornare; a fare; Per non morire; a rubare; da masticare; a rubare; per ritornare a lavorare; a trovarlo; a essere

15/S. Ecco le effettive risposte di Montanelli: *Troppo facile da realizzare.* «Anche a me farebbe piacere sapere che fine hanno fatto i progetti di "lira pesante". In tempi d'inflazione rampante, capisco che non fossero praticabili; ma oggi non vedo quale possa essere l'ostacolo. Chissà: forse la proposta è troppo semplice, e questo Paese aborrisce le cose semplici». *La suggestione dei numeri.* «Lei ha ragione. Il secondo millennio, in effetti, comprende l'anno 2000, ma i numeri hanno una grande forza di suggestione: quel "2" sui calendari si rivelerà irresistibile. Le consiglio, perciò, di lasciare perdere il C.S.I.T.M. A meno che voglia dire: "Come Sprecare Inutilmente Tempo e Moneta"».

Ripasso

1-8/A. 1. il bando; 2. i romanzi, quelli lunghi; 3. un pianto dirotto; 4. un corso; 5. arco; 6. un colpo; 7. prima vista; 8. una soffitta; 9. il filo; 10. alla porta

1-8/B. 1. Nel periodo delle vacanze – si sa – il maltempo può danneggiare; 2. È chiaro, non si possono occupare; 3. I bambini tenuti in albergo o tra le pareti di un appartamento – è molto probabile – sono irrequieti e creano; 4. L'anno scorso – ricordate? – ha piovuto; 5. Agosto sarà piovoso, avevano predetto le previsioni; 6. I clienti – ha proposto un albergatore di Cortina – pagheranno di tasca propria il soggiorno per le giornate di sole, e quelle di cattivo tempo saranno coperte; 7. I clienti devono assicurarsi; 8. I titolari d'albergo – pensano alcuni – dovrebbero organizzare; 9. Qualche compagnia assicurativa – sembra certo – ha subito dichiarato; 10. Ne sono convinto: in caso di maltempo prolungato, farò le valige e tornerò

1-8/D. regolino; introducesse / si sarebbe dimezzato; avrebbero perso; avvenisse / chiudessero; rimanessero; limitassero; vendessero; entrasse

1-8/E. 1. Laura disse: «Oggi non posso fare programmi perché aspetto i miei amici e non so a che ora arriveranno»: 2. Telefonò a Gaetano: «Pronto? Potresti per favore venire a casa presto e portami; 3. Lui rispose: «Sì certo, comprerò un pollo alla rosticceria qui vicino.»; 4. le spiegò: «Non ho potuto; 5. «Scusami, ma se fossi uscito dal mio ufficio un minuto prima, non avrei trovato; 6. Laura, ... , gli raccontò: «mi piacerebbe andare al Teatro Comunale domani, ma non ho potuto trovare; 7. Gaetano le promise: «Domani proverò io a cercare i biglietti qualora all'ultimo momento si liberino; 8. Laura si domandava: «Posso fidarmi di questa promessa o faccio ... ?»

1-8/F. 1. A scendere, a evitare; 2. di essere; 3. Scendendo; 4. quanto all'illuminazione; 5. a cui chiedere; 6. più che lamentarmi; 7. con cui farmi sentire; 8. A pensarci; 9. mettendomi a cantare; 10. con cui andare in ospedale

1-8/G. 1. colpo di spugna; 2. mani in mano; 3. né capo né coda; 4. mani in pasta; 5. alla mano; 6. sotto mano; 7. colpo di mano; 8. colpo di telefono

1-8/H. 1. Per quanto riguarda il costo; 2. perché non avevo; 3. che eri; 4. Se ci penso; 5. che ho speso; 6. Se devo dirvi; 7. ch'io possa ricevere; 8. che prenderai

1-8/I. 1. Sergio ha lavorato in un piccolo ristorante più a lungo di quanto avrebbe voluto. 2. Si è licenziato, perché ne aveva; 3. All'inizio non era abituato a trattare; 4. Secondo lui, alla fine era; 5. se le mance erano; 6. dato che aveva proprio perso; 7. due bottiglie che sapevano; 8. Di mancia, si aspettava che gli avrebbero dato più di due lire. 9. Sergio ha protestato, come mi sarei aspettato da lui. 10. «Ammetto di aver esagerato».

1-8/L. Ø coltiva; Ø si arrampica; Ø, Roberto Bizarri; si è preso la briga di dare lui; Ø raggiunge; Ø inizia; Ø ho imparato; Ø faccio; Ø sento

1-8/M. di come / per quanto / A quanto; se / di; che / Secondo quanto; a / come; cui / chi

1-8/N. Poveri spazzini; nome comune; operatori ecologici; nuova battuta; giovani ovini; affamatissimi esemplari; aree verdi pubbliche; assordante ronzio / loro posto; silenziosissime mandibole; nuove pecore; vita moderna; nostalgico ritorno / pastori bergamaschi / brillante prova; Giunta comunale; risorse sempre più insufficienti; prossimi giorni / alcune aree verdi impervie; linee ferroviarie; i terreni scoscesi; mura venete; Città Alta / buoni risultati; più ampia scala; prossimo anno

9-15/A. 1. ci abbiamo preso la mano; 2. dalle mani lunghe; 3. allungano le mani; 4. sono venuti alle mani; 5. mangerei le mani; 6 prenderti la mano; 7. mettermi le mani nei capelli; 8. hanno fatto man bassa; 9. a man salva; 10. ha le mani bucate

9-15/B. anzi; innazitutto; poi; infine / invece, addirittura; infatti / in fondo; solamente

9-15/C. 1. prego; 2. proprio; 3. ma; 4. anche; 5. perfino; 6. al solo fine; 7. *pleonastico & rafforzativo*; 8. ugualmente; 9. sebbene; 10. anche

9-15/D. 1. Evviva! 2. Mamma mia! 3. Ma va' là! 4. Coraggio! 5. Vergogna! 6. Brava! 7. Basta! 8. Senta! 9. Per carità! 10. Insomma!

9-15/E. 1. fotografie, vendita, intervento; 2. realtà, scalinata, anche; 3. scrive, allontanata; 4. devastante, coperta, oltre; 5. spazio, stesso, obiettivo, rompere; 6. occupate; 7. sorta, sparsi, urlano; 8. possono, cianfrusaglie; 9. canta; 10. Anzi

9-15/F. 1. le vele; 2. punto; 3. il punto; 4. porto; 5. un filo, un punto morto; 6. velo; 7. vista; 8. frutti

9-15/G. 1. dopo aver vinto; 2. avendo vinto; 3. frenato; 4. per fare; 5. Prima di avere; 6. da sembrare; 7. ormai certo; 8. fino all'arrivo di una nave; 9. salvo aspettare; 10. Pur avendo perso

9-15/H. navigatrice solitaria, grandi velisti; nuova barca; buona sorte / graziosa parigina, prime uscite; drammatica avventura, dura prova, terribile burrasca / alcuni giorni, fiato sospeso, prime pagine, diversi giorni, sesso maschile / prima persona, lunga intervista; raffinata scrittrice, fine sensibilità, rivista francese

9-15/I. 1. che muoio; 2. tranne che io ti compri; 3. dopo che avevo fatto; 4. –; 5. perché io giochi; 6. –; 7. visto che sai; 8. Anche se insisti, 9. perché non vuoi; 10. –

9-15/L. 1. tanto appassionato di scacchi da passare; 2. Da quando gli hanno regalato una scacchiera elettronica, fa; 3. Si allena per iscriversi; 4. Giorni fa quando sono andata a trovarlo stava giocando; 5. Il nonno, sebbene abbia più di novant'anni, è; 6. prima di avere; 7. invece di rivolgermi; 8. eccetto che non mi parli. 9. Sebbene dovessi dargli una notizia importante, me ne sono andata. 10. finché non finirà

9-15/M. perché; come, come, in quanto, in quanto / prima di; come / del, perché / Quando, come se / come, che

9-15/N. vanno; rimase, porse, puntasse / si bloccarono, si voltò, fissavano, voleva; si chiedevano, potessero; guardavano, vedessero / ordinò, accettasse; deposte, osservava, tirò fuori, dicendo, voleva / schizzò, rotolando / fermò, incassò, aveva dichiarato

9-15/O. Domina la flemma inglese; l'Inghilterra arriva; l'incrollabile mito della precisione teutonica resiste; gli italiani, fortemente sospettati di mediterraneo lassismo assieme a spagnoli e greci, si mostrano / Il primo censimento ... è stato realizzato; Settecento persone ... sono state contattate; Il risultato è stato visualizzato; I britannici si dimostrano

Indice degli argomenti grammaticali suddivisi per lezione

Indice degli argomenti grammaticali in ordine alfabetico

L'italiano per stranieri

Amato
Mondo italiano
testi autentici sulla realtà sociale
e culturale italiana
• libro dello studente
• quaderno degli esercizi

Ambroso e Stefancich
Parole
10 percorsi nel lessico italiano
esercizi guidati

Avitabile
Italian for the English-speaking

Balboni
GrammaGiochi
per giocare con la grammatica
schede fotocopiabili

Ballarin e Begotti
Destinazione Italia
l'italiano per operatori turistici
• manuale di lavoro
• 1 audiocassetta

Barki e Diadori
Pro e contro
conversare e argomentare in italiano
• 1. liv. intermedio - libro dello studente
• 2. liv. intermedio-avanzato - libro dello studente
• guida per l'insegnante

Battaglia
Grammatica italiana per stranieri

Battaglia
Gramática italiana
para estudiantes de habla española

Battaglia
Leggiamo e conversiamo
letture italiane con esercizi
per la conversazione

Battaglia e Varsi
Parole e immagini
corso elementare di lingua italiana
per principianti

Bettoni e Vicentini
Passeggiate italiane
lezioni di italiano - livello avanzato

Bettoni e Vicentini
Imparare dal vivo **
lezioni di italiano - livello avanzato
• manuale per l'allievo
• chiavi per gli esercizi

Buttaroni
Letteratura al naturale
autori italiani contemporanei
con attività di analisi linguistica

Camalich e Temperini
Un mare di parole
letture ed esercizi di lessico italiano

Carresi, Chiarenza e Frollano
L'italiano all'opera
attività linguistiche
attraverso 15 arie famose

Cherubini
L'italiano per gli affari
corso comunicativo di lingua
e cultura aziendale
• manuale di lavoro
• 1 audiocassetta

Cini
Strategie di scrittura
quaderno di scrittura - livello intermedio

Diadori
Senza parole
100 gesti degli italiani

du Bessé
PerCORSO GUIDAto
guida di Roma con attività ed esercizi

Gruppo META
Uno
corso comunicativo di italiano - primo livello
• libro dello studente
• libro degli esercizi e sintesi di grammatica
• guida per l'insegnante
• 3 audiocassette

Gruppo META
Due
corso comunicativo di italiano - secondo livello
• libro dello studente
• libro degli esercizi e sintesi di grammatica
• guida per l'insegnante
• 4 audiocassette

Gruppo NAVILE
Dire, fare, capire
l'italiano come seconda lingua
• libro dello studente
• guida per l'insegnante
• 1 audiocassetta

Humphris, Luzi Catizone, Urbani
Comunicare meglio
corso di italiano
livello intermedio-avanzato
• manuale per l'allievo
• manuale per l'insegnante
• 4 audiocassette

Finito di stampare nel mese di Settembre 1999 dalla TIBERGRAPH s.r.l. - Città di Castello (PG)